AFGESCHREVEN

DIRK VAN WEELDEN

HET LAATSTE JAAR

ROMAN

Uitgeverij Augustus

Amsterdam • Antwerpen

De schrijver ontving voor het schrijven van dit boek
een beurs van het Nederlands Letterenfonds.

Copyright © 2013 Dirk van Weelden en uitgeverij Augustus
Omslagontwerp en vormgeving binnenwerk Suzan Beijer
Omslagbeeld Martin Bril en Dirk van Weelden in het atelier
van Annemie Stijns, eind 1985. Foto Annemie Stijns
Drukkerij Ten Brink, Meppel

ISBN 978 90 254 4040 4
D/2013/0108/579
NUR 301

www.atlascontact.nl
www.dirkvanweelden.net

INHOUD

Die Bahnreise

'(...) Später, er war eingenickt, träumte Ellis davon, einen Zustand erreicht zu haben, wo er nichts mehr wünschte. Da lebte er in einem großen Haus, das ein oberes Stockwerk hatte. Die längsten Zeit versuchte er in das Stockwerk zu gelangen. Aber die Treppen fehlten, oder sie waren eingestürzt. Schließlich gab er sein Vorhaben auf, wanderte durch die Zimmer. In einem der Zimmer fand er alles, was er brauchte. Was das allerdings war, hatte er beim Aufwachen vergessen. Nun gut! Er saß noch immer allein in seinem Coupé. Da er Durst hatte, beschloß er, in den Speisewagen zu gehen, Bier zu trinken.'

Peter Rosei, *Die Milchstraße* (1981), blz. 252

I

HET EERSTE UUR

HOOFDSTUK 1

(Olivetti Studio 44, bouwjaar 1961, Hotel Asgard, Ganze-
voortsingel, Groningen, op een bureau in kamer 207, naast
een klassieke metalen ventilator, die wiegt en blaast en
bromt op een warme zomeravond in 2010.)

Die vent daar, op het bed, in z'n zwarte onderbroek op het hagelwitte dekbed, met dat tandenborstel-glas rode wijn in de hand,
dat is David Kennerwel.

Hij is speciaal naar Groningen gekomen om zich te vervelen.
Om een week lang doelloos rond te hangen, zonder afspraken,
verplichtingen of gezelschap. Hij gaat geen moeite doen zich te
vermaken. Hij is hier vanwege zijn verleden in de stad. Via de verveling denkt ie ontvankelijker te worden voor herinneringen.

David is nu een jaar of vijftig, en hij is hier meer dan vijfentwintig jaar geleden weggegaan. Toen hij achttien, twintig was hing hij
ook rond in de stad. Bij de universiteitsbibliotheek; bij een jongerencentrum waar een mensa was en bandjes optraden; bij een
flipperhal, bij de bioscopen en een paar cafés. Zijn ochtenden waren gevuld met colleges over de *Kritiek van de zuivere rede*. Na een

boterham volgden een paar uur lezen met een Duits woordenboek in Kants *Prolegomena* in de studiezaal van de UB, waar het eeuwenoude hout kraakte als je erover liep. Daarna ging hij de straat op, het jack hoog dichtgeritst, de laarzen in een onverstoorbaar ritme over de stoep. Een tas was uit den boze. Te lezen teksten zaten als dubbelgevouwen kopie in zijn binnenzak, net als het kleinste gelinieerde schrijfblok met spiraal dat de Hema verkocht: A6, twee voor negentig cent. En een bic. Verder geen bagage, alleen wat geld en de sleutels.

De rest van de dag was er om door de straten te lopen. Tot de schemering en een warme maaltijd. Tegenover anderen was de verklaring dat hij de stad wilde leren kennen. In werkelijkheid was het onmogelijk stil te zitten en kende hij niemand bij wie hij zich goed voelde. Hij marcheerde langs de vervallen pakhuizen aan de Diepen, over de Singels met hun mysterieuze villa's of door het winkel- en uitgaansgebied rond de Grote Markt.

Die doelloze wandelingen waren een volmaakt embleem van zijn maatschappelijke positie: een nutteloze passagier, van wie hoegenaamd niets te verwachten viel, een gestrande toerist zonder geld of programma. Voor zover hij wist had niets van wat hij deed, leerde of verlangde enig maatschappelijk nut. In de etalages van uitzendbureaus hingen bordjes waarop alleen secretaresses en pijpfitters werden gezocht. Hij was negentien en ervan overtuigd dat hij de rest van zijn leven van de hand in de tand moest leven.

Als hij langs de dichtgetimmerde winkels in de Folkingestraat liep, de werkloze jongens uit de dorpen met de failliete scheepswerven halfdronken op de stoep van een jongerencentrum zag zitten en in de krant las dat terroristen van extreem links en extreem rechts Italië en Duitsland lamlegden, en de stad New York het niet meer kon betalen de bruggen te repareren, was het zonneklaar: het was crisis. Economisch, politiek en sociaal. En het zou alleen maar erger worden, zoals de beelden uit Engeland lieten zien. Rassenrellen, uitzichtloze stakingen, massale werkloosheid, armoede en haveloze, verouderde fabrieken. Het naoorlogse verhaal van de vreedzame en sociale samenleving, rijk en stabiel genoeg om Jan en alleman te laten emanciperen, van arbeider, jongere, vrouw en etnische minderheid tot homo aan toe, was totaal ongeloofwaardig geworden.

Als hij om zich heen keek was het niet zomaar een zwak verhaal, maar echt om van te kotsen. Een leugen die erom schreeuwde te worden weggehoond. Die lange wandelingen maakte hij niet, zoals nu, om open te staan voor herinneringen, maar in afwachting van een krachtig, helder beeld van een toekomstig leven. Een glimp was al genoeg.

Hij verwachtte daar iets van wat leek op de eerste keer dat de meid op wie je verliefd bent je voor het eerst aanraakt. Een hand op je onderarm, waardoor alles wat je stil en voorzichtig voor haar voelt met zichzelf wordt vermenigvuldigd en werkelijkheid wordt; liefst in een explosie, die licht geeft in je hoofd, je doet rillen en de ene dag koortsig laat overgaan in de volgende.

Vandaag heeft David urenlang in een café aan de Grote Markt in een schrift zitten schrijven. En maar kijken, luisteren, wachten. Terugdenken, vragen neerschrijven, lijstjes maken. Later zat hij drie kwartier geduldig te wachten aan een lange houten tafel in een studiezaal. Sociale geografie geloof ik. Destijds zat hij daar ook wel eens, om er te studeren, ongestoord, aangezien hij er niemand kende.

Aan de voet van de Martinitoren, op een grasveld in de drukkende hitte van de middag las hij drie hoofdstukken uit een Amerikaanse roman, omringd door eeuwenoude huizen en honderd jaar oude bomen in volle bloei. Zelfs daar, languit, zonnebril op, flesje water onder handbereik, lag hij met een pen in de hand.

Want ook naar de mensen om hem heen keek hij vol verwachting. De studenten op het gras, de toeristen die langs de gevels slenterden, de zwervers met hun bierblikken en plastic tasjes bij de banken in de schaduw van de kastanjes, hij hield ze in de gaten. Gewekt door details in hun kleding, door hun oogopslag, gebaren of zelfs door een bepaalde lichtval op hun gezicht konden zich herinneringen aandienen.

Is dit een *sentimental journey*? Nee, dan zouden de herinneringen wel makkelijker komen. Om de hoogtepunten gaat het hem niet, daarvoor hoeft hij niet naar Groningen te komen. Die komen vooral in gezelschap, als een repertoire aan vaker opgevoerde sketches, moeiteloos bovendrijven. Hij is hier met opzet alleen, op zoek naar wat is weggezakt en weggedrukt. De vijf Groningse jaren waren niet zo vrolijk en zorgeloos. Hij was een ernstige jongeling, een piekeraar, met een afkeer van studentengezelligheid. Moeilijk voor zichzelf. Zelfs na zoveel jaar is het geen pretje om langs de adressen te gaan waar hij zichzelf hartgrondig heeft zitten vervloeken.

Als mensen van zijn leeftijd hem iets te lang aankijken, in een café of een warenhuis, vreest hij dat het een oude kennis is die hem wil aanspreken. Nee, van vroeger wil hij niemand zien.

Wat David zich probeert te herinneren is hoe hij destijds ontsnapt is. Aan deze stad, aan zijn studie, aan de bange toekomstverwachtingen, de verzwegen verwachtingen van zijn ouders. En waaraan heeft hij die ontsnapping te danken? Er moeten destijds keuzes zijn gemaakt die zijn leven bepaald hebben. Hoe ging dat in zijn werk? Als je twintig bent verbrand je schepen en bruggen achter je zonder het te beseffen. En waarom móést er zoveel, met zoveel geweld, zoveel ernst? Waarom was er maar één acceptabele uitweg en wat heeft het gekost dat hij die gekozen heeft? Al die vragen en hun mogelijke antwoorden houden zich op in een blinde hoek. De tijd, de normalisering van het volwassen leven,

het kostwinnerschap en de kinderen hebben die erin laten verdwijnen, en hij kan er onmogelijk een helder beeld van krijgen.
Ergens uit die blinde hoek moeten de herinneringen komen waarop hij wacht. Hij moet geduld hebben, net als een hengelaar. Dat
is het wat hij hier doet de hele dag: naar de dobber kijken.

David komt net onder de douche vandaan. Hij is vanaf tien uur
's ochtends op pad geweest en was moe en plakkerig geworden in
de zomerse hitte. Nu zit hij fris en wel in de eerste uren van de
avond lauwe supermarktwijn te drinken en staart hij naar een
plat televisiescherm dat aan een lange arm de kamer in steekt.

Een beslissende wedstrijd in de groepsfase van het wereldkampioenschap voetbal in Zuid-Afrika. De regerend wereldkampioen
Italië speelt onbegrijpelijk slecht tegen een jong en brutaal Slowa-
kije. God, wat staan de Azzurri te klungelen. Het lukt ze vaak niet
eens de bal binnen de lijnen te houden. De simpelste breedtepas-
ses komen niet aan. En dat er moet worden gelopen om ruimte te
maken en een succesvolle pass in de diepte te kunnen geven, lijken ze straal vergeten. Ze sjokken in rondjes over het middenveld
als ze de bal hebben. De gevreesde Italiaanse verdediging is veranderd in een zootje ongeregeld. Ze verliezen hun tegenstanders
uit het oog, gunnen ze alle ruimte naar het centrum te dribbelen
en geven elkaar geen rugdekking.

De Slowaken, in besmeurde witte tenues, zijn groot en ge-
spierd, gemillimeterd of kaalgeschoren. Er staan tatoeages van
barokke kruizen en lange teksten in gotisch schrift op hun armen. Krijgers van Alarik die de laatste bolwerken van het Romeinse Rijk omver komen trekken. Ze genieten met volle teugen.
Want of ze nou recht door het midden combineren, over de vleugels komen, uit de tweede lijn schieten of de bal diagonaal in de
zestien lepelen, altijd breekt er paniek uit bij de blauwhemden.

Wat denkt David terwijl hij vanaf het koele bed naar dit heerlijk wrede schouwspel kijkt? Hij denkt: Ha! Lekker! Kampioenen-vlees! Dat is oorspronkelijk een wielerterm. Gebruikt als het pe-loton aanvoelt dat de vedette, ondanks de schijn van het tegendeel (bij de start leek alles nog pico bello) een slechte dag heeft of defi-nitief op z'n retour is. De knechten, de rivalen, de jonge talenten en de jongens van het derde garnituur verkneukelen zich. Ze rui-ken kampioenenvlees. Vandaag wordt de vedette geslacht.

Hoe weet ik dat hij dat denkt? Ik ken die gast door en door. Al een jaar of dertig. 'Kampioenenvlees' is het woord dat voor David meteen Brent Ramli oproept. De vriend die hij hier in Groningen voor het eerst ontmoette. Die zijn boezemvriend en compagnon werd in het onwaarschijnlijke avontuur van een schrijvend leven. En een van de eerste romans die Brent ging schrijven, maar nooit afmaakte, had als titel *Kampioenenvlees*. Het moest een boek wor-den waarin met de verhalen over buschauffeurs, kraandrijvers en nietsnutten de neergang bezongen werd van zo ongeveer alles wat in de twintigste eeuw bejubeld werd en onder hun ogen, net toen zij de jaren des onderscheids bereikten (halverwege de jaren zeventig), in verval was geraakt. Kennis, vooruitgang, kunst, wel-vaart, volksverheffing, muziek – de hele bliksemse zooi. Het was zo goed als onmogelijk, ja nogal absurd geworden om in de voor-treffelijkheid van die zaken te geloven. Dat was dan weer geen reden om een klagerig en boos boek te schrijven. *Kampioenenvlees* moest een sombere, maffe en grappige roman worden.

David en Brent kwamen elkaar tegen in de late jaren zeventig. Twee slimme, nerveuze jongens, onzeker over hun verblijf op de universiteit (waar moest dat toe leiden?), maar gelijkgestemd in hun liefde voor literatuur, muziek en film. En hoe verschillend ze ook waren, ze hadden een gemeenschappelijk droombeeld, dat ze liever niet hardop benoemden: een schrijvend leven leiden. Hun vriendschap en samenwerking ontstonden in mijn geest, zou je kunnen zeggen. In de geest van de Olivetti Studio 44.

Dus als ik die kop van David zie, zo gretig als hij de beelden in zich opneemt waarin de kampioen ten onder gaat, dan weet ik dat hij denkt aan de luidruchtige pret die hij met Brent maakte als ze samen naar voetbal- en wielerwedstrijden keken. Aan hun liefde voor de vreemde schoonheid en mallotige tragiek die sport kan bieden, en natuurlijk aan Brent, zijn vriend, die op deze drukkende juniavond al meer dan een jaar onder een dikke grijze steen en een paar meter vochtige zwarte aarde ligt te vergaan.

Niet lang nadat ze elkaar hadden leren kennen, begonnen David en Brent elkaar regelmatig te zien. Een paar keer per week en altijd bij Brent thuis. David woonde in een studentenflat aan de rand van de stad, waar hij zich alleen 's nachts en 's avonds, verdiept in zijn boeken en schriften prettig voelde De rest van de dag was hij in de stad. Brents kamer bevond zich boven een modelbouwwinkel in de binnenstad, aan het A-Kerkhof. Je liep vanaf de straat in een overdekte gang met aan weerszijden etalages. Alpendorpjes en zandwoestijnen, waarin goederentreintjes rondraasden en tanks van het Afrikakorps roerloos op Montgomery stonden te wachten. Boven dit alles bungelden plastic Spitfires en Heinkeljachtbommenwerpers aan visdraad. Aan het eind van de gang was de ingang van de winkel. Haaks erop de brede deur van donker gelakt hardhout. Daarachter leidde een hoge steile trap naar een paar kamers, een keuken en een badkamer.

Brents kamer was smal en eigenlijk de samenvoeging van een stuk overloop en een achterkamer. Er was een raam dat zicht gaf op een dak met grind, blinde muren en schoorstenen. Bij Brent brandde altijd licht, zomer en winter. In die schemerige, slecht verwarmde kamer, tussen de gammele meubels uit een uitdragerij kwamen ze bij elkaar. Twee jonge gasten aan een tafel met een pot thee; ze aten er roggecrackers met margarine en hagelslag bij.

Tegenover anderen noemden ze hun bijeenkomsten vergaderingen. De gesprekken die ze hadden hoorden niet thuis in collegezalen of bibliotheken, maar ze hadden ook geen kans van slagen in kroegen en dancings. En dus zagen ze elkaar hier. Ze praatten met elkaar, zoals muzikanten samenspelen in een oefenruimte. Het waren verbale jamsessies.

Brent was langer en rijzig, met dun donkerblond haar, aan de lange kant, een brede mond en donkere wenkbrauwen. Grijsblauwe ogen, die meestal een afwachtende of licht verschrikte uitdrukking hadden. Hij was een introverte charmeur. Een opzichtig roker, zijn handen (ringen, een kettinkje met steentjes en kralen in felle kleuren om zijn pols) waren voortdurend in de weer met een pakje Gitanes zonder filter, een papieren pakje driekwart-zware Javaanse Jongens, Dr Duval-vloeipapier, een oude benzineaansteker en de as die dat alles opleverde.

David was een kop kleiner, en misschien nog iets magerder. Hij had een smal, gaaf gezicht (hij leek jonger dan de twintig jaar die hij was) en kort, donker haar. Hij had een gouden ringetje door zijn ene oorlel en een hardblauw plastic kinderhorloge om zijn pols. Geen roker, nooit geweest, niet vanwege het een of andere principe, maar uit instinct, uit angst. Een harde stem, een razendsnelle prater.

Brent zat rechtop. David voorover, de grote handen op tafel in het gelige lamplicht. Er stond een cassettebandje op dat David had gemaakt voor Brent. De deinende, dan weer springerige muziek van het Ornette Coleman Quartet, precies negentien jaar eerder opgenomen, in Brents geboortejaar. Kennerwel draaide zich om en wees op een van de boxen.

'Luister goed hoe die sax van Coleman gaat, na het thema. Bam! Zomaar linksaf! Het thema uit! Half zo snel, bas en drum gaan steady door, ondanks dat tegendraadse huppelritme. Hij zit inmiddels ook in heel andere akkoorden, hoor je? Dan die smartelijke uithaal... overal buiten... Hier pikt hij weer aan. Dan komt Cherry op zijn zaktrompet, vogelachtiger, kleinere streken, maar net zo goed valt er een hele wereld binnen, met gekke droevigheid en vreemde wezens. Het effect dat ik bedoel is dit: vanuit een stramien bedenkt iemand een nieuwe ruimte, vertrekt gewoon, pats, dwars op harmonie en beat. Vliegt weg.'

Brent deed zijn best het goed te vinden. En hij was ook wel geboeid, maar hij voelde zich geprest door David met zijn opgewonden uitleg. Laat hem nou maar alleen, in alle rust luisteren en uitzoeken wat hij ervan vindt. Waarschijnlijk: mooie en interessante muziek, uit een wereld van spannende mensen en goeie ideeën, maar ook te zenuwachtig en te onvoorspelbaar. Hij wilde muziek die hem troostend aanraakte, al was het maar gedachteloos, in het voorbijgaan, vanuit de achtergrond.

Daarna haalden ze mappen en woordenboeken tevoorschijn. Voor een bijdrage aan een tijdschrift dat David maakte met kunstenaarsvrienden in Amsterdam. Hij publiceerde er prozagedichten en teksten bij foto's. En samen met Brent vertaalde hij korte teksten van een Franse dadadandy uit de jaren twintig, Jacques Rigaut. Het was hun eerste samenwerking. Rond de onderkoeld wanhopige teksten van de Fransman ontsponnen zich hun eerste gesprekken over wat ze zelf zouden willen schrijven.

Ze waren jaloers op hun vrienden op de kunstacademie. In de kunst was een regelrechte revolutie gaande. Kunstenaars kraakten leegstaande kantoren en fabrieken en lieten er hun werk zien. En dat was niet het soort werk dat je in de keurige galeries of de musea zag. Het was wild en zondigde tegen alle intellectuele en esthetische regels van de gevestigde orde. Het amateurisme, de chaos, de muziekoptredens van woeste bands, de affiches, de rare kostuums en de uitvallende verlichting hoorden er allemaal bij.

David en Brent voelden zich verwant met het verlangen van de kunstenaars de kunst te bevrijden uit de houdgreep van deftige instituten, kunsttheorie en politiek gelul. Het idee was: maak eerst maar eens ruimte voor meer herrie, chaos, de straat, de voorlopigheid van haastig en intuïtief gemaakt werk. Dan zouden ze wel verder zien. Eerst alle verbodsbepalingen van kunsttheoretische aard het raam uit.

Als kunst een manier van leven was, dan kon je een illegale radiozender of een groepsmaaltijd of een bandje óók bekijken als een kunstproject. Vooral de beeldhouwwerken en schilderijen werden daar stukken interessanter en menselijker van. De kunst van de toekomst werd niet door verheven inspiratie of kritisch discussiërend, maar struikelend, samen, op de tast en met smerige handen gevonden. De jonge kunstenaars wilden zelf ontdekken wat beelden waren en hun mooie en kwade krachten onderzoeken, en daarbij was geen enkele stijl of techniek taboe, ook de oude, foute, gebrekkige en achterhaalde niet. De grootste blokken aan de benen van die jonge kunstenaars waren: goede smaak, goede bedoelingen, meesterwerken en sluitende theorieën.

In de letteren was een vergelijkbare opwinding en frisse wind ver te zoeken. In hun hart hoopten Brent en David de literaire bondgenoten van hun kunstenaarsvrienden te worden. Maar zover waren ze nog lang niet. Schrijven was ingewikkelder. Ze praatten over wat ze lazen, de films die ze zagen en de plannen die ze hadden. Ze lieten elkaar lezen wat ze schreven en draaiden de nieuwe muziek. Afwisselend was de sfeer balorig en ernstig; ze hadden het over hun twijfels en enthousiasme. Soms bereidden ze hun jamsessies voor en spraken ze af over welke boeken of films ze het zouden hebben, welk plan uitwerking verdiende. Dan namen ze de beraadslagingen op met een cassetterecorder. Passerende kennissen en andere pottenkijkers werden geweerd. Zonder erbij stil te staan namen ze hun vergaderingen en samenwerking veel serieuzer dan hun studie. En soms was het bij het uitwerken van die bandjes even of er al wat zonlicht over hun toekomst streek.

'Melk in de koffie?'

'Ja, beter van wel.'

Brent stond op en leek even in de richting van de deur te lopen, naar de gang en de keuken om de melk warm te maken. Maar hij bedacht zich en draaide zich om met de plastic fles gesteriliseerde melk in de hand. Achteloos goot hij de halve fles leeg in het water-reservoir van het koffiezetapparaat en zette het aan. De glazen pot, half vol koffie, schoof hij onder de tuit. Ze keken gespannen toe.

Een paar seconden later begon de machine te proesten. Stoom-wolken stegen op, de stank van verbrande melk verspreidde zich. De tuit gaf ziekelijk kleine beetjes melk op. Het stinken, stomen en sputteren werd erger. Brent trok vloekend de stekker uit het stopcontact en rende met het ding naar het raam. Het zette het buiten op het grinddak om het tot het bedaren te laten komen.

David liep rondjes om de tafel, schaterend, met af en toe een kakelende uithaal.

'Jezus, wat ongelooflijk stom! We dachten allebei echt even dat het kon lukken, toch?'

Tijdens het doorluchten van de kamer deden ze boodschappen in een kleine supermarkt om de hoek. In de opwinding stalen ze voorverpakte rauwe ham, omdat het een onbetaalbare delicates-se was en dit een bijzondere dag.

Met plakletters schreven ze op een stuk karton een motto, dat hoog aan de muur van Brents kamer kwam te hangen.

HET PRIMAAT VAN DE PRODUCTIE.

Oftewel: lanterfanten, sport kijken, lezen, uit zuipen gaan, naar de bioscoop, muziek luisteren en eindeloos over al die zaken ouwehoeren was prima, als er vervolgens maar iets gemaakt werd. Het mooiste zou zijn een film of een roman. Voorlopig zou het waarschijnlijk blijven bij een vertaling, een verhaal, een foto-serie, een tijdschrift. De tijd die ze samen doorbrachten, zelfs al keken ze voetbal of liepen ze doelloos door de stad, was een ge-broederlijk wachten op denkbeelden, verbanden, waarnemingen, invallen; allemaal brokstukken van iets wat ze zouden gaan ma-ken samen. Dat was geen afspraak, maar een onbespreekbare ze-kerheid. Hun vriendschap bestond eruit dat ze samen iets gingen maken om de wereld mee te betreden.

En hoe kom ik in dit verhaal terecht? Brent en David vonden dat ze een stuk moesten maken om hun gedachten over de schrijverij op een rijtje te zetten. Het plan: schrijven over een boek dat negen jaar eerder was verschenen, in 1971. Het vuistdikke *De Reus van Rotterdam* van Cornelis Bastiaan Vaandrager. Een boek dat ieder-een alweer vergeten was, van een schrijver die tragisch en roem-loos buiten beeld geraakt was en niets meer schreef. David las het op de middelbare school voor zijn lijst. Hij had de scepsis van zijn leraar Nederlands overwonnen door het pak systeemkaarten te laten zien die het resultaat waren van een gedegen analyse van ieder van de 160 hoofdstukken en hun onderlinge verwijzingen. Het was een boek waar Brent en David allebei van hielden, om de vrijheid die Vaandrager had genomen en de documentaire instel-ling waarmee de schrijver zijn persoonlijke geschrijf in de wereld plaatste. Ze zagen er ook de grote tekortkomingen van. Dat was er juist zo inspirerend aan: ze bekeken het als een prachtige, hart-verwarmende en enorme gemiste kans. Het schreeuwde erom herontdekt en gebruikt te worden. Omdat niemand verder was gegaan met wat dat boek mogelijk had gemaakt. En daarom was het een ideaal startpunt voor hun stuk.

Na de titelpagina (*De Reus van Rotterdam, stadsgeheimen*) volgt er een bladzijde met motto's en daar staat ook dit:

Ten geleide...
Space bar moves carriage forward a space at a time, to separate one word from next. Can also be used to correct common typing mistake: accidental omission (or insertion) of letter.
For example: if you have typed:
'Very god idea...' instead of
'Very good idea...'
insert missing letter o as follows:
1 Erase word god
2 Set carriage against letter y of very
3 Overtype y, depress spacebar and, holding it depressed, type letter g. Let space bar rise, depress it and (again holding it depressed) type letter o.
4 Type letters o and d same way.

Eronder staat nog een verkorte versie van de paragraaf over onderhoud – *maintenance* –, waarin te lezen is dat je een stofkap over de machine moet doen als je hem niet gebruikt, dat je hem zo af en toe moet schoonmaken en regelmatig laten controleren. De ondertekening is veelzeggend:

C.B. Vaandrager/Olivetti Studio 44.

De schrijver en zijn machine, samen.

Vaandrager schreef zijn *Reus* op een Olivetti Studio 44, een in het begin van de jaren zestig in fabrieken in Ivrea bij Turijn gemaakte mechanische schrijfmachine. Wel een draagbare schrijfmachine, maar geen vedergewicht; een machine voor het stevige werk. Vaandrager schreef op een van mijn vele broers, dus. Maar hoezo is het getrimde citaat uit de bijgeleverde handleiding een ten geleide voor dat vreemde boek? Letterlijk genomen is het de uitleg van een truc: hoe je vier letters kunt smokkelen op de plaats van drie, door te typen met ingedrukte spatiebalk. Misschien nu een antiek en obscuur detail, maar destijds, in een wereld zonder tekstverwerkers, was zoiets een waardevol handigheidje.

Bedenk wel dat het op de bladzijde met motto's staat, de plaats in een boek waar schrijvers graag citeren uit de klassieken van de wereldliteratuur, filosofische werken of de Bijbel. Wat doet dit nuttige, maar ogenschijnlijk onliteraire citaat daar? Is het bedoeld als parodie op een motto? Door het daar neer te zetten dwingt Vaandrager de lezer ertoe het citaat anders te lezen dan als een nuttige tip.

Het begint er al mee dat *god* een vergissing is die moet worden hersteld, door het woord *good*. Het opperwezen als menselijke vergissing. En hoe herstel je die door de taal opgeroepen misleiding? Door een bescheidener en menselijker woord neer te schrijven: *good*. Door te doen wat hier voor de ogen van de lezer gebeurt met een stukje bedrijfsdrukwerk. Een schrijver vindt in het foldertje bij zijn schrijfmachine een tekst, knipt een fragment op maat, monteert het in een ander verband, zodat het anders, overdrachtelijk kan worden gelezen.

Op dezelfde manier behandeld en gemonteerd kunnen opgevangen gesprekken, een weerbericht, een bladzijde uit een dagboek, brieven, een vraaggesprek met een badmeester, een artikel over een Rotterdamse volksjongen met een groeistoornis die een tragische lokale beroemdheid werd, samen met avonturen in het nachtleven en pure fictie een literair boek, een nieuw-realistische roman worden.

Vier letters smokkelen op de plaats van drie. Van binnenuit ruimte maken in de taal (space bar!), is dat niet een helder en bescheiden beeld van wat een dichter of schrijver doet? En ja, het is een programmatische keuze om dat over te brengen door een citaat uit de handleiding van een gebruiksvoorwerp.

Dit was literatuur die drama, humor en verwondering zocht in het leven van alledag. Het leven dat beheerst werd door kantoren, fabrieken en winkels; televisie, auto's, machines; artikelen, formulieren, reclame. In de ogen van David en Brent liet *De Reus* zien dat je door het bewerken en monteren van gevonden en eigen materiaal een poëtische ruimte kon maken, een romanwereld, een denkbeeldige stad, een leven. Doodzonde dat Vaandrager dat zo rommelig, naïef en onkritisch had gedaan. Het moest veel slimmer en veelzeggender kunnen, met meer samenhang. En beter afgestemd op het heden, want het leek ze een heel actuele methode. De vooruitgang had zichzelf uitgeput. In het ruïneuze heden dat ze bewoonden, beheerst door verval en ongeloofwaardigheid, was dit een manier van schrijven waarin ze konden geloven. Ze weigerden mee te doen aan de strenge scheiding van fictie en non-fictie, journalistiek en literatuur, documentaire en kunst. Dat was wereldvreemde hokjesgeest. In de literatuur was men pietluttig gehecht aan die ene persoonlijke stijl, verbonden met de heldhaftige mythe van het kunstenaarsgenie. Dat vonden ze ruiken naar de jaren vijftig. Het was tegenwoordig toch iets anders om een roman te gaan schrijven dan in 1948.

Boeken en teksten waren slimmer dan mensen. Ze hielden zich niet aan de regels die mensen bedachten. Brent en David wilden schrijven met behulp van alle soorten denken, vertellen, praten en zwetsen om zich heen. Kunst, literatuur of niet. Pulp, documentair of poëzie. Zelfgemaakt of niet, zelf beleefd of niet. Alles telde mee. Slim en dom, recht en krom. Bloemrijk proza of teksten van ambtenaren en technici. En het resultaat van die werkwijze leek soms op wereldliteratuur, dan weer op de *Story*. Van alle wrakhout en langsdrijvende instrumenten, van alle kennis en levensvormen een vlot bouwen op volle zee. Een eigen houtje bij elkaar knutselen; het liefst samen, zodat het vlot kon uitgroeien tot een boot, een vlaggenschip.

Zo praatten ze zichzelf moed in, en dat was hard nodig.

Toen David zich onlangs voornam Groningen te bezoeken, was ik dicht bij hem. De dood van Brent liet al een jaar lang een ander licht schijnen over de Groningse jaren, en zo won ik aan kracht. Niet dat hij er iets van merkte, maar al snel had ik David zover dat hij op een avond via Marktplaats.nl zat te zoeken naar een Olivetti Studio 44.

Bij de advertentie van ene Netty Groen uit Klundert stond geen foto. David schreef een mailtje waarin hij vroeg naar roest, of de wagen en de hamertjes soepel en vrij konden bewegen en of ze misschien een serienummer kon vinden. De dag erna vertelde mevrouw Groen in een opgetogen bericht vol uitroeptekens dat de machine het prima deed, net als vroeger eigenlijk. Naar het serienummer had ze lang gezocht, en uiteindelijk had ze het gevonden. Op een database voor schrijfmachineverzamelaars vond hij het bewuste nummer: het najaar van 1961. Een volmaakte match met de machine van Vaandragers *Reus van Rotterdam*.

Op naar Klundert, een halfuur rijden ten zuiden van Rotterdam. Op een zonnige zondagmorgen reden David en zijn Tessa een stille nieuwbouwwijk binnen. Voor de bakstenen rijtjeshuizen lagen grasvelden met kaarsrechte boompjes. Netty Groen stond al voor het raam toen ze parkeerden. Ze was een jaar of zeventig en zag er nerveus en bezorgd uit. Kort grijs haar, een vale kleur.

De voordeur ging open en op het moment dat David zich voorstelde, haar een hand gaf en tegen haar praatte, sloeg Netty een hand voor haar mond. Ze wankelde geschrokken achteruit en dreigde achterover, richting kapstok te kiepen. David en Tessa konden haar opvangen voordat ze zich bezeerde.

'Kijk nou, ze zijn bij me,' stamelde ze en wees op haar blote arm waarop kippenvel stond. Met een hand aan het hoofd ging ze haar bezoekers voor naar de kamer. Op tafel stond de schrijfmachine, tussen een thermoskan en een schaal met pindakoeken. Netty Groen ging zitten. Er stonden tranen in haar ogen en haar stem beefde.

'Komt je familie uit Rotterdam?'

Hijzelf niet, maar zijn vader en moeder alle twee.

'Zie je wel. Je naam onder dat mailtje was al hetzelfde, maar toen je begon te praten schrok ik. Het is precies de klank van je opa en zijn broer. Ik hoorde hun stemmen!'

Als meisje van zeventien hielp Netty haar vader met het schrijven van de rekeningen. Hij was loodgieter en installateur in Rotterdam. Een eigen zaak, vandaar dat ze thuis een schrijfmachine hadden. En met de gebroeders Kennerwel hadden ze wel eens te maken, bij het aanleggen van verwarmingsinstallaties in scholen, kantoren en gemeentegebouwen. Davids voorvaderen waren groot- en detailhandelaren in steenkool en later olie. Die tijd en hun stemmen kwamen allemaal terug, op het moment dat David zijn mond open had gedaan. Nou ja, het kwam natuurlijk door die schrijfmachine die ze wilde verkopen.

Netty bleef maar zuchten en vocht tegen de tranen. David en Tessa konden zien dat ze niet alleen aan Davids opa dacht, maar ook aan haar eigen vader en wie weet aan wat voor narigheid uit het Rotterdam van de jaren zestig. Maar goed, na een kopje koffie en wat geruststellende woorden ging het weer. Ze moest er ook wel om giechelen. Eind jaren zestig was ze getrouwd en naar Klundert verhuisd. Nu was ze weduwe en verkocht ze haar huis en een hoop spullen om een paar dorpen verderop te gaan wonen, dichter bij haar dochter en kleinkind. Die was kort geleden gescheiden en ze hadden haar nodig. Ze keek er droevig bij, ook al wees ze trots op de foto's van een lelijke dikke baby met goedkoop glimmende paarse strikken in het haar.

David betaalde Netty vijftien euro meer dan de twintig die ze vroeg en Tessa kuste haar ten afscheid. Bij het uitparkeren stond Netty te zwaaien voor het raam van haar halflege woonkamer. Even later reden David en Tessa de zonovergoten autosnelweg op, de kunstlederen koffer met de Rotterdamse Olivetti Studio 44 op de achterbank.

Er was een toets die de jonge aspirant-schrijvers Brent en David met extra plezier en overtuiging indrukten wanneer ze achter hun schrijfmachines zaten, en dat was de dubbele punt. Punten en komma's, aanhalingstekens en trema's regelden als verkeersagenten het tempo en ritme van de aandacht van de lezer. Een kwestie van leescomfort. De dubbele punt had een krachtiger effect. Hij deed op papier iets wat de lichaamstaal voor een spreker deed. Een verklarend gebaar, dat een verbinding zichtbaar maakte. Ze vergeleken het met de knip en de las in de montage van een film. De omringende woorden werden opgeladen door een direct aanschouwelijk verband. De dubbele punt was een lievelingstoets op de schrijfmachine, het was een kleine bliksemschicht midden in de zin: een sprong.

Een paar maanden na hun eerste vergaderingen richtten Brent en David een firma op: Uitgeverij Vlug & Zeker. Ze schreven een plechtig memo aan zichzelf waar ze de oprichting afkondigden en zetten hun handtekening onder de woorden *De Direktie*. In een kantoorboekhandel om de hoek bestelden ze een stempel en kochten ze er een correspondentiemap die als archief dienstdeed voor de brieven, memo's en publicaties. Het was een denkbeeldige firma, die geen startkapitaal had, geen duidelijk omschreven product en die geen cent winst ging opleveren. Hoe mallotig dat winkeltjespelen was, wisten ze maar al te goed. Maar dat maakte het juist zo leuk een overdreven zakelijk gestelde brief te sturen naar het faculteitsbestuur met de vraag of ze de zieltogende faculteitskrant konden overnemen.

Dat aanbod werd gretig aanvaard. Weinig studenten hadden zin onbetaald een krantje te maken met verslagen van bestuursvergaderingen, besluiten van de faculteitsraad, een lijst van bibliotheekaankopen en plannen van de onderwijscommissie. Brent en David deden het op voorwaarde dat ze er een katern achteraan mochten stencilen, met daarin hun eigen verhalen, opstellen, provocaties, cartoons, recensies van denkbeeldige boeken en films etc.

Leuk, een gekraakt faculteitskrantje, maar een hoop werk. Het begon met het foutloos overtikken van alle kopij. Vervolgens maakten ze een zogenaamd moedervel van iedere afzonderlijke A4. Dat gebeurde op een apparaat dat de tekst van het origineel op een snel ronddraaiende rol inlas en even verderop omzette in een plastic vel waarin de letters waren gebrand als gaatjes. Dit proces was traag, het stonk als een oordeel en er kwamen giftige dampen bij vrij. Maar uiteindelijk leverde het een moedervel op. Dat werd op de stencilmachine gespannen. De inkt werd door honderden keren aan een grote zwengel te draaien door die gaatjes heen op een nieuwe stapel A4 gedrukt. Als er driehonderd exemplaren van iedere pagina waren, kon het rapen en nieten beginnen. Dat deden ze met een paar kennissen, urenlang heen en weer lopend langs de tafels in een collegezaal.

Op het filosofisch instituut werden ze met argwaan bekeken. Dat werd er niet beter op toen ze aankondigden het grootste kunstwerk te gaan bewaken dat de bibliotheek rijk was, onze *Mona Lisa*, noemden ze het in een flyer. Op een ochtend liepen ze de trap op, schouder aan schouder in lange jassen uit de dumpwinkel. Grijze gabardine, waarschijnlijk van de luchtmacht. Eronder droegen ze dofgrijze hemden van de opgeheven Bescherming Bevolking met bijpassende zwarte stropdas. Onder hun arm een goed gevulde broodtrommel. Ze pakten een stoel en gingen aan weerszijden van de plank zitten waar zich over de volle lengte van vijf meter de in blauw DDR-kunstleder gebonden *Marx-Engels-Werke* uitstrekten. Als museumsuppoosten bleven ze zitten. Er kwamen een paar nieuwsgierige en drie geërgerde studenten op hen af. Scherpslijpers van de studentenvakbond. De bibliothecaris moest grinniken. Op een paar politiek getinte rotopmerkingen na verliep het hele plan vlekkeloos. Na de middagboterham haalden ze om de beurt een kop koffie bij de automaat en daarna marcheerden ze het pand weer uit. Eenmaal terug op de basis, bij Brent thuis, was de stemming uitgelaten en deden ze zich tegoed aan gebakken eieren met spek. Er mocht wel een biertje bij.

De week erop werd er in het faculteitsbestuur vergaderd over de vraag of men bij wijze van straf Brent en David een week de toegang tot het gebouw moest ontzeggen. Sommige docenten zagen in het duo een stel rechts-radicale provocateurs. Was er niet een heel dreigend interview in de faculteitskrant geplaatst met een anonymus over de aanschaf van een mes, oftewel een steekwapen? En die recensie van het denkbeeldige boek ging over de noodzaak van een nieuwe held voor deze tijd, die belichaamd zou worden door de heer Lech Wałęsa, nota bene een katholieke, rabiate anticommunist! Had Brent niet opeens zijn haar gemillimeterd als een skinhead? En de graffiti die rond en in het gebouw opdoken (*Alle Macht dem Ganzen!* en *Terug naar de oude berijming!*), waren die niet afkomstig van deze twee? Wat betekende dit allemaal?

Het was 1980, in Italië bevochten geheime diensten, fascistische cellen, de Rode Brigades en de carabinieri elkaar met bommen en mitrailleurs. Er werd massaal gejaagd op de moordenaars van Aldo Moro. In Duitsland waren de eerste leiders van de RAF dood en begraven, maar de aanslagen en ontvoeringen gingen door. Er hing een loodzware crisissfeer waarin academici die verdacht werden sympathisant te zijn van de RAF een Berufsverbot kregen opgelegd en van de universiteiten konden vertrekken. Hetzelfde lot trof leraren. In Amsterdam werden door krakers en ontevreden jeugd veldslagen geleverd met de politie. In Polen vond een volksopstand plaats en deed een vakbond het communistisch regime wankelen. In het Engeland van Margeret Thatcher woedden hevige rassenrellen in de grote steden en een regelrechte burgeroorlog tussen stakende mijnwerkers en de politie. De IRA en de UDF terroriseerden Noord-Ierland. De oorlog in Libanon legde Beiroet in puin en in Iran was na een islamitische revolutie Khomeiny aan de macht gekomen. De nieuwe Amerikaanse president noemde de Sovjet-Unie het Rijk van het Kwaad en verhoogde de defensiebegroting. In de hele westerse wereld brak de werkloosheid iedere maand naoorlogse records.

Politiek waren het paranoïde tijden. Dat kwam Brent en David de strot uit. Ze wisten wel dat ze deel uitmaakten van dat wereldtoneel dat vooral verwarring, verveling en walging opriep, maar wat moesten ze ermee? Het beste wat ze konden bedenken was gezamenlijk dingen maken die ze goed vonden. Dus wat betekenden die Uitgeverij Vlug & Zeker, hun verbale jamsessies, die verhalen en opstellen in de faculteitskrant, de luchtmachtjassen en de graffiti? Ik zeg dit: ze waren, in mijn geest, een team geworden.

Nu is het laat. Nacht. David stommelt de kamer in. Hij doet de lichten aan en trekt met een zucht zijn jasje uit. Dan schoenen en overhemd. Hij wast zijn gezicht en drinkt lang uit de kraan. Bij het plassen neuriet hij. Hij is aangeschoten, slome bewegingen, waterige ogen, blos. Ook ziet hij er ouder uit dan vanmiddag, moe. Even ligt hij languit op bed en blaast drie keer diep de adem uit. Dan staat hij op om zijn telefoon uit zijn jasje te halen.

'Hai lief...

(...)

Nah, ik heb wel wat gedaan, maar het was vooral een erg rare avond. Eerst heb ik Vietnamees gegeten, best goed. Toen wilde ik de WK-wedstrijd ergens zien, maar ik had geen zin in die gekkenboel rond de Grote Markt, met die drukte en grote schermen en plastic bierglazen. Dus kwam ik terecht in een bijna leeg café ergens aan het Zuiderdiep. Halverwege de tweede helft komt er een vrouw naar me toe, die zei dat ze me van vroeger kende. Ik had geen flauw idee wie het was.

(...)

Ik denk tien jaar jonger dan ik, of nee, niet eens. Een fors type met een grote kop doodgeblondeerd haar. Zo'n kurkdroog Gronings accent. Een hard gezicht, bozige koude ogen. Anja Wildervank en ja, ze had Brent en mij door de jaren gevolgd, als schrijvers. Groot fan van Brents columns natuurlijk.

(...)

Nee, het was helemaal niet gezellig. Het bleek een hysterische dragonder. Het ging opeens een heel andere kant uit. Het ging over oud zeer. Dat was het. Nogal bizar oud zeer. Het ging niet om haar, maar om haar broer, Eden.

(...)

Nee, niet die Eden uit de gekraakte melkfabriek, een andere. Ik ben met Brent wel eens bij hem langs geweest. Hij woonde op een verdieping vol met antiek. Zijn moeder was gestorven en hij woonde in haar huis. Zijn vader was al overleden toen ie tien was, dacht ik. Een beetje een dandy, met gekke sjaaltjes, en hij had ook iets met hoeden. Hij dronk 's middags al van die mixdrankjes met giftige kleuren, weet je wel. Daar ging Blue Curaçao in en hoe heet dat groene?

(...)

Ja, iets met Pisang, klopt. Smerig bocht. Maar goed, dat mens werkte zwaar op mijn zenuwen.

(...)

Nee, geen groupie, eerder het tegenovergestelde. Het kwam erop neer dat haar broer, die Eden, eigenlijk ook een schrijver was, maar hij had nooit kunnen doorbreken. Er was van alles misgegaan en nu zat hij als een zuipend wrak in een rolstoel en dat kwam allemaal omdat zijn grote roman, zijn debuut dat hij dertig jaar geleden als jongeling had geschreven, was kwijtgeraakt.

(...)

Ja, dat weet ik ook niet, het was natuurlijk een meesterwerk. Een familie-epos. Honderd keer beter dan Oek de Jong of Kellendonk of Van der Heijden en vooral véél beter dan wat wij geschreven hadden. Die Eden was ingestort toen dat typoscript kwijt was en toen is hij, ja, van de rails geraakt, domme dingen gaan doen en na een ongeluk is het nooit meer goed gekomen met hem. Het ging er heftig aan toe. Zo'n wijzende vinger, weet je wel, en stemverheffing. Ze gaf mij en Brent eigenlijk de schuld. Wij hadden dat pak papier te leen gekregen om het te kopiëren, beweerde ze, en daarna was het weg of incompleet. Het enige exemplaar was weg en dus hadden wij haar broer te gronde gericht.

(...)

Ja, dat klopt, ik herinner me ook dat gerucht over een legendarische onuitgegeven roman, van die Eden. Het was zelfs de reden om hem op te zoeken. Maar we kregen er geen bladzij van te zien en we vonden hem een vage flapdrol. Later hebben we hem gevraagd om een verhaal, voor in een uitgave van Vlug & Zeker, maar daar is ie nooit mee gekomen. Ik heb dus dat hele pak papier met die superroman nooit gezien.

(...)

Natuurlijk, dat zei ik ook, maar ze werd nog agressiever toen ik dat volhield. Ze ging schelden en schreeuwen. De barvrouw bemoeide zich ermee.

(...)

Nee, helemaal niet, ik bleef alleen heel eikelig vragen of ze het manuscript gezien had, zélf. Of ze het gelezen had en hoeveel andere mensen het gelezen hadden.

(...)

Op een goed moment zag het ernaar uit dat we die kroeg uitgezet zouden worden, dus ik heb het gesust. Ik zei, het is een tragisch verhaal, en dat ik het tof vond hoe ze voor haar broer opkwam, maar dat ik haar oprecht niet kon helpen.

(...)

Geen idee, maar schat, als ik een euro kreeg voor iedere gast die ooit beweerd heeft dat ie een fantastisch manuscript is kwijtgeraakt, kon ik rentenieren. En zelfs als dat boek van Eden echt bestaan heeft, wie zegt dan dat het ergens op sloeg? Waarom heeft die Eden sindsdien niks deugdelijks meer kunnen verzinnen?

(...)

Het is wel stug, dat zoiets nu gebeurt. Toch?

(...)

Nou, het gaat precies over de tijd waarmee ik bezig ben. Al die stuurloze types, de hopeloze vooruitzichten en die paar gasten ertussen die zich in het hoofd gehaald hebben dat ze een schrijvend leven willen leiden. Die Eden was ik vergeten.

(...)

Lang geleden, ja, maar het komt door zo'n tierende tante tegenover je wel behoorlijk dichtbij. Toen ik weg wilde hield ze me tegen en zei dat ze nog niet met me klaar was. Ik ben weggerend. Godzijdank had ik niet gezegd in welk hotel ik zit.

(...)

Ja, het is laat, ik ga ook zo slapen, maar ik moest even stoom afblazen. Eerst was er het rustige en gelukkige gevoel dat ik zoveel minder zwaartillend ben dan toen ik twintig was. Het leven is lichter nu. Maar met de dagen dat ik hier zit denk ik wel steeds meer aan Brent en dan ben ik misselijk van wat er allemaal verdwenen is, met hem. Hier komen zoveel dingen boven die ik inmiddels met niemand anders meer kan bespreken. En hij is pas een jaar dood! Maar goed, hoe is het bij jullie?'

Waarna David ijsberend door de kamer de wederwaardigheden aan het thuisfront aanhoort en van passend commentaar voorziet. Na een paar minuten beëindigt hij het gesprek. Dan trekt hij zijn broek uit, poetst zijn tanden en gaat in bed liggen. Hij valt in slaap bij een Duitse documentaire over de wonderbaarlijke zintuigen van de mantarog.

Dit is de volgende ochtend en David komt terug van het ontbijt. De gordijnen gaan open en hij neuriet. Aan de balie heeft hij gevraagd of de kamermeisjes zijn kamer vandaag kunnen overslaan. Het hele bureau maakt hij leeg. De ventilator gaat op het salontafeltje bij het raam, samen met de map vol brochures en regels van het hotel. De kamertelefoon en zijn laptop eindigen op het bed.

Uit zijn koffer haalt David een pak onbeschreven papier en legt dat naast mij neer. Uit de binnenzak van zijn jasje haalt hij een notitieboekje waarin hij dagenlang heeft zitten schrijven. In parken en cafés, in studiezalen en op pleinen. Hij doet zijn schoenen en sokken uit, rolt zijn broekspijpen een beetje op. Er gaat een extra knoopje van zijn overhemd los. Hij vult een grote plastic fles met water in de badkamer.

Dan gaat hij zitten, draait een vel papier langs de rol en schuift de wagen naar rechts. David schrijft:

Amigo!
Zo begonnen jouw brieven aan mij altijd en nu jij zulke brieven niet meer schrijven kunt, is het mijn beurt die gewoonte op te pikken.
De kou in gaan in de jas van de overledene.
Bij wijze van spreken dan, want ik zit hier net en het zweet staat al op mijn rug.

Je zou genoten hebben van deze zomer: goed heet en een verbeten, hardwerkend en resultaatgericht Nederlands elftal. Het volk is hysterisch eensgezind.

Een goede reden om het vaderland van grote afstand te bekijken.

Ik was graag bij je langsgekomen, in je Franse hut. Buiten onder de boom voetbal kijken, met Frans commentaar. Dan had ik niet hoeven zitten zweten in deze benauwde Groningse hotelkamer.

Aan de ene kant: Je mag dan niet meer leven, helemaal dood ben je nog niet: iemand schrijft je een brief.

Aan de andere kant: Ik weet ook wel dat dit net zo goed een brief aan mezelf is.

Een brief aan dat deel van mezelf dat zijn voeding en luchttoevoer kwijtraakte met jouw verdwijning en vroegtijdig is gaan afsterven.

Het resultaat van dat afsterven is dat alle herinneringen aan jou en ons, maar ook onze lievelingsonderwerpen, de namen van muzikanten en schrijvers, doorboord lijken; er zitten gaten in, als in een ongeldig verklaard paspoort.

In die gaten: een onherbergzame leegte.

Dit is dus ook een brief aan de leegte waaruit geen antwoord komt, die geen gezicht heeft en waar iedereen op een dag in verdwijnt; dom of slim, slecht of deugdzaam, jong of oud.

De eerste dag dat ik hier wakker werd wilde ik naar het huis op het A-Kerkhof, de plek van het eerste uur. Het was nog lekker fris buiten en ik naderde de A-Kerk vanaf de kant van het station. Je kon de bomen ruiken. Het zonlicht was nog vers. Ik dwong mezelf niet door te stappen, maar te slenteren.

Dat vredige gevoel verdween snel toen ik van het Zuiderdiep het Munnekeholm opliep. Daar stond dat gekke neogotische postkantoor, vlak achter de A-Kerk en schuin tegenover het huis. Ik was dat hele postkantoor straal vergeten! En ik schrok ervan het weer te zien. Het is inmiddels een expositieruimte voor kunstacademiestudenten. Dat maakte het alleen maar erger. Het slenteren vertraagde tot ik stilstond en mijn ogen sloot. Ik stond je te missen, precies zoals ik je miste in de tijd dat jij al in Amsterdam woonde en ik de straat overstak, komend uit wat jouw huis was geweest en waar ik nu woonde, om de dikke brief te kopiëren en aan je te posten op het postkantoor. Verschil is er wel natuurlijk: destijds was jouw afwezigheid een levend wezen in mijn hoofd, nu wachtte ik hulpeloos tot de loden bal in mijn borstkas en het branden in mijn ogen weer waren verdwenen.

De modelbouwwinkel is weg. Er zit nu een zaak die glimmerige tuttigheden verkoopt. Handschoenen, tasjes, kettingen, hoedjes en shawls. Daar voor de deur (het zal wel losgewoeld zijn door het met schrik herkennen van het postkantoor) schoot me de ochtend te binnen dat ik op de afgesproken tijd de sleutel van het huis die je me had gegeven in de voordeur stak en met een tas vol paperassen die lange trap op stommelde. Waarschijnlijk heb ik vrolijk lopen fluiten tijdens die klim. Jij lag als een stinkende dweil in bed, niet eens in staat tot een volledige zin. Weet je welke ochtend ik bedoel? Uit je gemompel kon ik opmaken dat je in je enthousiasme voor drank, drugs en meiden een katholieke studentenvereniging en daarna nog een dancing onveilig had gemaakt en net drie uur in je mandje lag.

Alles in die herinnering draait om je ogen. Je zei niet dat we de afspraak om aan de Rigaut-vertaling te werken beter konden verzetten. Je lag daar en keek naar me, stil en nors. Misschien wel afwachtend. Ik zei ook niet dat ik dan beter over een paar uur kon terugkomen. Nee, ik vertrok geen spier en ging opgewekt naar de keuken om thee te zetten en een eitje voor je te koken.

Met die thee en dat ei kwam ik terug. Je lag er nog steeds, uitgeteld, met je ongeschoren boevenkop, net zo vaal als je smoezelige verwassen T-shirt en keek naar me. Je zei niets. Ik zag wantrouwen, ergernis, maar ook schaamte en verbazing. Ik snapte wel dat je mijn moederend gedrag

37

verontrustend vond. Het wakkerde ongetwijfeld je schuldgevoel aan, al was daar erg weinig voor nodig: in schuldgevoel was je virtuoos.

Ik ging met de krant die ik had meegenomen op een stoel tegenover het bed zitten, kopje thee erbij. Ik wilde je laten merken dat het allemaal niks uitmaakte. Die Rigaut-vertaling niet. Ook niet onze uiteenlopende uitgaansgewoontes of werkritmes. Het gold voor alles, zoals de eigenschappen van een broer of zus er gewoon zijn.

De verschillen en onverenigbaarheden tussen ons deerden me niet, omdat ze naar mijn idee de vriendschap alleen maar ten goede kwamen, of althans dat wenste ik. Ik wilde geen gelijkgestemde meningen of identieke leefwijzen, ik wilde onvoorwaardelijke vriendschap en samenwerking. Dat was wat ik in die stilte probeerde over te brengen. Iets wat leek op mijn bedoeling moet zijn aangekomen. Dat zag ik aan je ogen. Ik zag ook dat je daarvan schrok. Want zo onschuldig als ik het hier laat klinken kwam het niet op je over: het was ook een stille eis.

Maar daaraan wilde ik niet denken; ik deed of er niets aan de hand was en ging aan tafel verder met de krant toen jij onder de douche ging. Aan de vertaling hebben we die dag niet veel gedaan natuurlijk. We liepen 's middags door de stad, omdat jij een winkeltje met goede laarzen had gevonden, en we wilden toch allebei nieuwe?

Een vriend is iemand die je toestaat jou te veranderen, ook al weet je niet precies hoe dat gaat gebeuren. Tegenover een vriend heb je niet de behoefte af te bakenen en te verdedigen wie je bent en wie niet. Of wie je wilt zijn en hoe je gezien wilt worden. De onzekerheid daarover kan tegenover anderen zorgen en angst opwekken, maar bij een vriend niet.

Je vertrouwt een vriend in je dode hoek: je laat hem toe te zien hoe je in je eigen ogen faalt. Dat is iets wat je zelf niet altijd wilt toegeven, en daarom ziet hij dat misschien nog beter dan jijzelf. Van een vriend ken je de manieren waarop hij zichzelf voor de gek houdt op je duimpje. Hij kent jouw repertoire op dat gebied even goed.

Vroeger hadden we het nooit over mislukken en falen. Daar ben je jong voor. Natuurlijk waren we bang voor wat er met ons zou gebeuren als er niets terechtkwam van ons gedroomde leven dat zijn bron en bestemming vond aan een tafel met schriften en een schrijfmachine, onder een boom in de schaduw van een mediterrane zon. Alleen was het natuurlijk te beschamend, en te slap om dat toe te geven. We deden net alsof een schrijvend leven onvermijdelijk was. Alsof er geen angst bestond.

Vrienden zijn elkaars meest intieme getuigen van wat er in de loop van de jaren misloopt en mislukt. Zonder het te vragen weten ze van elkaar wat de opgegeven plannen, de verbroken contacten, het gedoofde verlangen en de tegenvallers teweegbrengen. En ook hoe wat ooit een energiek en kansrijk plan was geleidelijk kon veranderen in een kansloze en droevige onderneming, tegen beter weten in.

Al die gemiste kansen, teleurstellingen en mislukkingen zijn geen geliefd onderwerp van gesprek natuurlijk. Ze verdwijnen in de dode hoek van de vriendschap. Wat mensen graag vergeten is dat niet alleen de dingen waar je makkelijk over praat kleur en leven aan een vriendschap geven. Juist ook het stille inzicht in elkaars angst en kleinheid, elkaars beperkingen en mislukkingen geeft smoel aan een vriendschap.

Ik loop nu een paar dagen door Groningen en rijd lukraak rond op een huurfiets. Wat me opvalt is hoe slecht ik de stad ken. Toen ik hier woonde liet ik me blijkbaar niet in met de verscheidenheid aan wijken en plekken van de stad en met maar heel weinig Groningers. Het is beschamend om toe te geven, maar ik heb destijds nooit de stad verkend. Ik kom nu voortdurend in buurten waar ik voor het eerst een voet zet. En met hoeveel mensen ging ik nou helemaal om? Eerlijk gezegd: hooguit een dozijn. Misschien twintig. Nu ik hier onder zomerse omstandigheden als toerist verkeer herken ik dus een stad waar ik amper heb geleefd.

Waar was ik dan? Bij die paar mensen, achter een tafel, in een collegezaal, een café, een concertzaal, een bioscoop; en maar teksten, beelden en muziek tanken. Ik zat achter mijn schrijfmachine of met een gitaar of een boek op schoot. Ik was onderweg, lopend of op de fiets, en vaak zat ik te wachten op die paar mensen, op jou.

Dat vloog je wel eens naar de strot, hoe ik leefde. Eenzelvig, gegijzeld door een overvol, koortsig en hongerig hoofd. Ieder wakend uur bezig dat hoofd te voeden en te trainen. Het was fanatiek te noemen: acht uur slapen, niet roken, weinig drinken, liever geen drugs, iedere dag schrijven en hardlopen langs het Van Starkenborghkanaal zodra ik mezelf ervan verdacht sloom en vadsig te worden.

Jij stak anders in elkaar, maar ik kon er weinig aan doen. Hoeveel lol we ook trapten, ik moest uiteindelijk altijd een hand kunnen blijven leggen op het hart van de zaak: de belofte dat onze vriendschap ons op wat voor manier dan ook zou helpen een schrijvend leven te leren leiden. Wat we deelden was niet de literatuur als kunstideaal, maar de door onszelf uit te vinden manier waarop schrijven bron en bestemming van ons leven zou kunnen zijn. Goed, dat was een heel wazige, labiele, open zaak, maar wel een eigen zaak. En dan gezamenlijk.

Er was daar in Groningen destijds domweg niets belangrijkers. In het begin zelfs Tessa niet: als het niet anders kon wilde ik alles ervoor opofferen, inclusief mijn nieuwe meisje, mijn studie en zelfs de lieve vrede met mijn familie. En omdat er zoveel op het spel stond wilde ik iedere dag merken waar het ons om ging, wat ons bond en wat de lens was waardoor we naar ons leven keken. Bij iedere film, bij iedere observatie als we door de stad liepen, iedere maffe inval voor graffiti, iedere sarcastische uithaal bij een voetbalwedstrijd op tv, bij iedere practical joke, bij iedere literaire ontdekking die we deden.

En natuurlijk was ik zo akelig serieus dat ik er hardhorend en slechtziend van werd. En vaak genoeg bot, ongeduldig, ergerlijk. Ik oordeelde te vaak, en soms te snel. Het is te laat, maar: mijn excuses.

Toen je voor het eerst ziek werd acht jaar geleden en we af en toe samen door de ontvolkte decors van onze oude vriendschap slenterden, was die

Groningse tijd erg ver weg. Logisch, we hadden het over actuele dingen, over wat er speelde. Onze gesprekken waren al ruim tien jaar een detail in onze levens. De mensen met wie je omging, je vrienden en zakelijke kennissen, kende ik vanuit de verte. Voor hen was ik een schim uit jouw verleden. Als je bedenkt hoeveel afstand er in de afgelopen twintig jaar was ontstaan tussen ons, zijn we er heel behoorlijk in geslaagd goede vrienden te blijven, die laatste jaren. Ik merk dat me dat nu verbaast.

Je dood naderde, eerst was het een klein inktvlekje, het werd steeds groter, en dat laatste jaar kwam het als een orkaan op me af, tot ik tegenover een afschrikwekkende zwarte spiegel stond. Het beeld dat die spiegel levert: ik zie mezelf met domme, holle ogen de leegte in staren, en ik zie jou, weglopend in de verte. Ertussen ligt wat we ervan gemaakt hebben, jij en ik, van een schrijvend leven. En als de boze waarheid is dat jij het jouwe nog niet eens half gelukt vond, te kort, verkwist, halfhartig, welke waarheid toont die zwarte spiegel dan over het mijne?

Mijn hotelkamer ligt op het oosten en ik zit hier inmiddels druipend achter mijn nieuwe schrijfmachine, de ons welbekende, roemruchte Olivetti Studio 44. De jakkerende ventilator is machteloos tegen de klimmende temperatuur in de kamer. Inmiddels heb ik broek, hemd en schoenen uitgedaan. Ik zit in mijn onderbroek op een badlaken en omklem de plastic fles met de tweede liter water. Ik ben een kringloop geworden van water, zouten en woorden.

Hoe post ik dit epistel? Ik denk dat ik een kopie maak, beneden bij de balie van het hotel, en met het origineel naar het Munnekeholm loop. Dan verbrand ik deze brief op de stoep van het oude postkantoor. Adres overbodig en nog gratis ook.

Gegroet,
David

HOOFDSTUK 2

(Adler Gabriele 25, bouwjaar 1973, huiskamer aan een
negentiende-eeuwse straat in Amsterdam, in een open
boekenkast, op een zaterdagavond, maar het is nog licht,
alle ramen staan open, vanuit de binnentuinen klinken
etensgeluiden en kinderstemmen, flarden muziek,
zomer 2010.)

Onder dat langzaam breder wordende kolommetje sigarettenrook zit ze. Aan de ongelakte houten tafel in de woonkamer. Ze
heeft halflang donker haar en opvallende wenkbrauwen, volmaakte klassieke boogjes. Even karakteristiek zijn de kaarsrechte
rug, de vingervlugheid waarmee ze het scherm van haar telefoon
bedient en de kleine afgemeten slok waarmee ze van haar bier
drinkt. Dit is Tessa Inmijnen.

Haar man of vriend of partner (ze zijn niet getrouwd) zit op de
bank. Hij zit met het overhemd halfopen in kleermakerszit en
met blote voeten de krant te lezen. De katernen liggen om hem
heen, alsof het dagblad speciaal voor hem is ontploft. David is
gisteren teruggekomen uit Groningen.

Groningen, dat is voor haar lang geleden. Feitelijk waren het een paar beslissende, stormachtige jaren tussen haar jeugd in het diepe zuiden en haar leven in Amsterdam. David heeft ze leren kennen in Groningen. Ze was nog net zeventien, hij nog net eenentwintig. Goed beschouwd waren ze grote kinderen, en nu ze samen een zoon van achttien hebben, weten ze pas goed hoe onthutsend jong ze destijds waren.

Het begon ermee dat ze elkaar, alle onhandigheid ten spijt, onweerstaanbaar lekker vonden en woordeloos verliefd raakten. Al snel bleek dat ze weinig van elkaar begrepen en nauwelijks met elkaar konden communiceren. Totaal verschillende werelden. Ze werden om de gekste redenen kwaad op elkaar, kwetsten elkaar onbedoeld en soms met opzet en wezen elkaar in die eerste periode om de haverklap af – met slaande deuren, driftig volgepropte tassen, taxi's bellen midden in de nacht –, het hele klassieke repertoire. Maar ze lieten elkaar niet los. Nog geen paar dagen.

Ergens in het koude donker van hun zwakste momenten waren ze vrienden geworden. Al die misverstanden en overgevoeligheden, al de aandoenlijke onredelijkheid of kinderlijke koppigheid en de opgefokte geldingsdrang die in de ruzies ontbrandden, bleken strovuur; en in het onrustige licht daarvan toonde zich een veel grotere kracht: de wederzijdse ontroering door de persoon en het rare, moeilijke, mooie leven van de ander. Die ontroering was onmogelijk te verwoorden, maar je kon ernaar handelen, dag na dag.

Toen dat wondermetaal eenmaal gedolven was in de donkere diepte van die eerste jaren, kwam het met de dag meer in het zonlicht van hun dagelijkse leven. Ze ontleenden er een geheim gevoel van rijkdom aan. Hun vrienden en ouders keken van een afstand toe, verbaasd dat die woeste carrousel van onbegrip en koppigheid, twijfel en opflakkerende zelfhaat hun vriendschap eerder leek te versterken dan te verzwakken. Soms waren ze als kibbelende broer en zus en vreeën ze maanden niet, dan weer was er een periode waarin ze zo goed als dagelijks en steeds avontuurlijker de liefde bedreven. Ruzie, seks, zelfs bij elkaar wonen of niet waren al na anderhalf jaar details geworden in de tempel van hun vriendschap. Dat klinkt plechtig, maar ik geloof werkelijk dat ze die eerste jaren zoveel lelijke en duistere kanten van elkaar gedeeld hadden dat hun verbond een levensbeschouwing of religie was geworden. En net als wedergeboren christenen hadden ze de stellige overtuiging dat hun nieuwe geloof ze gered had van de een of andere ondergang.

'Lieve David, ik heb net onze bankrekening bekeken en het geld is bijna op. Mijn salaris komt wel binnen volgende week en alle rekeningen zijn gelukkig betaald, maar toch...'

David legt de krant weg en gaat verzitten.

'Hmm, daar was ik al bang voor. Nou komt er nog wel geld aan. Van die lezing in Den Bosch, die was goedbetaald. En het stuk in de krant twee weken terug.'

'Ik heb het over de komende maanden. Niet over een paar honderd euro hier en een paar honderd daar.'

'Ja, met Hans was er laatst sprake van om in het nieuwe seizoen mee te doen aan een radioprogramma. Niet als gast, maar als maker bedoel ik; vast dus.'

Tessa knikt, met een uitdrukking tussen gerustgesteld en sceptisch in. Ze neemt het laatste slokje bier. 'Het komt altijd wel goed, maar je moet er nu wel even achteraan zitten. Laten we wat te eten maken samen.'

Ze staan op en lopen naar de deur van de kamer. In de openstaande aktekoffer die David mee had naar Groningen ziet Tessa iets wat haar aandacht trekt. Ze pakt het op.

'Is dat een oude? Zoiets heb ik al jaren niet gezien.'

Ze heeft een stempel vast met vier wieltjes, die ieder een rubberen bandje laten verspringen met daarop een onderdeel van de datumaanduiding.

'Nieuw, kijk, hij gaat van 2010 tot 2020. Heb ik gekocht in Groningen, in die kantoorboekhandel aan de Sint Jansstraat, opzij van de Martinikerk, waar jij voor mij destijds die Gabriele-schrijfmachine hebt gekocht. Die winkel zit er nog steeds.'

'God ja, dat was spannend. Waarom deden we dat eigenlijk? Je had toch al een schrijfmachine?'

'Die bolle groene Erika van mijn vader. Daar had hij zijn afstudeerscriptie op geschreven. Maar ik had een hekel aan dat kleine lettertje en ik verlangde als schrijver in de dop naar een eigen schrijfmachine, een nieuwe, hedendaagse. Tsja, magisch denken, vrees ik. Toch moet ik het overtuigend hebben gebracht, want jij betaalde ervoor. Een half maandinkomen.'

'Echt waar? Ik weet wel dat ik het romantisch vond dat ik jou een groot cadeau kon geven.'

'Vond je het niet belachelijk?'

'Jij wilde het blijkbaar erg graag en ik had voor het eerst zoveel geld. Een echte baan. Daar was ik trots op, dus dan is één en één twee.'

Hij slaat zijn armen om haar heen en kust haar hals. Ze voelt zijn warme borst tegen haar tepels. Ze zegt dat ze een prachtig stuk zeewolf van de markt heeft meegenomen.

Deze mensen hebben er geen idee van dat de geest die hen al dertig jaar bindt huist in mij. De Duitse draagbare schrijfmachine, die in 1980 al moeilijk verkoopbaar werd en in de aanbieding ging. De klanten wilden elektronische schrijfmachines met een correctielint en een luxe geheugen van tweeëndertig tekens. Mensen met geduld en technisch talent waagden zich aan de eerste personal computers.

Ik ben van staal en gegoten aluminium, waaroverheen een

witte plastic behuizing. Mijn belijning is echt Duits: verzorgd en strak, maar niet erg elegant. Modern, beschaafd mat, maar niet sexy. Om mij te vervoeren werd er een schokkend lelijke zwartplastic koffer met bolle hoeken en een raar kreukelmotief bij geleverd. Jarenlang stond ik op een vlonder in Davids werkruimte. Maar de laatste tijd heb ik, zonder die koffer gelukkig, een ereplaats in de huiskamer, in een boekenkast tussen lievelingsauteurs, bijzondere oude boeken, eerste edities en indrukwekkende kunstcatalogi.

Ik waak over David en Tessa als een oudere zus. Het is een mooi duo, dat zag ik meteen, toen ze de winkel binnenkwamen op die middag in de lente van 1980. De zon viel binnen in een stilte die verre van geruststellend was. Hier ging iets belangrijks gebeuren. Tijd om wakker te worden.

De pezige jongen, die nerveus rondliep en alle machines op de planken bekeek: het meisje met de mooie schouders, de rechte rug, de grote ogen. Ze was klein en aantrekkelijk ondanks haar punky kleren en het korte, rommelig geknipte haar. Ik zag het meteen: wild. In de letterlijke zin van het woord: niet te temmen, niet gehoorzaam aan een vader, een leraar, een man, een baas. Vecht zich liever dood dan te buigen.

Het mooiste was hoe ze naar de jongen keek. Bewonderend en afwachtend, maar het was ook duidelijk dat ze hier niet hadden gestaan zonder haar. Het was haar initiatief; hij koos, zij betaalde. Hun leven, waar ik sinds die middag deel van uitmaakte, was in die jaren een storm. Soms uitbundig en zonnig, warm en snel, dan weer koud, donker, op het ritme van moedeloos makende slagregens. Ik bevond me ergens in het relatief stille oog van de storm.

Voor David was ik het instrument om opnieuw mee te leren schrijven. Hij vermeed het mij te gebruiken voor zijn studie. Daarvoor gebruikte hij de Erika van zijn vader of de machines die in de bibliotheek van het filosofisch instituut voor openbaar gebruik beschikbaar waren. Brieven, eigen projecten, de eerste verhalen, plannen met Brent, daarvoor haalde hij mij uit de zwarte koffer. Alles wat dienstbaar was aan een toekomstig schrijvend leven.

Tessa had moeite te begrijpen waarom David zoveel alleen wilde zijn om te lezen en te schrijven. Ze kende niemand die dat eiste. Het was een mysterie dat ze niet helemaal vertrouwde. Maar gek genoeg was het wel een reden om van David te houden. Het hoorde bij datgene wat hem anders maakte dan alle andere jongens die ze kende. Tessa zorgde er wel voor mij niet aan te raken.

Ze vermoedde wel eens dat Davids verlangen naar een schrijvend leven zou betekenen dat er nauwelijks ruimte was voor een vrouw, een gezin, een baan. Sterker, dat hij het type was dat om de paar jaar van vriendin wisselt om zijn eigen schrijvend leven intact te houden. Zodra iemand er de weg in begint te kennen wordt ze een bedreiging, en dat is de reden haar te verstoten.

Zelf had ze geen beeld van haar toekomst. Ze wilde niet trouwen, maar vooral dingen leren doen en leren maken, en reizen. Verder had ze Davids aandacht en waardering nodig en vond ze hem mooi en lief en daarom gaf ze hem een schrijfmachine. Ze zag hoe blij en trots hij was achter mijn toetsenbord. Ze geloofde dat als hij tijd besteedde aan die schrijfmachine, hij geld kon verdienen met wat hij schreef en gelukkig kon worden. Ze hadden er allebei geen flauw vermoeden van hoeveel duisternis er kan ontstaan, hoeveel verwarring en wanhoop een jongeman kan oproepen door maar achter zo'n toetsenbord te blijven zitten.

Tessa had werk gevonden als secretaresse bij een grondonderzoekbedrijf, maar na anderhalf jaar wilde ze iets anders. Naar de kunstacademie in Amsterdam. Hoe doe je dat? Eerst neem je ontslag. In een gekraakte melkfabriek, waar je een paar mensen kent, regel je een atelier. Je koopt verf, papier, stiften, doek, penselen. Je leert jezelf fotograferen en koopt tweedehands een Oost-Duits bakbeest van een spiegelreflexcamera, compleet met een lichtmeter in een aandoenlijk neplederen tasje. Om wat geld te verdienen maak je van leer, kralen, stof, stukken speelgoed en spullen uit de ijzerwinkel sieraden (oorbellen, kettingen, armbanden) die je verkoopt in een winkel, gevestigd in een gekraakt voormalig politiebureau. En thuis begin je aan de bouw van een donkere kamer in de badruimte. Zo deed Tessa dat.

David was licht bezorgd over Tessa's ommezwaai en keek verbijsterd naar de ombouw van de huiskamer in een werkplaats waar met tangen en soldeerbouten en jankende graveermachines alternatieve bijous werden gemaakt. Ging zijn stoere, gevoelige, maar helemaal diplomaloze en met kunst onbekende meisje het redden op weg naar de kunstacademie?

David en Tessa waren zo goed als altijd samen, maar maakten er een punt van ieder een eigen huis aan te houden. Tessa had een halve verdieping in een volkswijk rondom het voetbalstadion van FC Groningen. Er werd gesloopt, maar er verstreek een jaar tussen het wegtrekken van de bewoners en de komst van de hijskraan met de slopersbal. In die tussentijd zaten er studenten en andere woningzoekenden met weinig eisen. Het was een tochtig en vervallen huisje, omringd door de naargeestige karkassen van huizen zonder gevel en moddervlaktes met vuilnis en puin.

Op een donkere herfstavond kwam ze er met David aan en zagen ze dat het slot geforceerd was met een breekijzer. Het onder de verf vandaan gekomen bleke hout lichtte op in de schemering. Tessa had niet veel, maar alles was weg: de draaitafel, de versterker, de wekkerradio, de platen, de boeken, de sieraden. Zelfs de ronde oranje kachel was van de gaskraan losgekoppeld en meegenomen.

De inbrekers hadden een puinzooi gemaakt van de kamer.

Laatjes van de kleerkast uit elkaar geschopt. De spiegel kapotgesmeten. De inhoud van de kleerkast en bureauladen door de kamer geslingerd. Bloemenvazen aan scherven. Op een laag tafeltje had een inbreker zijn behoefte gedaan, vervolgens had hij een schilderskwast genomen, die in zijn uitwerpselen geduwd en op het behang geschreven:

ROT OP KUTHOER
WE KOMEN TRUG!!

Tijdens het opruimen en schoonmaken zei Tessa dat het beter was een paar dagen in het huis te blijven en niet naar Davids kamer in de binnenstad te gaan. Het waren vast jongens uit de buurt geweest en die moesten zien dat ze zich niet zomaar liet wegjagen. Tessa kon haar angst goed omzetten in ijzige woede. Ze deed of ze niet zag dat David in de bijkeuken zocht naar handzame stukken hout, bij wijze van slagwapen.

Zonder kachel werd het wel gemeen koud in het tochtige huis. Ze lagen vroeg in bed. Met ingehouden adem luisterden ze naar alles wat er buiten bewoog. Voetstappen, auto's, brommers, slaande deuren, roepende stemmen. Of was dat tikken toch de wind in de populieren, waarvan de takken elkaar raakten? Ze staken kaarsen aan. Dekens en slaapzakken als tentjes om zich heen. Ze deelden een halve liter bier, om slaperig te worden. Ze moesten lachen om de biersmaak als ze tongden. Kort daarna wisten ze niet meer waarom dat grappig was. In een aapachtige omstrengeling vielen ze in slaap.

De dag erop gingen ze bij uitdragerijen op zoek naar een kachel. Voor een paar tientjes vonden ze een licht gebutste dubbelganger van de gestolen ronde gaskachel. Voornaamste verschillen waren de kapotte ruitjes en de droevige paarse kleur. Tessa moest aan een blauwe plek denken. Op een geleende bakfiets vervoerden ze de kachel en sloten hem aan.

Na de inbraak was David opvallend zwijgzaam voor zijn doen. Tessa vroeg er niet naar. Maar zonder radio, televisie of platenspeler was het wel akelig stil in huis. David leek ergens diep over na te lopen denken. In de loop van de dag zag hij er zelfs moe uit. Tessa ging van de weeromstuit vrolijk neuriënd wentelteefjes bakken en deed of ze niet hoorde dat David af en toe diep zuchtte.

Die avond schrokken ze van stemmen en gestommel aan de achterkant van het huis. David stond klaar met een slaghout, Tessa had een vleesmes in de hand. Het bleken geen teruggekeerde inbrekers, maar huisgenoten uit Davids huis aan het A-Kerkhof en twee van hun vriendinnen. Ze waren komen lopen vanuit een café in de binnenstad. Omdat het zo koud was hadden ze onderweg nog een maatje rum gekocht, en nu stonden ze schaapachtig lachend en rillend in hun te dunne, slecht sluitende jacks voor de achterdeur. Aan hun legerkistjes hingen kluiten modder (ze waren dwars over de omgeploegde vlakte komen sjokken) die bij iedere stap een soppend geluid maakten.

Tessa begreep wel waarom David om een uur of halftwee liet merken dat het wat hem betreft lang genoeg geduurd had. In nuchtere toestand waren deze kennissen al geen erg onderhoudende gesprekspartners, en dronken waren ze zelden leuker. Het gesprek ging over geld, drank, een brommer, een vechtpartij en de boertige gekkigheid die hoorde bij de punkbandjes waarin er een paar speelden. Daar kon je nog wel eens mee lachen, maar nu, in hun slome, wazige toestand, in dit ontmantelde huis, op die bange, donkere herfstavond was hun gezelschap uitgesproken deprimerend.

'Het bier is toch op,' zei Martine, een schonkig meisje met een schorre stem en slecht zwart geverfd haar. Tessa rook altijd een vage pisgeur rondom Martine. Ze had verdrietige ogen, verscholen in eeuwige lachrimpels. Haar tanden hadden bruine randen en zwarte plekken van de speed. Ze speelde bas in een bandje en kreeg op de raarste momenten een black-out, ook wel eens tijdens een optreden. Kiepte ze opzij van het podium of ging ze languit over het drumstel heen. Ze grijnsde veel en trok dan de schouders op, hand voor haar mond. Terwijl ze overeind kwam boerde ze hard. Julie, een broodmagere blondine in een veel te groot bruin motorjack, sloeg uit volle kracht tegen Martines bovenarm. Giechelend kloste het troepje naar buiten.

Tessa bracht de lege halveliterflessen naar de keuken en leegde de asbakken. Toen ze de kamer in kwam zag ze David bij de kachel zitten. Armen om zich heen geslagen. Beetje wiegend, van voor naar achter. Tessa schrok.

David was eraan gewend uitgebreid te praten als hij werd bezocht door grote emoties. Dit was duidelijk zo'n avond. Tessa was daar van huis uit helemaal onbekend mee. Bij haar in de familie werd soms geschreeuwd of met een deur gesmeten, in het weglopen een harteloze of sarcastische opmerking geplaatst, maar verder werd er over emoties niet gepraat. Toen David haar voor het eerst vroeg hoe het met haar ging, zomaar op een stille avond, joeg hij haar de stuipen op het lijf. Ze had geen idee wat ze zeggen moest. Ruzie zoeken daarentegen kon ze weer veel beter dan David. Na een lange confrontatie, waarin een kastdeur werd doorboord en met boodschappen gesmeten, had Tessa gezegd, liggend tegen Davids borst: Jezus, wat kan jij slecht ruziemaken. Jij bent de hele tijd bezig de ruzie te laten ophouden, je wilt redelijk praten, terwijl ik juist ruzie zoek omdat ik absoluut niet meer wil praten, alleen maar stangen, jennen, kwetsen.

Al even vreemd en verontrustend vond Tessa het als David ging uitweiden over zijn sombere gevoelens. Hoe wist ze of ze echt begreep wat hij vertelde? Moest ze hem laten praten of af en toe reageren? En hoe dan? Goed beschouwd vond ze dat David niet

veel reden had lang somber te zijn. Hij had hoogopgeleide, welgestelde ouders, hij was gezond en slim, had boeiende vrienden,
was een vlotte student en een aspirant-schrijver, en dus was het
nutteloze zelfvernedering jezelf naar beneden te praten tot er een
moe en vertwijfeld jochie overbleef.

'Liefje, ik wil niet meer.'

Toen ze niets wist te zeggen bleef hij het herhalen, zachtjes, met
verstikte stem, terwijl de tranen over zijn wangen liepen.

Wat hoorde Tessa in de tirade die daarna op gang kwam? Hoe
hopeloos lang die studie nog ging duren, dat hij dat niet op ging
brengen, nu Brent naar Amsterdam was verhuisd en hij niets
meer naast die kutstudie had om in te geloven. En waarom onder-
nam hij niets om in het buitenland te studeren, of te gaan werken
en met het geld naar Ethiopië of Japan te reizen? Waar was hij
bang voor? En waarom had hij dan toch het gevoel opgesloten te
zijn in een doodse uithoek, een provinciestad waar hij alles moest
neergooien en wegwezen?

Tessa hoorde vooral dat hij ervoor terugschrok te zeggen dat zij
hem klein en gevangen hield. Dat zij, het jonge meisje, zonder
geld of opleiding, werk of vooruitzicht, hem het paniekgevoel gaf
dat hij zijn leven verdeed. In plaats van dat hij haar verstootte,
bruut en egoïstisch, zakte hij in elkaar, in een plasje zelfbeschul-
digingen.

Uiteindelijk, nadat Tessa hem gekalmeerd had, mompelde hij
met dikke ogen: 'Maar hoe houdt dit nou op?'

Tessa sprak en handelde in mijn geest. Ze negeerde alle kwesties waarover op zo'n willekeurige vrijdagavond niets zinnigs te
zeggen valt en stelde voor dat hij een paar weken ging doen wat
hij het allerliefste wilde.

David keek haar sprakeloos aan. Wat gaf zijn hart hem in? Naar
Amsterdam, naar Brent, naar zijn andere vrienden, die in hun

kraakpaleizen exposeerden, illegale disco's organiseerden, die hem opjutten te schrijven over hun kunst, die hem uitdaagden zich als schrijver bij hen te voegen.

'Nou,' zei Tessa, 'dan pak je morgen je kleren en je stapt met je schrijfmachine op de trein en over een paar weken kom je terug. Ik zal je vreselijk missen af en toe, maar je zult zien dat je alles anders bekijkt na een tijdje. Schrijf me, terwijl je daar zit.'

Ik vertel van dit voorval, omdat het de eerste keer was dat David, in mijn geest en door mijn influisteringen aan Tessa, in de ideale situatie terechtkwam: het zat goed met zijn lief en toch stuurde ze hem de wereld in, om op zichzelf te zijn, met mij, om te schrijven. Op die manier kon hij tegelijkertijd haar en zichzelf trouw zijn.

Niet dat het die eerste keer literair gezien veel soeps opleverde. Hij sprokkelde ideetjes en maakte notities over de gesprekken die hij met zijn vrienden voerde. Verder schreef hij vanuit het stoffige hoge pakhuis waar hij logeerde brieven aan Tessa. Iedere dag. Zo gaf ik haar een aandeel in dat vreemde, geheimzinnige schrijven van David. Dat had tenslotte een rol in zijn leven die misschien nog belangrijker was dan geld, seks of zelfs vriendschap en liefde. Dat schrijvend leven was nog niet meer dan een fantasie, maar het bereiken ervan was voor David een plicht, een eis die als een mes op zijn keel stond.

In de keuken, bij het klaarmaken van de zeewolf met saffraan en groenten uit de oven, lopen David en Tessa heen en weer tussen kasten, werkbladen en de tafel in de tuin.

'David, ik was het de eerste keer vergeten te vertellen, maar het was gisteren de derde keer deze week dat die vrouw belde. Ik snap geen moer van dat mens. Moeten we ons zorgen maken?'

'Wat zei ze?' vraagt David, die van schrik het glas neerzet dat onderweg was naar zijn mond. Hij luistert naar Tessa, die onder het bereiden van de dressing voor de salade vertelt over de eerste keer dat Anja Wildervank belde. Kort nadat David terug was uit Groningen. Ergens tussen de middag, op Tessa's vrije dag. Ze stelde zich keurig voor als de zus van een oude kennis van David uit Groningen, maar ze was vaag geweest over de reden van haar telefoontje. Ze zou later terugbellen.

'Het was zo'n lage stem, en ze praatte een beetje traag, heel beheerst. Ik dacht aan een ervaren verpleegster met een buitensporig grote mond. Als je iets zei, deed ze alsof ze al wist wat je ging zeggen. Die eerste keer zei ze geen gekke dingen, maar toch gaf het gesprek me een raar gevoel.'

Tessa likte aan haar vinger, om de smaak van de kruidenazijn te testen voordat ze die over de salade sprenkelde. De tweede keer, gisteravond, had Anja gezegd dat Amsterdammers natuurlijk geen tijd hadden voor boertjes van buut'n, maar dat ze toch eiste dat David ophield haar te ontlopen. Het ging over een roman-manuscript dat David in zijn archief had zitten.

'Ik hield me op de vlakte en vroeg haar nummer. Diezelfde avond, het was vrij laat, jij zat met Robert en Justus na te tafelen bij Ravenstein, belde ze weer. Behoorlijk lam. Ze zette een keel op dat je een lafbek was. Ik bleef heel truttig zeggen dat je een drukke dag gehad had, met veel afspraken, maar dat maakte geen indruk. Ik was een arrogante trien. En als we haar dat manuscript niet gaven, dan kwam ze het wel halen. Dan zouden we met onze arrogante bek vol tanden staan.'

'En toen?'

'Toen lachte ze, begon te hoesten en gooide de haak erop.'

Het is even stil terwijl David zich afvraagt hoe ver Anja zou gaan om dat verloren superboek van haar broer te bemachtigen.

'Weet je heel zeker dat je het niet ergens hebt liggen? Het is de moeite waard nog eens goed te zoeken. Dan ben je wel van haar gezeik af.' Tessa wijst op de kaasrasp, ten teken dat hij wat pecorino over de salade moet doen.

'Ik zal haar maandag bellen, niet te laat op de dag. Je moet mensen die te veel drinken aan het eind van de ochtend bellen. Voordat ze weer gaan drinken.'

David twijfelt er voor het eerst aan of hij toch niet ergens heeft liggen wat Anja zoekt. Een multomap in een verzakte kartonnen doos, bedolven onder oude tijdschriften?

Ergens in de schimmigheid van hun eerste jaar. De eerste vraag waarop David Tessa geen antwoord kon geven drukte zoveel verbazing uit dat hij in de ontstane leegte verdwaalde – een fietser in de Gobi-woestijn.

'Moet! Dat zeg je erg vaak. Je móét altijd zoveel. Van wie? Waarom?'

Dat was de vraag, ze stelde hem vlak nadat David had verteld dat hij niet met Tessa, het lesbische stel punkmeisjes die op de onderverdieping woonden en nog wat kennissen meeging naar een themafeest in een dancing. Hij moest nog iets uitlezen, aantekeningen maken en een brief schrijven, daarover liepen afspraken met Brent en Harry in Amsterdam, voor het nieuwe tijdschrift.

Het ware antwoord op haar vraag was groter en ingewikkelder dan de aanleiding op deze zaterdagavond toeliet, en David viel stil. Daarna maakte het groepje uitgelaten meiden hem belachelijk, maar op een vrolijke, goedmoedige manier, in het weggaan. Ze wisten ook wel dat hij zich na een uur stierlijk zou vervelen als hij meeging.

Tessa wilde wel antwoord op de vraag die ze gesteld had. Zonder dat David het wist las ze in zijn schriften en mappen. Waar kwam dat 'moeten' vandaan, hoe werkte het en waartoe leidde het? Misschien kon David het zelf niet uitleggen, maar wie weet kon ze het lezen in wat hij schreef.

Bij veel van wat ze las voelde Tessa zich hopeloos dom en bekroop haar het gevoel dat ze David slecht kende. Op papier dacht ze iemand te zien die zich van haar zou ontdoen zodra hij doorkreeg met wat voor onbenul hij in bed lag.

Ze las: moeten.

> *Als mijn leesgeschiedenis behalve een product van omgeving en toeval en ook een beetje een bewust parcours is, welk boek moet ik dan lezen na Thomas Bernhards Frost?*

Of ze vond lange verhandelingen waarin hij met bloedige ernst een verband legde tussen zijn dagelijkse anderhalf uur drummen in de voormalige vriescel van de gekraakte melkfabriek, waar hij met een metronoom en lesboeken zat na het schrijven aan zijn scriptie, en zijn bespiegelingen over de Grote Ontscholing, zoals hij de periode noemde die na zijn studie zou aanbreken. Dat drummen was training, het inslijten van andere patronen in zijn hoofd, het losmaken van andere denkvermogens dan de studie van hem eiste.

Veel meer duidelijkheid gaven Tessa passages als deze:

> *Ik neem het mezelf niet kwalijk, maar ik schaam me wel voor mijn kinderlijke fanatisme. Die nooit eindigende eis aan alles en iedereen, dat er een les te leren is, dat er kennis, kunde, inzicht te oogsten valt. In ieder gesprek, iedere situatie. Het is een dwingend spoor dat ik nooit of bijna nooit verlaat. Zo duw ik Brent en Tessa en anderen van me af. Het lijkt voort te komen uit pure nieuwsgierigheid, maar het is net zo goed angstig moralisme.*

Mijn triomf dat tweede jaar bestond erin dat ik Tessa kon influisteren dat ze David naar Amsterdam stuurde, met mij, bungelend in de koffer in zijn rechterhand; om een week of twee gewichtloos tussen vrienden, thuis, studie en toekomst in te hangen, schrijvend en wel. Zonnig en simpel was het daarmee nog lang niet tussen Tessa en David.

Tessa kon David berekenend en wantrouwig bekijken. Wat moet hij van mij? Wat gebeurt er met die lieve, open, geduldige, behulpzame jongen als hij mijn ware ik tegenkomt? Het grappige was dat David allang wist wie ze daarmee bedoelde: een jonge vrouw met een radicaal duistere blik op zichzelf en alle anderen. In het kille donkerblauwe licht dat daarbij scheen was zijzelf een toneelspeelster, die hem paaide met cadeaus en seks en zich aan hem optrok vanuit een penibele situatie als werkloze, dakloze, diplomaloze tiener. Een domme, wanhopige meid met een in alle opzichten armoedige jeugd, waarin men haar had ingepeperd dat ze nergens voor deugde, nou ja, voor barmeid misschien.

Onder datzelfde koude blauwe licht was hij een lieve en, alle slimheid en kennis ten spijt, wat wereldvreemde jongen. Een onpraktische, in denkbeeldige werkelijkheden levende mafkees, die droomde over wat hij met zijn vrienden ging maken en opzetten. Die niet doorhad dat zijn vrienden dat veel minder serieus namen dan hij en vaak doodmoe van hem werden. Er zou een dag komen dat hij gekwetst werd en in het licht van die pijn de waarheid zag: hij zou haar aan de dijk zetten en een studente aan de haak slaan, een lange Hollandse meid uit een villawijk, met vol blond haar en uitzicht op een fantastische baan als medisch specialiste of juriste.

Tegelijkertijd wist Tessa dat David echt verliefd was. En vermoedelijk gold voor haar hetzelfde. Maar al die oprechte gevoelens, de goede bedoelingen, lieve invallen en de spannende dingen die ze samen konden beleven zouden niet meer blijken te zijn dan bordkartonnen decors, wanneer de orkaan van de waarheid opstak. Mensen waren als het erop aankwam laf, egoïstisch, gemeen, leugenachtig, onverschillig en bang. Zijzelf was dat waarschijnlijk ook. Niet dat hun leven samen nu toneelspel was, maar vanuit de duistere waarheid bekeken was het wel een illusie.

David hield haar altijd voor dat negatieve en duistere gedachten niet per se meer waarheid bevatten dan neutrale of opgewekte gedachten. Je kon de duistere versie net zo makkelijk als een illusie zien, als een angstvisioen bijvoorbeeld, waaruit je wakker moest worden. David was tegen haar een echte *sweet talker,* een goedprater.

In zijn schriften las Tessa de keerzijde daarvan. David was geen optimist.

Wat mij als toekomst en als leven wordt aangeboden is een ongeloof-waardig voorstel. Waar je ook komt, er gebeurt heel iets anders dan ze zeggen dat er gebeurt. In het café, op straat, in het parlement, in kanto-ren en fabrieken. En het gaat nergens goed. Het grote plan lijkt uitgeput, de boel is in verval, de leiders zijn in verwarring, het volk is kwaad en pessimistisch.

Ik wil de pracht van muziek en natuurwonderen, van feest en de liefde, van de letteren en de wetenschap niet uitvlakken, maar het leven van alledag wordt overheerst door een stoet verkreukelde mensen, die slim doen, zich groothouden, sappelen, bitter en cynisch praten en die zelfs als ze vrolijk zijn vooral een verwarde en zielige indruk maken. De instel-lingen die het leven regelen vormen een decor van kleingeestig en over-bodig gezeik en gedoe. Op straat regeren herrie, kermis, roddel en onzin.

Ik mag dan een jongeman zijn, ik vind dit alles helemaal niet roman-tisch, uitdagend of spannend. Afschrikwekkend is een beter woord. En als ik nou veel zelfvertrouwen had gehad, dan zou ik met branie en de benodigde hardheid alles en iedereen aan mijn verlangens en plannen proberen te onderwerpen. Dat zit er niet in. Ik ben te braaf, te bang, te soft, te traag, te eenkennig, te provinciaal, te beweterig, te kinderachtig. Ik heb niets vermeldenswaardigs meegemaakt (een prima jeugd, één grote gelukkige vage mist), ik heb nog lang niet genoeg gelezen en ge-leerd en ik kan nog bij lange na geen acceptabel proza schrijven. Boven-dien ben ik onhandig met vrouwen.

En dus weet ik alleen wat ik niét wil:
– een baas;
– dingen doen die me niet interesseren;
– afhankelijk worden van wraakzuchtige, hebzuchtige stomkoppen;
– familieverplichtingen;
– slachtoffer worden van zelfhaat en dan doodgaan.

Een minder stoere herformulering luidt: ik ben een ventje dat bang is voor gezag, verveling, competitie, verantwoordelijkheden en depressie. En ondanks dit alles sta ik bekend als een slimme, sympathieke en energieke jongen, vrijwel altijd in een opgewekt humeur. Daar maak ik me wel eens zorgen over.

Het was niet gemakkelijk haar mond te houden over wat ze las. In Davids aantekeningen stonden ook kwetsende passages. Discussies met zichzelf over wat zijn ouders en vrienden tegen hem zeiden over Tessa.

'Is die meid wel goed genoeg voor je? Je hebt iemand nodig die tegen je op kan. Ze zuigt je leeg, je bent een naïeve goedzak. Ze houdt je klein. Ze komt uit een sociaal en psychologisch rampgebied en brengt alleen maar rampspoed in je leven. Ze is beschadigd, emotioneel onrijp, kleingeestig en gemeen; ze windt je om haar vinger.'

Ze las dat hij deze kritiek pareerde met de overtuiging dat er achter dat wilde, onzekere, grappige en soms wrede meisje een vriend voor het leven, een liefde voorbij de verliefdheid schuilging. Hij vroeg zich wel af of hij het geduld, het uithoudingsvermogen, het vertrouwen had te wachten tot die vlinder uit de pop van haar verleden kwam gekropen. Hoe lang zou dat nog duren? Misschien wel even lang als Davids zoektocht naar een schrijvend leven.

In een map die dichtgebonden was met zwarte linten trof Tessa een tekst aan waarin David een scène beschrijft die zijn leven kan dragen. Ze las er Davids heldere verlangen, zijn energieke tederheid in waarop ze verliefd kon zijn. Toen ze het papier oppakte en begon te lezen stond ze, maar ze moest gaan zitten. Ze las:

Dat ben ik, die man, op z'n gemak, alleen in een klein, sober ingericht appartement in een grote stad. Niet hier. In een echte grote stad. Hij woont hoog, zodat hij over de stad kan kijken. Aan alles kan je merken dat hij alle tijd heeft.

Midden in de kamer staat een lange tafel. Daarop een schrijfmachine, schriften, boeken, pennen en potloden. Een pak leeg papier. De man gaat zitten en schrijft. Niet snel, en ook al zit hij soms minutenlang werkeloos voor zich uit te kijken, hij gaat door, gestaag en onverstoorbaar. Misschien gaat hij zoekend en tastend te werk, maar hij twijfelt niet. Het geluid dat zijn machine maakt is dwingend, ritmisch, veelbelovend. Hij gaat op in zijn handelingen: papier indraaien, schrijven, papier wegleggen, teruglezen, correcties maken, woorden opzoeken in het woordenboek, iets naslaan in een encyclopedie in de kast achter hem.

Zo leeft hij. Hiervoor leeft hij. Al zijn aandacht verdwijnt in het schrijven. Een doorzichtige ballon van concentratie tilt hem op. Er is een plan, maar het kan iedere dag veranderen. Hij is vrij en volgt nederig de regels van de wereld die zich onder zijn handen ontvouwt.

Hij denkt niet aan zichzelf en is waarschijnlijk diep gelukkig. De tijd staat stil, alles is in evenwicht en in beweging. Hij is geduldig en energiek tegelijk. Zichzelf en niet-zichzelf.

Wordt het goed wat hij schrijft, dan zet het alle zelfrechtvaardigingen buitenspel. Al dat walgelijke gelul in zijn hoofd dat hij zichzelf te vaak hoort uitspreken. Dan is het vrede in zijn kop en kan hij zo lief, wreed, vrolijk, melig, afstotelijk of verleidelijk zijn als de tekst van hem vraagt. Wat is goed, slim, onnozel, oprecht of eerlijk? Wat is mooi en wat is aanstellerij? Hij schrijft om al die hopeloze en zinloze vragen voor een tijd te verdrijven uit zijn systeem. Zonder enige bedenking of schaamte. Hij schrijft wat hij waarneemt, wat hij zich herinnert, wat hij bedenkt; tot het één vloeiende alinea is.

Dankzij een brief, een artikel, een verhaal kan hij op afstand aanwezig zijn bij vrienden en vreemden. Dan is zijn stem daar, in de gedaante van letters, woorden en zinnen, afgespeeld in het brein van een lezer. Wat een prachtig systeem! Een stem in iemands anders hoofd kunnen zijn, intiem afwezig. Voor even het denken en kijken van een ander kleuren in de door hem gekozen tint; de wereld zoals hij die zich voorstelt, hier, boven de stad, aan zijn tafel, achter zijn machine.

En als de man opstaat, voor het raam staat en de verte inkijkt, ziet hij het huis van zijn lief. De oranje dakpannen, de afwijkende dubbele schoorsteen, de groene gordijnen. Het is maar een minuscuul detail in een wereldvullend mozaïek van stenen, straten, kleur en licht.

Straks komt de nacht, met de vermoeidheid, de honger, de zucht naar ogen. Als hij straks voor even vrede gesloten heeft met zichzelf en iets geschreven heeft dat hij goedkeurt, dan kan hij naar haar. Omdat hij dan niets meer moet, is hij op z'n best voor haar. Schoon. Eenvoudig. Ontspannen.

Hij weet: ik zit hier omdat zij ook vindt dat ik hier moet zitten. Dat is de stilzwijgende afspraak. Dat ze mij af en toe vergeten kan is een opluchting. Des te meer vuur en vrolijkheid zit er in de stappen waarmee ik straks de trappen naar haar kamers beklim. We gaan feesten in de stad; doe schoenen aan waarop je lekker danst.

'Ach, Chris, pak jij even een opscheplepel voor de groente? Ben ik vergeten.'

De zestienjarige staat op en sloft met opzichtige tegenzin van de eettafel in de achtertuin het huis in. Haar broer Kasper, een jongen van achttien met donkerblond halflang haar, grinnikt.

'Alsof jij ooit wat doet in huis,' zegt ze zo kattig mogelijk.

Aan de tafel in de achtertuin schenkt David bronwater in voor iedereen. Tessa verdeelt vis en aardappelen over de borden.

'Jij ook wat wijn?' vraagt David en kust Tessa's jukbeen als ze over tafel buigt naar Chris' bord.

Tijdens het eten valt het Tessa op dat David sinds zijn terugkeer uit Groningen veel stiller is. Hij glimlacht wel als hij zegt hoe goed haar zeewolfrecept is gelukt. Maar hij is er kort over. Vandaag voelde ze ook dat hij lang naar haar keek. Sinds zijn bezoek aan Groningen is hij dromerig, in gepeins verzonken.

Overdag is hij opgehouden met zingen, neuriën of fluiten. Hij heeft moeite in slaap te komen en bij zonsopkomst is hij alweer uit bed. Net als de weken tijdens de zomer waarin Brent een diagnose te horen kreeg, die doorgaans betekent dat je nog hooguit een jaar te leven hebt. David liep toen net zo afwezig door het huis als nu.

Kasper vertelt dat hij hoorde dat een meisje uit zijn klas het gezamenlijke debuut van David en Brent uit de jaren tachtig op haar leeslijst had gezet. Haar ouders waren grote fans van de columns van Brent de laatste jaren.

'Misschien is het alleen maar een hint en heeft ze een oogje op je,' zegt Chris en neemt gauw een hap.

'Bullshit, wat heb ik met dat boek te maken? Bovendien, het is een belachelijk dik boek en nog oud ook. Het heeft geen verhaal en dus zijn er geen goede boekverslagen van op het net te vinden. Dan had ze net zo goed een recenter en dunner boek van pap kunnen nemen. Trouwens een paar meiden zeggen dat ze lesbisch is. Ze heeft nog nooit iets tegen me gezegd.'

David lacht en zegt dat er nog steeds mensen bestaan die van lezen houden en uit zichzelf of via via boeken ontdekken waar ze enthousiast over worden, of die nu tweeduizend of twee jaar geleden geschreven zijn.

Een dooddoener, die iedereen het zwijgen oplegt. Je ziet Kasper en Chris denken dat het hoogstwaarschijnlijk waar is wat David zegt. Er bestaan ook mensen die muizen napoleontische leger-uniformpjes aantrekken.

Later op de avond zitten David, Kasper en een paar van diens vrienden buiten in de tuin over het voetbal op het WK te praten. Op de tafels staan lantaarns met waxinelichten erin. Op een bovenverdieping zingt een buurvrouw met een hoge, fladderende stem jazzy liedjes door een versterker met galm. Honderden keren dezelfde versiering, dezelfde akkoorden.

Tessa heeft met Chris haar kamer opgeruimd. Het meisje laat haar kleren door het hele huis slingeren en haar kamer is een bende. Nu zit ze in bed met een kopje thee en leest ze een tijdschrift. Tessa kust haar goedenacht. Dan gaat ze naar de woonkamer om de laatste kopjes en glazen bij elkaar te zoeken voor de afwasmachine.

Als de afwasmachine draait vult ze een glas met koud water en loopt op blote voeten naar de donkere woonkamer. Het is broeierig weer, de klamme warmte doet haar huid glanzen. Ze zet het glas op de lange tafel en komt geruisloos naar de kast waarin ik sta weggeborgen. Ze pakt me op en zet me op tafel. Over een stoel hangt een theedoek, die ze nu met langzame bewegingen gebruikt om het stof van mijn behuizing te vegen.

De grote groenbruine ogen glijden over mijn toetsen; Tessa ziet geen voorwerp, maar een verleden dat sluimerend voortleeft in David. Ze denkt aan Brent en David. Aan dat verdrietige laatste jaar. Aan de levens van die twee, die ze al kent vanaf dat het jongens waren. Ze zijn en ze gaan zoals ze zijn. Niemand weet waarom. De een drinkt meer dan goed voor hem is, de ander denkt meer dan goed voor hem is, schiet het door haar heen. Haar handen tasten mijn wagen en wals af. Ik voel dat ze mij met reserve bekijkt. Via mijn toetsen zijn niet alleen al zijn brieven aan haar en Davids deel van het gezamenlijke debuut geschreven. Ook de duizenden bladzijden waarmee David zichzelf radeloos maakte en die soms jarenlang een koude zwarte sluier over hun leven heen trokken, zijn afkomstig van mijn toetsenbord van zwart Duits plastic en strakke witte letters.

Al mijn functies worden gecontroleerd. Haar sterke vingers deblokkeren de wagen en bewegen die snel heen en weer. Ze luistert naar onvolkomenheden en tekenen van slijtage. Het belletje klinkt. Ze probeert de terugtoets, de toets die de kantlijnen opheft, de hoofdlettertoets en zet die vast, maakt die dan weer vrij, gebruikt de eerste twee tabulatorstops, heft de tweede op en stelt hem drie spaties verder weer in. Ik merk dat ik haar een goed gevoel geef, ze houdt van goed werkend gereedschap en machines. Een briljant instrumentmaker bewondert ze guller en gemakkelijker dan een kunstenaar. Ze doopt een punt van de theedoek in haar glas water en poetst een veeg inkt weg die met het verversen van het lint op de kast is achtergebleven. Ze vindt mij hier in de schemering, na Davids bezoek aan Groningen, op deze lome zomeravond, voor even mooi, een beetje ontroerend zelfs met mijn ouderwetse mechanische souplesse: ik kan moeiteloos nog eens vijftig jaar een hoofdrol in een schrijversleven vervullen.

Daarna zet ze me weer weg op mijn museumplank en gaat op de bank zitten. De vuurkegel van de sigaret die ze opsteekt gloeit prachtig rood op. Ze herinnert zich de laatste keer dat ze met mij in een kamer, zonder mij te gebruiken, maandenlang heeft geleefd. Het is lang geleden, de zomer na het debuut van Brent en David, waarin David een reis maakte langs de Mississippi, in zijn eentje, per Greyhoundbus. Bij het afscheid, vlak voor de balie van de marechaussee zag ze dat hij maar een klein zetje nodig had om de hele reis af te blazen. Ze glimlachte breed en speelde degene die niet tegen de tranen vocht en draaide zich om.

Zij bleef achter, als bewaker van de mappen met zijn werk en van mij, zijn persoonlijke gereedschap. Ik was er getuige van dat Tessa, misschien wel voor het eerst, een evenwichtig eigen leven had en het helemaal solo leidde. Overdag naar de kunstacademie, 's avonds naar de film of bij vrienden langs. In het atelier aan het pleintje met de oude bomen maakte ze haar eerste grote schilderijen, collages van lichaamsdelen, meubelstukken, grafmonumenten en ornamenten. Helder en realistisch geschilderd. Bij het schilderen kon de tijd geen greep op haar houden, ze glipte weg en werkte tot het licht werd, koffiedrinkend en rokend, meezingend met de keihard afgedraaide fado's van Amália Rodriguez en de Sun-opnames van Elvis.

David schreef vrijwel iedere dag. Kriebelig jongenshandschrift op luchtpostpapier. Ze herlas zijn brieven tot diep in de nacht en draaide er de ballades van Hank Williams bij. Ze schreef haar ironische reiziger en hevig smachtende minnaar terug dat ze zich nog nooit zo ontzettend goed gevoeld had. Zo stralend en onafhankelijk, zo goed in haar element.

En natuurlijk miste ze hem en las ze met plezier dat hij in de broeierige hitte van Missouri en Mississippi de hele dag moest denken aan de aanraking van haar lippen, de geur van haar borsten, haar bijtende mond in zijn hals. En ze las ook dat de reis hem goeddeed. Al die inhoudsloze beweging, die eindeloze oceaan van land, de uitgestrekte verlatenheid van Amerika veegde de begrippen en schema's, de twijfels en zorgen weg die hier zijn gedachten gijzelden.

De bevriende bovenbuurman informeerde bezorgd hoe het ging. Hij vermoedde dat Tessa diepdroevig was tijdens Davids afwezigheid, omdat hij kon horen dat ze wel tien keer achter elkaar 'I'm so lonesome I could cry' draaide. Nee, ze was juist gelukkiger dan ze ooit had gedacht te kunnen zijn. Een rustig gevoel van zelfbeschikking, door haar keukenbaantje in het eetcafé, haar studie aan de academie, haar eigen verdieping, de eigen wereld van haar schilderijen en de zekerheid van een smoorverliefde minnaar op weg naar haar toe vanaf het andere eind van de wereld; bij elkaar genomen was er volmaakt evenwicht. Zoveel, dat ze zich sterk genoeg voelde om ruimte te maken voor duistere herinneringen. De vlucht naar voren was niet nodig meer, ze kon nu ook treuren om de gedachten aan vroeger, aan het lot van haar moeder, aan de nooit meer in te halen zorg, liefde, steun die ze als kind gemist had, aan de grimmige periode waarin ze wegliep van huis en haar vader haar zocht en opjaagde.

Tessa herinnert zich dit allemaal en ze denkt niet aan mij. Maar we zijn dicht bij elkaar. David kwam terug en was nog verliefder dan toen hij vertrok. Hij zei dat ze dubbel zo begeerlijk geworden was, vrijer, sterker, losser; en zij wist dat ze het te danken had aan die avonden naast de platenspeler, met bier en Bastos-sigaretten, de Hank Williams-platen en de krachtige weemoed uit de warme strot van Amália; aan al die dagen zonder verplichtingen en met de grote schilderijen om zich in te verliezen. En niet ver van die pick-up, onder in de boekenkast stond ik, een verwijzing naar Davids schrijvend leven.

Zoals ik hier in de huiskamer sta, als een monument voor de wortels van het leven dat Tessa en David samen leiden, maak ik propaganda. Alleen mensen die zich onbedreigd en geslaagd voelen stallen trots de parafernalia van hun oertijd en herkomst uit. Kijk, lijk ik te zeggen: dit is het bewijs dat het goed komt als je trouw blijft aan de mensen en de droombeelden waar je van houdt, ook als niemand iets ziet in die mensen en die dromen; ook als al je vrienden en familie afgeven op je liefde, je waarschuwen en voor gek, zwak en dom verklaren.

Tessa hoort weer de schorre, scheldende stem van Anja Wildervank en weet maar al te goed dat het zo simpel niet is. Het zag ernaar uit dat het leven van Eden en Anja helemaal niet gelopen was zoals ze hadden gehoopt. Het klonk als een eindeloze verdrietige worsteling. En dat terwijl het hun waarschijnlijk niet aan toewijding aan hun liefdes en dromen had ontbroken. Misschien hadden hun geliefden hen verraden. Of ze waren verongelukt of ziek geworden en overleden. Het kon gebeuren dat mensen hun talenten overschatten of gevaarlijk labiel werden bij geringe tegenslag. Vaak speelden spoken uit het verleden op en verkrampten de ooit zo losse jonge talenten. Het werk dat bij de dromen hoorde verkruimelde onder hun handen, werd weggehoond en van tafel geveegd. Tessa stelde zich zo voor dat Eden niet zijn vrienden ontving om een verjaardag of een andere festiviteit te vieren in een kamer waar een oude schrijfmachine in de kast stond, als een aandenken of trofee uit een roemrucht of dierbaar verleden.

Ze maakte zich zorgen over de kracht die in zoveel agressief verdriet en tegenslag is opgehoopt. David leek niet goed te beseffen wat er kon gebeuren als Anja die kracht op hem richtte.

HOOFDSTUK 3

(Underwood Champion, bouwjaar 1948, op een lage tafel,
waarbij twee stoelen, in een hoge werkkamer aan de
voorkant van het huis, begane grond, boekenkasten tot
aan het plafond, in het huis van wijlen Brent aan een straat
net buiten het historische centrum van Amsterdam, in de
namiddag, de deur naar de straat staat open, op de stoep
stoelen met wijnglazen ernaast, de vogels in de dakgoten
en in de bomen zijn luidruchtig, het is warm, stil op
straat, vakantietijd, zomer 2010.)

David draagt een zandkleurig linnen pak en een witlinnen hemd.
Mocassins zonder sokken. Alsof hij gaat flaneren langs Romeinse
terrassen! Het is een gebaar naar Brent en zijn liefde voor grote
hitte en mooie kleren. Hij was dol op momenten waarop de
warmte alle activiteit stillegt en mensen met stijl en flair in elkaars
gezelschap opzichtig hun verlangens zitten te verzwijgen. Mid-
dagen waarop alles speelt, maar niets gebeurt.

David zit op een stoel in de zon, buigt zich om het wijnglas te
pakken. Hij heeft een paar dagen geleden Riëtte, Brents weduwe,
gebeld. Zou hij de schrijfmachine, die Brent het mooiste vond, de
Champion, een tijd mogen lenen? Hij zei: 'Het klinkt misschien
kinderlijk en bijgelovig, maar het lijkt me goed om daarop brieven aan Brent te schrijven.'

Het was even stil geweest aan de telefoon. Ze vond het een mooi idee, zei ze. Dat ding stond er maar. 'Laten we afspreken dat het bruikleen is, als de kinderen er ooit naar vragen, weet ik je te vinden.'

Nu zegt Riëtte iets anders: 'Man, doe dat jasje uit, ik krijg het benauwd als ik naar je kijk!'

Ze zit op haar hurken en schuift met een veger de laatste kleine scherven vensterglas op het blik. De middagzon spartelt in de buitelende splinters. David kijkt naar haar magere, bruinverbrande rug, de spieren bewegen onder de dunne huid. Als ze overeind komt bedekt de blouse met bloemenopdruk haar rug weer.

David zit met zijn rug naar de spaanplaat die het gesneuvelde vensterglas vervangt. Hij vraagt: 'Hoe weet je dat het die Anja was?' Hij pakt haar glas op en dekt met zijn hand de opening af. De veger heeft stof opgeworpen dat je niet in je witte wijn wilt laten neerdalen.

'Nou, het was 's avonds, een uur of halfeen; en toen ik beneden kwam om de schade op te nemen, ging de telefoon. Of ik nu geloofde dat ze serieus was. En of ik nu begreep dat er echt gepraat moest worden. Ze liet zich niet meer aan het lijntje houden, en als ik nu stommetje bleef spelen...'

Riëtte laat een stilte vallen en trekt een gezicht. Even is het alsof het allemaal niet echt gebeurd is, de steen door de ruit, het telefoontje.

David blijft ernstig. 'Anders wat?' vraagt hij.

'Publiciteit, dus ze zou jou en Brent gaan zwartmaken. Ze werd vals, ze zei: dat kun je niet gebruiken, hè, nu je je dode mannetje als een halve heilige aan het verkopen bent.'

Ze neemt haar glas aan van David en gaat zitten. David kent niemand die haar wenkbrauwen zo hoog kan optrekken als Riëtte. Grote blauwe ogen kijken hem aan, hij kan er geen bijpassende emotie in lezen.

'Een lijkenpikker, noemde ze me.'

David fronst, kijkt naar de dunne vingers van Riëtte die een sigaret opsteken. Hij zegt: 'Ze wil dat we ons gedragen als solidaire oude vrienden, collega-schrijvers van haar broer. Maar dat waren we niet. Hij zal het best zwaar hebben, maar ik heb nauwelijks een idee wie hij is.'

Met het vorderen van de middag is het licht roder, verzadigder geworden, de warmte is dikker en zwaarder. Toch hangt er tussen de trillende bladeren van de bomen in de straat al de belofte van de schemering, die de dag zal laten uitademen, koel en rustig. Op de vraag of ze de politie gebeld heeft om aangifte te doen, trekt Riëtte een onverschillig gezicht. 'Het had net zogoed een fietsstuur kunnen zijn dat door de ruit ging. De verzekering betaalt. Anja houdt heus niet op als de politie haar komt vragen wat ze wil. Het werkt eerder averechts.'

Haar rookwolken krullen in dezelfde vormen als de haren van de weduwe. Voor het eerst hoort David bewust het krijsen van gierzwaluwen hoog boven de huizen. Het lijkt een bewijs dat de stad vakantie heeft. Hij ziet de vogels tegen het blauw heen en weer schieten als cursors over een scherm.

'Kunnen we niet iets in onze archieven vinden dat Anja tevredenstelt? Straks denkt ze pas serieus genomen te worden als ze een van onze kinderen van de weg rijdt, of een brandbom door de brievenbus schuift.'

'Nou, weet je, David,' zegt Riëtte, en ze gaat verzitten, 'het kost best veel moeite om zelf overeind te blijven het afgelopen jaar, en de kinderen ook, en dan moet ik nog zorgen dat er iets fatsoenlijks en lucratiefs met het nagelaten werk gebeurt, want we leven ervan. Dat is een drukke baan. Dus ik heb nog even geen gelegenheid gehad om naar het vergeten werk van mislukte Groningse zweefkezen te zoeken.'

Aan de lijzigheid in haar stem hoort David dat ze een kalmeringstablet genomen heeft. Hij haast zich haar te zeggen dat hij dat ook nog niet heeft gedaan. Hij zoekt alleen een manier om Anja te laten stoppen.

'Het zou best spannend zijn als ik een halfvergeeld pak papier vind met die jongen zijn roman. Misschien is het goed genoeg om het te redigeren en uit te geven.'

Hij ziet Riëtte verbaasd kijken naar zijn hand, die gebaren probeert te maken terwijl hij er het halfvolle wijnglas mee vasthoudt. 'Nog wat drinken?' vraagt Riëtte, die meteen voorstelt binnen te gaan zitten. 'Ik heb al te veel zon gehad vandaag.'

Riëtte schenkt de glazen bij en vertelt over de buren. Mensen die vreselijk zeuren. Nu weer over het terras dat Riëtte laat aanleggen in de achtertuin. David kijkt op naar de boekenkasten die de werkkamer domineren. Meer dan drie meter hoog. Twee ladders, met haken steunend op een stalen rail, geven toegang tot de hogere planken.

Brent verslond boeken. Koopziek en leesziek. Hij las klassieken, modernen, hedendaagse schrijvers; literatuur, journalistiek, geschiedenis; hij las over sport, muziek en film. Maar met het bezit van al die boeken wist hij niet goed raad. Hij kon zich plotseling gaan ergeren aan bepaalde 'boeken van vroeger', die dan moesten verdwijnen. Of hij verontschuldigde zich omstandig voor de luxe-edities van klassieke werken uit de wereldliteratuur, die nog in het cellofaan in de kast stonden. Er kon een dag komen dat hij alle boeken over popmuziek in de ban deed, die dan in kartonnen dozen in de bijkeuken kwamen te staan. De laatste anderhalf jaar voor zijn dood was hij druk bezig zijn werkkamer en bibliotheek te verbouwen en anders in te richten. Tien bananendozen met boeken gingen naar een antiquaar. Eenzelfde worsteling had hij met stapels Amerikaanse tijdschriften, koffers vol cd's. Het had er dat laatste jaar veel van weg dat hij afrekende met 'hobby's' en een definitieve verzameling boeken samenstelde die ertoe deden. Een zelfportret.

David blijkt nog altijd niet in volle omvang te bevatten dat Brent verdwenen is. Hij betrapt zich erop dat hij het een paar seconden lang vreemd vond dat Brent nooit meer in de leunstoel bij de boekenkast zal zitten. Hij voelt zich dom.

Een jaar of drie, vier lang werkten ze samen en deelden ze een werkruimte. Sindsdien zagen ze elkaar niet vaak, als je bedenkt dat ze goede vrienden waren. Ze leefden in verschillende ritmes, in verschillende kringen. Er waren twee situaties waarin ze als broers waren: de keren dat ze een paar uur lang het leven, de letteren, films en nieuwe muziek en de absurditeiten van de politiek bespraken. En wanneer ze brieven schreven. David schreef aan niemand liever een brief dan aan Brent. Niemands brieven waren belangrijker dan die van Brent. Ook per e-mail schreven ze bladzijdenlange brieven, zoals ze gewend waren met schrijfmachine en papier. Daarin werd veel uitgewisseld dat ze nooit mondeling zouden bespreken.

Zittend tussen de bijna museale opstelling van Brents boeken rekent David uit dat het nu twaalf jaar geleden is dat ze regelmatig op die manier correspondeerden. De laatste tien jaar van Brents leven waren er alleen die verspreide ontmoetingen, de telefoontjes en de korte briefjes geweest. Een gezamenlijke vakantie.

David zit hier vanwege het plan brieven te schrijven aan Brent op de lievelingsmachine van Brent, op mij, de Underwood Champion. De moed zinkt hem in de schoenen. Aan de spiegel achter het bureau hangen nog overhemden aan kleerhangers. In een kom op het bureaublad is een kluwen met prachtige vulpennen en vulpotloden, vermengd met vreemd gevormde gasaanstekers van klassieke merken. Juist hier, in het gezelschap van zijn vrouw, op de plek waar hij woonde en zijn stempel drukte met zijn boeken en persoonlijke bezittingen, is Brent verder weg dan waar ook. David gelooft er nu niet in dat ik hem kan helpen. In zijn buik ontwikkelt zich een zinkend gevoel (wat zinkt er dan?), terwijl hij met Riëtte praat over de bundelingen van stukken en columns die nog op stapel staan, en wat ze daarover op het laatst heeft afgesproken met Brent.

Een druilerige ochtend, een novemberdag begin jaren negentig; toen zag Brent mij staan en herkende hij de machine die hij op foto's had gezien onder de handen van William Faulkner. De kantoormachinewinkel hield leegverkoop, ze hielden ermee op en ook de laatste mechanische schrijfmachines, de oudjes uit de magazijnen, de nooit opgehaalde reparatiegevallen, verschenen nu in de winkel. Wat zag Brent in mij? Elegante bescheidenheid, evenwichtige sobere lijnen, een uitontwikkeld, oerbetrouwbaar mechaniek, de onvermijdelijke jarenveertiglak met kreukeleffect, de associatie met Amerikaanse schrijvers en journalisten uit de gloriedagen van *The New Yorker*, het zelfverzekerde, in behoudend design uitgedrukte vooruitgangsgeloof; alles bij elkaar maakte het mij onweerstaanbaar. Hij begeerde mij in een impuls, uit een pure zucht naar iets moois. Zijn werk deed hij allang niet meer aan schrijfmachines, maar net als David was hij met het digitaal worden van zijn werk schrijfmachines gaan kopen. Het liefst reisschrijfmachines. Op dezelfde manier kocht hij in opwellingen manchetknopen, zijden sokken, vulpennen, in leer gebonden notitieboekjes en zonnebrillen. Ik kreeg een mooie plek in Brents werkruimte, in de kast waarin hij Amerikaanse tijdschriften verzamelde.

Over schrijfmachines praatten David en Brent zelden of nooit. Tot die dag in de zomer voor Brents dood, niet lang nadat hij de laatste diagnose had gekregen. Brent belde op. David kon niets van de ziekte horen in zijn stem. Hij zei: 'Ik ben mijn werkkamer aan het verbouwen, om er meer een woonomgeving van te maken, waar ik me kan terugtrekken. Die ziekte maakt me af en toe dood- en doodmoe. Vooral die behandelingen dan. Dus er moet hier een hoop uit. Nou dacht ik: die schrijfmachines waar ik helemaal niets mee doe, daar doe ik jou een plezier mee. Toch? Ik kan er niet eens meer op tikken, man, vanwege die pijn en de uitval in mijn linkerhand.'

David hoorde zichzelf zijn best doen ontspannen, verrast en opgewekt te klinken. Ze maakten een afspraak. Op weg naar Brents huis, een paar dagen later, was David zenuwachtig. Hij wilde niet dat Brent iets merkte aan hem. Het gebeurde de laatste weken vaker dat hij wakker schrok, midden in de nacht. De nachtmerrie die hem een zwaar en angstig gevoel gaf herinnerde hij zich vrijwel nooit. De kwade droom begon eigenlijk dan pas, met de uren waarin hij niet in slaap kon komen en niet kon ophouden te denken aan Brents ziekte en aanstaande dood.

Als hij daaraan dacht was het alsof hij in een razendsnel naar beneden suizende lift zat, van hoog boven in een wolkenkrabber tot in een peilloos diepe kelder. In zijn borst opende zich een wak, dat een wee gevoel gaf, iets als de gewaarwording van gewichtloosheid. Rechtop zitten in bed hielp niet. Van liggen met de ogen dicht werd het misselijke gevoel erger. En dus zat hij in de keuken naar de radio te luisteren, hoorde hij de vogels plichtmatig het grijs worden van de hemel boven de stad bezingen, terwijl de eerste stadsbus stationair stond te draaien voor het stoplicht. Hij gaf Baruch, de kat, te eten en wachtte tot de ochtendkrant binnenviel.

Dunner haar, een waas over de ogen en een schuimrubberen band om de nek. Het duurde een paar minuten voordat Brent zich minder schaamde en David erin slaagde de nieuwe uiterlijkheden helemaal te negeren.

Bij koffie en grote glazen mineraalwater verontschuldigde Brent zich over de toestand van een paar machines. Er stonden er negen, in hun draagkoffers, als een dicht opeengepakte kudde pony's rond de tafel.

'Die Smith Corona stinkt,' zei hij. 'Hij stond in een schuurtje in de tuin. Veel te vochtig, ik denk dat er schimmel in het lint zit.'

Bruusk en verbeten vertelde Brent over de verbouwing. 'Er komt hier een slaapbank, een extra boekenkastje er vlakbij. Een wat groter keukenblok.'

Het viel David op dat er geen lachje af kon. De schuimrubberen kraag zorgde ervoor dat hij geen bewegingen maakte die gevaarlijk konden zijn voor de nekwervel die door een tumor was verbrijzeld. Met het ding onder zijn kin bewoog Brent zich nog stijver en gejaagder dan vroeger.

Aarzelend begon David over de schrijfmachines.

'Weet je het wel zeker?' vroeg hij. 'Allemaal? Zou je er niet een of twee houden? Wie weet wordt het beter met die beknelde zenuw die je hand zo pijnlijk maakt.'

Brent schoof geërgerd in zijn stoel heen en weer en stak een sigaret op. 'Ik hoef die dingen niet meer te zien. Het was leuk en zo, maar het is iets van vroeger. Ik wil ze niet meer om me heen hebben.'

David zag koud, blauw vuur in Brents ogen. Het was stil. Na drie trekken boog hij de sigaret alweer dubbel en doofde hem met een rap gebaar in de asbak.

'Misschien heb je wel gelijk. Mijn Erika blijft hier. Het is niet de mooiste maar wel de liefste. Ze was er voor mijn eerste verhalen en ons debuut. Als een souvenir.'

Brent zuchtte en streek door zijn gezicht. Zijn huid had een gelige teint.

'Ik stel voor dat we nu meteen al die machines naar je studio brengen. Straks moet ik een uur of twee platliggen, rusten.'

Hij kwam overeind, snel, maar met een grimas op het gezicht. De schrijfmachines waren allemaal uiterst draagbaar, opgeborgen in draagtassen en koffers. Een paar minuten later stonden ze in de achterbak van Brents Volvo. Met een nieuwe peuk tussen de tanden zei hij: 'Eigenlijk mag ik niet rijden van de dokter, omdat ik dan zo'n draai maak met m'n nek.'

Het was stralend weer en de machtige motor van de wagen ontwaakte als een extra opkomende zon. Onbeheerst, als een opspringend veulen, schoot de wagen uit de parkeerhaven. Een passerende scooter ontweek hen maar net. De berijder stak in verontwaardiging zijn hand op. Brent, door het open raam, zwaaiend met de sigaret tussen de vingers, riep: 'Sorry, ik zag je te laat.'

Tijdens de rit door de stad hield David van schrik zijn benen stijf voor zich uit. Welke chemicaliën in Brents medicatie er verantwoordelijk voor waren wist hij niet, maar zijn rijstijl was nog driester dan anders. Onderwijl leek Brent van de situatie gebruik te maken om zo veel mogelijk harde waarheden kwijt te kunnen. Naast elkaar, kijkend naar het drukke verkeer, konden ze elkaar er moeilijk bij aankijken.

Brents stem klonk rauw, alsof hij te veel kracht zette, en hij wilde niet onderbroken worden en zeker geen oogcontact, dat was duidelijk.

'Ja jongen, die diagnose is vrij dramatisch. Maar zolang de behandelingen aanslaan en mijn medicatie op orde is, ben ik er meestal vrij rustig onder. De eerlijkheid gebiedt te zeggen dat ik ook helemaal in paniek kan raken. Woedeaanvallen. Maar ja, daar kan ik slecht mee aankomen bij Riëtte, die zorgt voor alles, vangt de kinderen op en ik heb het hun de afgelopen jaren ook vreselijk moeilijk gemaakt, met mijn eeuwige gewerk en uithuizigheid, dus ik krijg dan de wind van voren. Niet zo gek, natuurlijk. Maar ik zie ze af en toe vliegen, het ouwe calvinistische idee dat het allemaal een straf is, of op z'n minst eigen schuld. Alle kansen vergooid, het talent grotendeels verkwist aan snelle bevestiging en dan al die jaren de beest uitgehangen. Ik weet wel dat ik zo niet mag denken, maar soms is het alsof ik mijn eigen leven verkankerd heb. Om de boel onder controle te houden praten we met een professional, om elkaar niet... dat is een slecht moment nu, en bovendien het is een vorm van gekte, ook nog eens opgestookt door die rotzooi die ik moet slikken. Gênant man, die vreetkicks en de extreme stemmingswisselingen. Ik was altijd al humeurig, nu is het op het hysterische af.'

David liet het over zich heen komen. Soms uitte hij een korte vraag, een bevestigend geluid. Hij had het spookachtige idee dat een deel van hem vooruitgereisd was in de tijd en naar Brent kon luisteren als naar een archiefopname, afgespeeld op een moment waarop Brent zelf niet meer kon spreken.

Toen ze Davids studio binnenkwamen – de kleine, hoge kamer in het voormalige ziekenhuis – en de schrijfmachines keurig op een rij tegen de muur zetten, mompelde Brent: 'Jezus, het lijkt hier wel eind jaren tachtig, helemaal niks veranderd.'

David schaamde zich een beetje, hoorde de ergernis in Brents stem, het was bijna een verwijt. Hij zei dat hij dat primitieve, smoezelige en rommelige wel fijn vond. Dit hok stond helemaal buiten de wereld en had de goede nestgeur om geconcentreerd te werken.

Op dat moment begon de bovenbuurman piano te spelen. Hij was heel bedreven in golvende, romantische muziek, die zich vermengde met het onverstoorbare fluiten van de merels in de bomen en struiken op het pleintje. Ze keken elkaar aan. Brent verschikte de schuimrubberen kraag en maakte toen een handgebaar. Boven de halve verdieping waar ze een dik halfjaar lang hun debuut hadden zitten schrijven, twee tafels tegenover elkaar, waarop Brents Erika en Davids Gabriele, woonde ook een pianist. Hetzelfde repertoire.

Brent zuchtte. Het moest zoiets betekenen als 'ik kan er ook niets meer aan doen'. Het kon slaan op zijn ziekte, op de afstand tussen hen twee en op de rest van de middag. Of op alles, zijn hele leven, zijn verrotte toekomst, de bescheten toestand van de planeet, het uitdijende, gedoemde universum.

Brent liep naar de deur. Zo, met die middag van de schrijfmachines begon hun afscheid en het verliep in mijn geest. Ik kan ervan vertellen omdat mijn stem die middag werd geboren.

Anderhalve maand later schreef Brent een e-mailtje aan David, waarin hij terugkwam op de middag dat hij zijn schrijfmachines weg had gedaan. Hij was wat al te rigoureus geweest. Hij moest zo vaak denken aan de Underwood Champion. Zou David die een keer langs willen brengen?

David nam die dag dat ik de vrienden weer bij elkaar bracht ook nog de mooiste Hermes Baby (een zeegroen Zwitsers vedergewicht) en een ongebruikte Adler Tippa uit Brents schenking mee. Alleen al het kijken naar een mooi ontworpen en vernuftig mechaniek kon een mens opvrolijken, was de gedachte.

David zag meteen dat het verbetene en jachtige bij Brent verdwenen was. Zijn gezicht was opgezet door de hormoonpreparaten. Zijn huid glansde vreemd en het beetje haar dat hij nog had was spierwit. David liet de schrijfmachines bij de deur staan en ging op het randje van de bank zitten, door een dichtgeklemde keel even niet in staat iets te zeggen.

Later vertelde Brent een fragmentarisch verhaal over zijn behandelingen. Een hersteloperatie aan de nekwervel kon iets verbeteren aan de pijn en aan de uitval in zijn arm. De bestralingen hadden een beter resultaat dan verwacht. En dan was er nog het onvermijdelijke experimentele middel. Je wist maar nooit.

'Ik ben blij dat ik die Underwood weer zie. Het gaat namelijk echt wat beter met mijn hand en dit is mijn mooiste machine. Die letter is ook zo heerlijk statig. Ik vond het toch maar gek helemaal geen schrijfmachine te hebben. Niet dat ik er veel op zou schrijven, zelfs als die hand meewerkte, maar toch.'

'Je had je ouwe Erika toch nog?' vroeg David, die de kamer afzocht naar de zwarte kunstlederen koffer met afgeronde hoeken.

Brent fixeerde de theepot en glimlachte vermoeid. Hij zei: 'Het was een avond waarop de muren op me afkwamen. Voor me gaapte een afgrond, en ik werd daarin gebulldozerd. Ik had het idee dat alles wat ik echt wilde, het allerliefste, in het leven, in mijn werk, op niets is uitgelopen. En nu zijn mijn kansen verkeken. Die prednison is een eng soort speed, ik kan erdoor in een gevaarlijke droevige razernij terechtkomen en later die avond heb ik de Erika mee de straat op genomen en weggedonderd in de ondergrondse vuilniscontainer. Basta! Opgesodemieterd met die literatuur!'

Brent liet zijn vingertoppen langzaam over de rulle grijze verf van mijn behuizing gaan. Hij zei: 'Kijk, dit doet me goed, *a sight for sore eyes*. Een nuchter, Amerikaans ontwerp, gematigd modern voor die tijd, perfect in zijn verhoudingen. Daarin lijkt hij op het beste proza dat ik ooit gelezen heb. Van Joseph Mitchell, E.B. White, Liebling en ga maar door, die mannen die van gewone momenten en gewone mensen iets bijzonders konden maken. Een laconieke, zakelijke toon, maar met een lichte, tere ziel. Een helder gevoel in een weerbare, stadse gedaante. Deze Underwood is bedoeld voor zulke schrijverij.'

Hij draaide een vel papier om mijn wals heen en leunde achterover. Het was alsof hij vrede met iets sloot. Mij viel op hoe langzaam zijn ogen langs de verchroomde randen van mijn toetsen gleden.

Het werd december en de hersteloperatie van Brents verbrijzelde nekwervel diende zich aan. David stond naar zijn schoenpunten te kijken in de lift van het ziekenhuis en merkte dat hij zijn adem inhield of maar oppervlakkig ademde. Op weg naar de kamer waar Brent lag bij te komen van de ingreep was het alsof er een touw om Davids middenrif werd aangetrokken, strakker naarmate hij dieper de gang in liep.

Wat hij over de operatie had gehoord, van Riëtte, riep helverlichte, lugubere beelden op. De tumor die de wervel had verbrijzeld was al geslonken door de chemobehandeling, maar moest definitief worden verwijderd. De wervel zelf, of wat ervan over was, moest verstevigd worden, om de pijn te verlichten en de zenuwbanen te beschermen die permanent gevaar liepen. Om erbij te kunnen hadden de doktoren hem de dag voorafgaand aan de operatie met hoofd en schouders in een stalen harnas gelegd dat hem oprekte.

Brents moeder deed de deur open waarop David drie keer met ijskoude vingers had geklopt. Brent, half liggend, half zittend, de benen opgetrokken, bij het raam, hield zich met een hand vast aan een plastic triangel die aan een stalen arm boven het bed hing. Hij had een verband om zijn hals en hij leunde scheef en ongemakkelijk tegen een stapels kussens.

Het duurde misschien een halve seconde. Het vermoeide hoofd van Brent (getekend door de ziekte, de medicijnen, de narcose, de walging) draaide zich naar de deuropening, waar David Brents moeder begroette. Zodra hij David herkende, versteende zijn gezicht. Hij riep 'Nee!' en wendde zich van de deur af met opgetrokken schouders. Hij keek naar buiten, naar de kale, koude bomen die het ziekenhuis omsingelden.

David drentelde naar een stoel, onderwijl pratend met Brents moeder. Ze vertelde dat de operatie goed was verlopen en dat Brent al heel wat minder in de war was dan vanochtend. Als hij maar rustig bleef en zich niet opwond, kwam het wel goed. 'Nee, boos worden is geen goed idee, jongen. Laten we dat nou maar niet meer doen.'

De vertrokken mond zei: 'Ik heb dorst', de felle ogen met het morfinewaas erover keken David aan. Behalve ergernis en argwaan zag David ook lichte verbazing in die blik, alsof hij nu pas besefte dat zijn oude vriend er echt was. Blijkbaar had hij dat niet verwacht. Hij wist niet wat hij ervan vond, dat kon je zien. David voelde een vage glimlach ontstaan op zijn gezicht terwijl Brent nors en een beetje verward naar hem keek. Brents moeder gaf hem een glas water. Bij het overeind komen om te drinken gromde hij van de pijn. Hij nam een slok en vloekte. 'Ik moet meer morfine,' snauwde hij na het drinken, en liet zich voorzichtig weer wat achteroverzakken. Terwijl Brents moeder erover begon dat het vooral de wond was en dat die pijn volgens de zusters snel zou zakken, keek Brent David nog eens aan. De argwaan was nog niet verdwenen, maar David zag wel dat het Brent goeddeed dat hij gekomen was. Door de mist van de jaren, het waas van de pijn en de morfine heen werden ze herinnerd aan iets wat ze deelden. En dat was er nog steeds, ondanks alle onverenigbaarheden, ondanks alles wat er onmogelijk was geworden. Nu was het geen gezamenlijk toekomstplan of eis meer maar iets wat heel even gebeurde, een klein cadeau. Het was geen leuke en zelfs een beschamende samenkomst, maar ze klopte wel.

Op weg naar buiten wilde David voor geen goud in de lift. Hij draafde de trappen af, verlangend naar de natte koude Amsterdamse decemberlucht die uit het Oosterpark kwam drijven. Brent, daarboven in zijn bed, was indringend aanwezig geweest, maar nu David hier liep was het of hij allang een herinnering was geworden, een spook dat alleen nog mopperde en tegenstribbelde terwijl hij voorgoed werd weggesleept naar een onzichtbare dimensie.

Anderhalve maand voor het einde zaten Brent en David tegenover elkaar aan een tafel tegen de muur in de grote keuken van een traiteur, ergens in een achterafstraat in het centrum. Vooraan bij de deur werden aan liefhebbers de hier gemaakte maaltijden verkocht. Tussen de voorraadkasten, vrieskisten, ovens, fornuizen en andere keukenapparatuur stonden drie tafels. Je kon er gewoon blijven eten, maar dan zonder restaurantambiance.

Perfecte plek, vond Brent, die onrustig om zich heen keek waar de juffrouw met de wijn bleef. Behoedzaam, in een zo nonchalant mogelijke pas waren ze van Brents huis naar dit tafeltje gelopen. Geschreden kon je beter zeggen, want veel kracht had Brent niet. Het zweet stond op zijn gezicht. Zijn huid was gelig, zijn spaarzame witte haar was dor, het stond springerig van zijn hoofd af. Hij streek het glad. Zijn handen waren ook anders, zag David. Stijf en gezwollen, een paar van de opvallende ringen die hij graag droeg waren verdwenen.

Ze aten. Simpel maar met zorg gemaakt eten. Brent had in het e-mailtje waarin hij dit adres had voorgesteld de kok geroemd. Ook had hij het gehad over lievelingsmuziek waar hij naar luisterde. Pianowerk van Bach, Bonnie Prince Billy en J.J. Cale. Over doodgaan had hij geschreven: 'Weglopen en ergens in een schuur opgerold in je favoriete houding onder oude warme dekens – dat is mijn stijl. Zo heb ik ook geleefd, of misschien had ik meer zo moeten leven. Ik had veel meer moeten leven, maar het werken en carrière maken moest kennelijk in een krankzinnig tempo. Ik vind alleen niet dat het zo mooi genoeg is geweest, nog lang niet, dat steekt.'

Brent stond langzaam op en kuierde met nog stijvere benen dan vroeger naar de vitrine voor in de garageachtige ruimte. Die benen waren misschien het enige dat aan zijn vroegere lichaam herinnerde. Brents kleren zaten anders om zijn opgezwollen lichaam, zijn schouders waren opgetrokken, zijn houding drukte ongemak en hulpeloosheid uit.

'Ik neem nog wat garnalen. Die medicijnen bezorgen me soms een niet te stuiten vreetkick. Maar goed, ik ben allang blij dat alles me smaakt.'

David zei dat hij genoeg had gehad. Toen Brent weer zat at hij maar een paar garnalen. Zijn vork woelde en draalde in het eten, zonder nog zijn mond te bereiken. Zijn gezicht hing verstard boven het bord.

'Jongen, ik doe mijn uiterste best, maar ik kan me niet aan de gedachte ontworstelen dat ik mijn leven heb verkloot. Ik heb een mooi groot huis, een vrouw en twee mooie dochters, een kast vol mooie pakken en altijd een paar boekjes met columns in de winkel. Maar er is geen tijd meer om het roer om te gooien. En al zou ik het proberen, ik ben er te zwak voor. Plannen zat, maar het zal niet gebeuren. Ik zie het einde, en het enige wat ik nog wil is erbij zijn als mijn dochters eindexamen doen.'

Brent zweeg. De haren in Davids nek kwamen overeind toen hij zag dat Brent vocht tegen zijn tranen. Heel even keken ze elkaar aan. David zag een steekvlam van schaamte en woede.

'Daar word ik dus ook knettergek van! Dat ik nauwelijks aan sombere of droevige dingen kan denken zonder te huilen. Die hormoonpillen maken me blubberig vanbinnen. En dat wil ik niet. Het is niet het soort huilen dat oplucht, snap je.'

David herinnerde Brent eraan dat hij al twintig jaar eerder hardop droomde van een dagelijkse column in een grote krant en dat hem dat, weliswaar later dan gehoopt, was gelukt. Inmiddels was hij een erkend meester in dat genre geworden. Een literaire verslaggever van het dagelijks leven, met een eigen blik en toon. En er waren toch ook romans, een sterke verhalenbundel.

'Het is belachelijk te bedenken dat je niet nog twintig jaar mooie dingen zou kunnen maken. Dat is een afschuwelijke gedachte. Maar waarom zou je datgene waaraan je niet toekomt het "echte werk" noemen? Wie bepaalt dat?'

'Ik doe dat!' beet Brent hem toe. Er klonk een geluid dat David eerst niet thuis kon brengen. Een seconde later besefte hij dat het tandengeknars moest zijn geweest.

Ze zwegen en nipten van hun koffie. Op een paar meter afstand in de grote open keuken stond een afwasser met een spuit aan een lange slang, die in een stalen veer bevestigd was, de pannen en casseroles schoon te spuiten. Stoomwolken stegen op. Het spetterde en kletterde, er hing een geur van citroenzeep onder het hoge dak. De waterdamp balde samen, verspreidde zich en loste op. Ze keken naar het werk van de kleine pezige Spanjaard, zijn snelle afgemeten bewegingen, al het blikkeren van staal en water.

Het geraas kwam hun goed uit. Wat was er te zeggen? Allebei dachten ze aan het onvermurwbare feit dat Brents leven binnenkort zou ophouden. Hij had hooguit nog een halfjaar, was de onuitgesproken verwachting.

Toen het kabaal wat afnam, benaderde David het onmogelijke. Hij zei: 'En er is ook nog ons gezamenlijke boek, waarmee alles is begonnen.'

Brent krulde zijn lippen naar binnen, alsof hij zichzelf verbood iets te zeggen. Hij knikte.

'Dat is wel heel lang geleden, jongen. Het was een leuk en sympathiek boek, met een hoop rommel erin ook, maar zelfs dat klopte, blijkt achteraf. Een goed boek, alleen...'

Met een brede glimlach kwam de dienster aan hun tafel en vroeg of ze nog iets wilden. Ze had zware wenkbrauwen en vrij korte benen. Omdat ze als een model op de catwalk liep maar platte schoenen droeg hupte de dikke kastanjebruine paardenstaart tussen haar schouderbladen op en neer. Ze bestelden allebei nog een koffie.

Brent zei: 'Laten we maar geen grappa nemen; doe er nog maar een stuk van die citroentaart bij, schat.'

Bij het weghalen van de lege kopjes en de lege waterkaraf legde de dienster even haar hand op Brents schouder. Als een verpleegster! Brent vertelde dat hij hier vaak kwam. Hij had meestal trek tussen de middag, niet 's avonds, als zijn vrouw en kinderen aten. 'Dat is al jaren zo,' zei hij, 'ik leef in een totaal ander ritme als mijn gezin.' Hij fronste. 'Ook-niet-goed,' zei hij langzaam en monotoon.

David moest ondertussen nadenken om niet te vergeten adem te halen. Het verraste hem dat Brent, tegen zijn gewoonte in, niet van onderwerp veranderde.

'Een vervolg op ons debuut heeft er natuurlijk nooit in gezeten. Dat was al snel onmogelijk.'

David slikte. 'Ja jammer, ik heb er jaren op gewacht, ik dacht eerst echt dat het kon.'

'Dat weet ik. Ik heb veel aanleg voor schuldgevoel, dus ik heb me daar vaak rot over gevoeld. Maar het kon niet. Ik was te ongeduldig om in de journalistiek carrière te maken. Niet dat ik het erg slim aanpakte, maar goed. Het was ook lol trappen, ik was een eenmansbandje on tour. Geen remmen, wel racen.'

Brent glimlachte niet. Dat zag David goed. Hij herinnerde zich ineens een middag, een paar jaar na hun gezamenlijk debuut, waarop Brent, op een verzengend heet Texaans terras, met Budweisers en Stolichnaya's onder handbereik, had uitgelegd dat voor hem schrijven puur gereedschap was. Om met mensen om te gaan, om rustig te worden, om geld te verdienen. En dat hij hoopte dat er een dag zou komen waarop hij eindelijk van dat schrijven zou zijn verlost. Schrijven was ergerlijk en overschat gemartel. Eigenlijk vies werk. Maar het was het enige dat hij kon, dat iets opleverde.

Iets wreders had hij niet kunnen zeggen. En dat besefte hij maar al te goed, dat zag David in zijn opeens hardblauwe ogen. Het was wreed tegen David, maar ook tegen zichzelf. Het was het afzweren van een geloof en een verleden. Hij beweerde dat het hem uiteindelijk geen donder meer uitmaakte wat hij nu precies schreef en publiceerde, als het hem maar geld, aanzien en enige rust opleverde. En kon dat op een andere manier geregeld worden, dan graag.

Deze ontboezeming was een messteek in hun oude, gedeelde geloof in een schrijvend leven. Ergens in het huis dat Davids lichaam was, in een dienstbodekamertje onder het dak, ging iemand dood, stikalleen en geruisloos.

David moest hier in de luidruchtige keuken van de traiteur vaststellen dat Brent zichzelf destijds in Texas vreselijk had overschreeuwd. Hij had lucht gegeven aan een verlangen afstand te nemen van de in zijn ogen pretentieuze, truttige en al te ernstige literaire sfeer waarin David terecht was gekomen. Een wereld die hem meewarig en argwanend bekeek. En dus zette hij het mes precies in het allerheiligste.

Nu zat Brent boven een half stuk citroentaart en hield abrupt op met eten. Hij keek met knipperende ogen naar het plafond. Schudde het hoofd, legde zijn vork neer en wreef door zijn gezicht.

'Ik had het net voor elkaar. Eindelijk de rust voor dingen van een langere adem. Voor fictie. Word ik ziek.'

David knikte. Niemand kon weten wat ervan terecht zou komen als Brent nog twintig jaar te leven had. Misschien had een onverwoestbare gezondheid Brent helemaal niet aangezet tot het 'echte werk' en was het juist de ziekte die zijn verlangen naar reflectie en werk van langere adem aanwakkerde.

David merkte dat hij zich vastklampte aan de gedachte dat hij in het geval van twintig extra levensjaren een extra rol in Brents leven had gekregen, als vertrouweling bij het gevecht om het echte werk. Een mooi voorbeeld van een geheime, vergeefse wens, dat was het.

Een sjaal, een wollen pet, een jack en een dikke overjas moesten het gammele lichaam van Brent tegen de voorjaarskou beschermen. Het duurde lang voordat hij alles had aangetrokken. Dat geneerde hem. Alle bewegingen met zijn schouders en armen deden hem pijn. Buiten, in het harde licht, zag David hoe moe Brent was geworden van de anderhalf uur dat ze hadden zitten eten.

Brent zei: 'Meestal ben ik zelf die oude man, maar soms heb ik het idee dat ik door een misverstand gevangenzit binnen in een zieke, oude man.' Hij keek David aan. Het was een verwijzing naar het laatste beetje levenskracht, en je kon zien dat Brent die graag met hem had gedeeld, maar hoe?

Op de terugweg liep David bezorgd naast Brent. Langzaam, het was een lange tocht. De wolken joegen langs de hemel, het was waterkoud en gemene, harde windvlagen verrasten de wandelaars. Een paar keer dacht David dat de stompende wind Brent zou omblazen. Als hij naar zijn vriend keek werd alles nog kouder, guurder, wreder dan het al was.

'Heeft hij veel weggegooid? Ik bedoel papieren, brieven, ongepubliceerd werk?'

David vraagt het terwijl Riëtte net een slok neemt. Er is een korte stilte waarin alle in de werkkamer opgeslagen woorden – de boeken, de prints, de drukproeven, de diskettes en harde schijven – wakker schrikken.

'Ik zal je zeggen, David, daar heb ik geen goed zicht op. Hij woonde hier beneden al jaren zo'n beetje op zichzelf. Of hij was weg. En over wat hij schreef dat niet meteen in de krant of een blad kwam, praatten we nooit. Over vroeger al helemaal niet. Maar het zou goed kunnen dat hij veel oud werk en brieven heeft weggegooid. Hij heeft tenslotte ook die Erika weggedaan.'

David stelt zich voor dat hij jarenlang zou moeten leven met de acute noodzaak te beslissen hoe hij zijn archief moest achterlaten. Iets vernietigen kon je maar één keer, en hoe wist je dat je geen spijt zou krijgen? Dat je anderen er niet mee benadeelde? Wanneer zal hij voor die keuze staan?

Riëtte wijst op een lage kast waarin stapels uitgeprint werk liggen. Dikke mappen met data erop.

'Ik ben vooral bezig met het lezen en ordenen van columns en stukken om te kijken of er mooie bundels uit zijn samen te stellen.

Nu zijn de mensen er nog blij mee, je weet nooit hoe lang dat duurt.'

Door het open raam aan de achterkant van het huis dringen de klanken binnen van een enthousiast koerende houtduif. Het dier zit vlakbij en brengt zo'n volume voort dat David en Riëtte ervan in de lach schieten. De duif gaat door, ritmisch en met evenveel nadruk. Het is alsof het dier vergeefs en vol overgave steeds hetzelfde punt wil maken.

'Je weet niet hoe slim duiven zijn, maar ze maken een uitgesproken dom geluid,' zegt Riëtte, die er meteen achteraan bekent dat ze nu sterk aan Brent moet denken. 'Typisch iets voor hem om over die duif te gaan nadenken en schrijven. Mijn therapeute zegt dat dit nog lang niet voorbij is, rouw is een langzaam proces, je moet het laten gebeuren en er geduld mee hebben. En niet te veel voor jezelf houden, dat ook.'

Glimmende olijven en zoute koekjes komen op tafel. Een briesje door de boomkruinen ontketent een abstracte cinema aan schaduwen op het plafond boven hun hoofden. David hoort achter in het huis een wasmachine draaien en denkt aan al de kleren die Brent heeft achtergelaten. Hij wil ze niet zien.

David heeft zijn vraag gesteld. Riëtte kijkt schuin naar het plafond en peinst. Ze is verbaasd en ook wel geamuseerd. 'Dat ik nu opeens antwoord moet geven op zulke vragen!'

'Schrijven als een manier van leven, dat vond hij meestal romantisch gelul. Hij heeft jarenlang geroepen dat hij blij zou zijn als het niet meer hoefde,' zegt David.

Riëtte knikt. 'Ja, maar toen hij ziek werd bleek dat hij niet kon leven zonder te schrijven en vooral: gelezen te worden. Schrijven kon hem voor even met het bestaan verzoenen, ook als dat een hopeloze klotezooi was. Dat klinkt weer romantisch, maar dat was het helemaal niet. Als je dicht bij hem leefde, zag je dat het meer en meer een verbeten, wanhopige inspanning was. Ik zei vaak tegen hem: man, neem toch afstand, vergeet die krant, al die boeken die je nog wilt maken, zorg voor je lichaam, zorg ervoor dat je nog een goede tijd hebt met je gezin. Ik wilde het wel uitschreeuwen. Maar het sloeg nergens op. Zo kon hij niet denken. Voor hem was er maar één manier om dood te gaan en dat was schrijvend. En schrijven doe je alleen. Hij sloot ons buiten, hij wilde publiekelijk alleen zijn, in de krant. Dat was vaak heel... moeilijk, laat ik het netjes zeggen.'

David was door de jaren heen de columns van Brent gaan beschouwen als fictieve uitingen van vertrouwelijkheid. Als gespeelde brieven van een verre vriend. Brent haatte het iets te moeten verzinnen, hij vond dat je moest schrijven over wat er was, en dat deed hij ook. Hij bezocht echt bestaande mensen en dorpen en gaf min of meer kloppend de feiten en observaties weer die hij er verzamelde. Ook over zijn persoonlijke levenssfeer en zijn voor- en afkeuren loog hij niet.

De fictie zat hem in de persoonlijke toon van zijn stukjes, in het type subjectiviteit dat ze opriepen. Als er nu iets een gestroomlijnd en vernuftig product van de verbeelding was, dan wel het beeld dat de lezer van de persoon van de columnist kreeg. In de stijl van de columns, opgebouwd uit observaties, laconieke associaties, zelfspot en dromerigheid, ontwierp hij de dagelijkse cinema van zijn Betere Ik. Iedere dag een scène, een kort en quasi terloops verschijnen en verdwijnen van een personage. Brent kon dat personage alleen aan zijn toetsenbord tot leven wekken, en nooit veel langer dan anderhalf uur per dag.

Het schrijven verzoende hem met zichzelf en zijn angsten. Met de liefde die hij van zijn lezers ervoer was makkelijker om te gaan dan met die van zijn naasten.

David vermoedde dat toen Brent zieker en zieker werd, het verschil tussen zijn dagelijks bestaan en zijn Betere Ik alsmaar minder subtiel werd. Pijnlijk en paniekerig zelfs. Maar wat was ertegen in te brengen? Het was de logische oplossing voor een schrijvend leven, dat het alleen zin had als het dreef op deze publieke vorm van zelfopvoering. De verschansing in de fictie van zijn Betere Ik door de dagelijkse stukjes hoorde bij Brent zoals de krakende klank in zijn stem, zijn ongedurig en humeurig verblijf in restaurants en op recepties, zijn jongensachtige hang naar impulsieve luxeaankopen en zijn onophoudelijk geflirt.

Riëtte kijkt door de luxaflex naar buiten. Van de overkant van de straat klinkt gekwek en gegiechel.

'O god, nou gaat die overbuurvrouw met die dikke tieten op de stoep zitten met d'r prosecco. En maar grijnzen, straks gaat ze met alle vage bekenden die langskomen kletspraatjes maken. Steeds harder. Ik moet hierbinnen muziek opzetten om het niet te horen.'

'Brent had waarschijnlijk een zwak voor haar,' flapt David eruit, terwijl hij de lange blonde vrouw in de glanzende bloemenjurk begluurt. Er valt een autoportier dicht, vrouwenhakken klakken over de stoep; een schorre stem praat en lacht, een gierende hoge stem antwoordt.

'Verdomd ja, maar het duurde niet zo lang. Ze verloor haar interesse. Ze valt vooral op mannen die haar verder kunnen helpen. Type ambitieuze slet, zeg maar. Nogal efficiënt ingesteld. Brent was veel te dromerig. Hij kon een grote mond hebben, maar in feite was het iemand die dobberde. Ze was gelukkig gauw klaar met hem,' zegt Riëtte iets te opgeruimd.

Je hoeft je niet meer schrap te zetten, denkt David als hij naar haar opgetrokken schouders kijkt.

Ze zijn in de achtertuin gaan zitten om geen last te hebben van de gezelligheid op de stoep. Riëtte zit in een rieten stoel naast een blauwe hortensia in volle bloei. David zit ertegenover en nipt aan een nieuw glas koele wijn. Door de openstaande achterdeur kijkt hij in de voorraadkast met schoonmaakmiddelen. Omdat de gordijnen in de slaapkamer ernaast niet helemaal dicht zijn ziet hij een glimp van het bed. Daar lag Brent en stierf.

Terwijl hij met Riëtte over hun kinderen praat en nieuwtjes uitwisselt, speelt het moment op dat hij hoorde dat Brent dood was. De telefoon ging, hij stond stil en nam op. Hij bevond zich in een supermarkt in New York, in het straatje met schoonmaakmiddelen, poetsdoeken, waterflessen en borstels. De snikkende stem van Tessa die hem vertelde dat het voorbij was. Hij was op de grond gaan zitten, met natte wangen, nauwelijks nog een stem. New Yorkers keken het straatje in en stelden hun aankoop van keukenpapier even uit.

Ter hoogte van de dakgoten schieten gierzwaluwen voorbij. Strak en doelmatig zijn de bewegingen van hun vleugels, hun krijsende stemmen hebben een metalen klank. Het zijn vogels van een andere planeet, ze spelen in een sciencefictionfilm gemaakt voor aardse vogels, zoals mussen, meeuwen, merels en spreeuwen. Ook die begrijpen niets van de snerpende uithalen van gierzwaluwen.

Geleidelijk ontspant Riëtte zich, ze legt haar benen op een kruk en leunt achterover. Ze vertelt over de planten in de tuin in het huis in Frankrijk en dat het de laatste zomer is; ze gaat het huis verkopen.

Van de ruwhouten kist had David geen last gehad, tijdens de begrafenis. Daar zat geen pijn, geen spijt, geen besef meer in.

De kerk zat vol bekenden en hij hoorde er wel, als oude vriend van Brent, maar degene van wie hij afscheid kwam nemen, leken weinig mensen hier zich te herinneren. Hij dwong zich rustig te blijven, diep uit te ademen, zijn handen onder controle te houden. In een inktblauw pak zat hij te luisteren naar een programma van sprekers die vooral de Brent van de laatste tien jaar herdachten. Tijdens de toespraak van de hoofdredacteur van de krant was het alsof dit een bedrijfsbegrafenis was, zoals er ook staatsbegrafenissen zijn. Op een kalme, zalvende toon had de man het over de waardevolle bijdrage van Brent aan het merk, de identiteit van de krant. En toen hij met de gladde ernst van een pastoor zei dat Brent in de nieuwe koers van de krant geloofde en er met volle overtuiging het gezicht van wilde zijn, liepen de tranen over Davids gezicht.

Hij zag weer die jongen komen aanlopen over een uitgedroogd grasveld. De eerste keer dat hij Brent zag. Een kersverse student van negentien in een verschoten spijkerbroek, een geel T-shirt en een colbert van gebrokenwitte manchester stof. De jongen wist dat hij bekeken werd, dat was op te maken uit de stoere, wat stijve tred waarin hij toch iets zwierigs wist te leggen. Uit de linkerzak van het jasje stak een boek, een rode pocket. Toen hij het gazon bij de kampeerboerderij was overgestoken zocht hij een stoel, haalde een zonnebril uit zijn binnenzak, zette die op en begon een sigaret te rollen. De tabak plukte hij uit een smal donkerblauwe papieren pakje van Javaanse Jongens.

David was de student-assistent van de docent die de introductieweken leidde bij het filosofisch instituut. In het weekend op het Waddeneiland zouden de nieuwkomers kennismaken met elkaar, het vak en de docenten. David ging bij de lezende jongen zitten. Op de vragen naar het boek ging die gretig in. Ze bleken geestverwanten, en die kwam David zelden tegen. De meeste studenten op het filosofisch instituut wilden ofwel revolutionair-marxistisch intellectueel worden, of waren uitgeloot voor medicijnen; daarnaast waren er de mensen die gegrepen waren door de wiskundige logica en degenen die een snelweg zochten naar de zin van het leven na een mislukte reis naar India.

Het boek in Brents jaszak was Peter Handkes *Kurze Brief zum langen Abschied.* Het ging over een jonge Oostenrijkse schrijver die van oost naar west door de Verenigde Staten reist, weg van zijn mislukte huwelijk, zijn vastgelopen literaire werk, in de hoop dat hij op reis, door een nieuwe wereld in maximale onbevangenheid te observeren, zal veranderen, een ander worden, ontsnappen aan wat hem tegenstaat en benauwt aan wie hij is. De sfeer is beklemmend, de ex-vrouw achtervolgt de schrijver en probeert hem zelfs te vermoorden. De reis voert langs New Yorkse trottoirs, zomerse parkeerterreinen in Maryland, verveeld etende mensen in restaurants langs de snelweg, slapende kinderen en ruziënde echtparen. Aan het einde, in de landschappen uit westerns, in Arizona, blijkt hij minder door zichzelf geobsedeerd en een ander geworden. Het boek sluit af aan de voeten van de oude filmregisseur John Ford, die de verteller en zijn ex eenvoudige menselijke waarheden voorhoudt over het leven en verhalen vertellen.

Nu zat hij te luisteren naar verdriet om de dood van een begaafd stilist op het hoogtepunt van zijn kunnen. Naar lofredes op zijn vermogen herkenbare weemoed te ontlokken aan de meest onwaarschijnlijke uithoeken van ons land. Op de weerklank die hij had gehad bij lotgenoten met kanker; al die lezersbrieven, zakken vol. David dacht aan de lange sliert kettingpapier die in de jaren tachtig uit Brents printer kwam, de dagelijkse uitstoot van tekst, waarboven hij de titel *Brents Berichten* schreef. Uit dat ongeordende pakhuis van invallen, commentaren op boeken en muziek, het nieuws, het straatbeeld, melige anekdotes, herinneringen en verzinsels, knipte en plakte hij brieven, artikelen, verhalen en cursiefjes. Het was zijn voorraadkast met tekst. David zag Brent voor zich: zwetend, rokend, rondlopend in zijn huis, meezingend met harde cowboymuziek, de televisie zonder geluid afgestemd op de Tour, dromend van een roman.

De man die begraven werd, belde nog een jaar ervoor vanuit de auto, maakte foto's en sporadische notities bij haastige bezoekjes aan uithoeken van het land, en schreef met vaste hand, improviserend in een zelfbedacht format, in anderhalf uur zijn dagelijkse stukje. Gevoelig en grappig, eigenzinnig maar herkenbaar. Het liefst schreef hij onderweg, in de eenzaamheid tussen A en B, waar hij thuis was en op zijn best, maar waar hij het niet lang uithield. Nooit een dag zonder lezers, nooit een dag zonder gezelschap, zonder geliefden.

Na de toespraken kwam een beroemde trompettist improviseren bij de kist. Hij liep eromheen, draaide zich om, sloop terug, hief de trompet al spelend recht omhoog, richtte zich dan weer tot de dove, dode Brent. Het was de beste bijdrage van de middag. David hoorde in de onrustige, tastende muziek de dobberende geest, het vormeloze in Brents hart, zijn hang naar roes en flirt, naar swing en show, maar ook de vogelachtige paniek en het uitgelaten plezier die hem konden overkomen. Hij hoorde in het spel van de fluwelen trompet ook de verlatenheid en angst, de bittere woede en de ijle, ijzige vragen die er in Brent moesten zijn omgegaan.

Na afloop vertrok de stoet achter een wagen aan met daarin wat er nog over was van Brent. Ze reden naar een bosje aan de rand van de stad om hem in de venige grond te steken. David hoorde niet bij de uitverkorenen die dit ritueel mee mochten maken. Hij bleef met de andere niet-uitverkorenen op een plein tegenover de kerk zitten; ze dronken wijn en aten ossenworst. Hij was niet jaloers op de mensen die aan de groeve stonden. Het was erg genoeg gebeld te worden in een supermarkt in New York. Of naar toespraken van hoofdredacteuren te luisteren. Of aan het toetsenbord te zitten van een schrijfmachine die hij van Brent had gekregen.

Of een jaar later in de tuin te zitten met olijven en een wijntje, en door een kier in de gordijnen het bed te zien waar die jongen met die rode pocket in zijn jasje een slordige dertig jaar later crepeerde. Al die gedachten zijn nu onbelangrijk, omdat Riëtte over de kinderen praat. Over de emoties die speelden rond de eerste verjaardagen, de eerste kerst en vakantie zonder Brent. Over haar eigen weerzin en verdriet bij het doorspitten van alle e-mail, de diepe lichamelijke rouw bij de geur uit zijn kleren. Over het langzaam dagende besef van de extreme, neurotische eigenaardigheden waarop Brents leefwijze leunde, hoe hij geobsedeerd kon raken door details, vooral haperende details – in een raam, een automotor, een radio, een schoen, een dakgoot, een reisprogramma – en de hele dag het gezin gijzelde met zijn panische pogingen er greep op te krijgen. Hij maakte er veel geintjes bij, maar tegelijkertijd was het bloedserieus. God, dat was om gek van te worden.

'En vervolgens kon hij zich er later voor schamen,' zei David, en ze lachten.

Terug in de werkkamer van Brent raapt Riëtte nog een glassplinter op, die onder het bankje terecht is gekomen. Ze houdt het driehoekje omhoog tegen het zonlicht dat naar binnen valt. Op de muur wriemelen vlekken en in een flits is er een prisma. Ze draait terug, behoedzaam, tot er een klein wazig regenboogje op de muur verschijnt.

David pakt de koffer waarin ik de reis naar zijn huis ga maken uit de kast en zegt: 'Die Anja uit Groningen heeft ons ook weer gebeld. Maar ik heb haar zelf nooit gesproken. Ik kan niet inschatten hoe gek of gevaarlijk ze is. Maar is het niet beter om met haar te gaan praten en die broer op te zoeken? Misschien willen ze vooral aandacht.'

Riëtte probeert haar hand met de glassplinter stil te houden en zich toch naar hem toe te draaien. Ze heeft een uitgestreken gezicht.

'Kom op zeg, je kunt toch niet na dertig jaar op zo'n toon tekeergaan en mensen bedreigen en hun ruiten ingooien... dan verspeel je de kans op een normaal gesprek.'

David kijkt samen met haar naar de trillende gekleurde vlek op de muur. Licht en glas hebben, onder een bepaalde hoek, de mogelijkheid zich in een regenboog te openbaren. Het gebeurt maar zelden en duurt maar kort. Omdat alles en iedereen beweegt. Je leeft langer met de herinnering aan de mogelijkheid van een regenboog dan dat je regenbogen en het effect van kleine prisma-effecten zoals hier bekijkt. Misschien is het met mensen precies zo.

'Misschien wil ze alleen aandacht,' zegt David, iets zachter dan daarnet. 'Als je het te veel vindt, ga ik er wel op af.' David klinkt voorzichtig, maar Riëtte hoort de vastberadenheid die erin klinkt.

Ze glimlacht en David herkent in haar brede mond de mond van Brent.

'Volgens mij ben je ook nieuwsgierig,' zegt ze. En dat geeft David toe.

'Als je maar niet denkt dat er een goed verhaal in zit,' zegt Riëtte. 'Dat is misschien wel zo, maar dat moet je niet van tevoren denken. Het kan wel een beerput aan ellende zijn, foute boel, die helemaal niets met jou of Brent of jullie tijd in Groningen te maken heeft.'

David zegt daarop iets onnozels. Hij zegt dat het niet uitmaakt, omdat hij daarover lekker kan piekeren en van alles over kwijt kan in de brieven die hij aan Brent gaat schrijven op diens machine.

Hij houdt de koffer omhoog, waarin hij mij inmiddels heeft weggeborgen. Ze zoenen elkaar en David legt zijn hand op haar schouder en voelt haar warmte, haar taaiheid, de breekbaarheid van haar botten en dat ze nog altijd moe is.

'Het is een bruikleen,' zegt hij in de deuropening. 'Zodra jij of een van de meiden er iets mee wil, al is het maar ernaar kijken of naast het bed zetten, dan breng ik hem terug.'

En hij loopt de zware warmte van de zomernamiddag in. Je kunt de komst van de avond al ruiken. De vlakke smaak van afnemende zuurstof. Het stof dat de auto's opwerpen. David loopt recht, zwetend in zijn jasje. Ik noem hem onnozel omdat hij niet weet dat ik hem de toegang ga weigeren. Het zal hem niet lukken om mij te gebruiken brieven aan Brent te schrijven. Ik zal ervoor zorgen dat hem na een paar regels de moed in de schoenen zinkt. Zijn gedachten zullen verstrooid raken en hun samenhang verliezen. Aan mijn toetsenbord zal het hem nooit lukken de illusie op te roepen dat hij werkelijk zijn stem tot Brent richt, zoals vroeger. Ik ontleen mijn stem aan het gebaar van Brent om al zijn schrijfmachines aan David te geven. En omdat ik zijn lieveling was, Brents beeld van een onbereikbaar ideaal, ben ik er om obstructie te plegen. In dat laatste jaar, waarin ze afscheid namen, ging het om wat onmogelijk was. Vijfentwintig jaar geleden, in de jaren ertussen en toen ze elkaar zagen in de schaduw van Brents naderende dood.

Kijk hem lopen door de zomerse straten van Amsterdam, het handvat van mijn koffer piept bij iedere stap en ik voel wel hoe hij zijn hoop op mij gevestigd heeft. Maar hij zal stuklopen, aan mij heeft hij niets.

Een jonge moeder staat naast David bij het voetgangerslicht. Ze draagt een zomerse bloemenjurk en heeft een slaperig kijkende kleuter op de arm. Het kind houdt het stokje van een waterijsje in de hand en om zijn mond is de kleverigheid en de rode kleurstof van het ijsje nog te zien. Het is zo stil, zo warm en het duurt zo lang dat de vrouw opeens vraagt wat er in de koffer zit. Een naaimachine?

'Nee, een schrijfmachine,' zegt David. Nog voordat de vrouw iets zeggen kan, wijst het jongetje naar een passerende auto waarop een twee meter lang, schuin omhooggericht blik energiedrank is bevestigd. In het zonlicht zijn het zilver en het metaalblauw oogverblindend. Rustig, met de statigheid van een processie draait de wagen de hoek om. Even staan David, de moeder en het kind zwijgend in de zon, in de stad, midden in de zomer en verliezen ze zich in het kijken naar de auto met het reusachtige frisdrankblik, dat als een beloftevol kanon naar de blauwe hemel wijst. David kijkt de vrouw aan en merkt dat ze alle drie staan te glimlachen. Het kind blijft wijzen tot de wagen uit zicht is. David heeft het idee dat de wagen iets heeft meegenomen, zodat hij, de vrouw en het kind lichter zijn geworden, al weet hij niet wat het is. Dan springt het licht op groen.

II

HET EIGEN VLEES

HOOFDSTUK 1

(IBM, Selectric I, zo'n beroemde elektrische schrijfmachine
met het bolletje, bouwjaar 1969, een futuristisch gewelfd
ontwerp van discreet beige gespoten aluminium, beetje bol,
weggezet in een boekenkast in een werkruimte in
een voormalig ziekenhuis, omringd door uitpuilende
boekenkasten, archiefdozen, stapels mappen, een kast
vol archiefexemplaren van de boeken van David, in het
holst van de nacht, zomer van 2010.)

Eerst kwam de hand met de zuignap, toen de tweede die het mesje aan een passer-arm rond liet gaan. Het kraken en knakken van
de glazen schijf. Het ronde gat in het vensterglas. Daarna volgde
de hand, die van binnenuit het raam losmaakte. Nu zwaait het
open. De zomeravondwarmte golft de kamer in. De geur maakt
de nachtelijke grijsheid van het licht goed. Het is een buitensporig
mengsel van de uitwaseming van oververhit geraakte iepen en
berken die voor het gebouw staan en de luchtjes van de zomerse
stad, met zijn scooters en openstaande eetcafés, geparfumeerde
terrasbezoekers en barbecues.

De eerste indringer is een niet zo lange, magere man in het
zwart. Hij draagt een strakke broek en een strak T-shirt zodat zijn
ingevallen borst, hangende schouders en O-benen goed uitkomen. Hij schuift een stoel naar het raam om de tweede inbreker

een comfortabeler entree te geven. Dat blijkt een lange, stevig gebouwde vrouw te zijn. Niet de jongste meer. Met plompe bewegingen hijst ze zich van het kozijn op de stoel. Leunend op de schouder van de man, wiens silhouet een beetje aan een mime-artiest doet denken, stapt ze op de grond en zucht. Ze is ook in het zwart, maar grappig genoeg zijn haar gympen bijna lichtgevend wit. Haar warrige peroxideblonde haar, in een knot bij elkaar gebonden, licht op in het halfdonker. Op haar rug heeft ze een klein nepleren rugzakje.

De man staat geduldig te wachten tot de vrouw op adem is gekomen. Dat gaat gepaard met een blafhoest. Ondertussen schijnt hij in het rond met zijn zaklantaarn. Ook over mij strijkt het licht.

Het is om precies te zijn drie jaar, vijf maanden en negen dagen geleden dat er iemand anders dan David in deze kamer stond. Hij was er toen zelf ook en stond te kijken naar de man die een meet-apparaatje aan de verwarmingsradiator vastschroefde. 'Heel modern,' zei de monteur. 'Dan kunnen ze vanaf het kantoor het verbruik uitlezen.' Hij stond op, keek David droevig aan en haalde zijn schouders op. 'Van mij hoeft het allemaal niet meer,' zei hij, haalde uit zijn borstzak een voorgerold sjekkie tevoorschijn en stak het vragend omhoog.

'Tuurlijk, steek maar op,' zei David.

Het leven van David Kennerwel kwam pas goed op gang met zijn afstuderen in Groningen en zijn komst naar de stad. Het werd een geleidelijk uitdijend heelal dat tevoorschijn leek te komen uit de bagage waarmee hij kwam: een hutkoffer met boeken en kleren en een zwarte plastic koffer met mij, een Duitse schrijfmachine. Hij kende hier in de stad misschien tien mensen, had geen werk en logeerde de eerste maand op de bank op de verdieping waar Brent met zijn vriendin samenwoonde. Een jaar later had Tessa zich bij hem gevoegd, huurden ze allebei een halve verdieping in een afbraakbuurt en beschikten ze ieder over een studio. Jaar na jaar werd hun leven voller, ingewikkelder, volwassener. Academie, baantjes, vrienden, projecten, affaires en de bijbehorende relatiecrises. De slooppandjes werden ingeruild voor betere onderkomens. David debuteerde en verdiende geld met wat hij schreef voor kranten en tijdschriften. Ze maakten reizen en kregen kinderen. Tessa had een echte jarentachtigloopbaan, diagonaal door de wereld: ze werd van secretaresse kunstschilder, meubelmaker, kok, toen medewerker bij een advocatenkantoor en officemanager bij een architectenbureau. Maar hoeveel er ook veranderde, niet deze kamer in het oude ziekenhuis. Hier is alles onveranderd gebleven. Er staan de stoelen die David bij het grofvuil vond in 1981 en waar zijn benen en rug helemaal vertrouwd mee zijn. Aan de wanden zie je zo goed als alle boeken die hij gekocht, gekregen of gestolen heeft sinds zijn zeventiende. Een aparte ruimte is gevuld met archiefdozen waarin puberdagboeken, mappen met brieven en kopieën en versies van wat hij gepubliceerd heeft. Er liggen mappen met knipsels en geheime plannen. Dan is er de boekenkast met de voorraad eigen boeken en de presentexemplaren van bundels, catalogi en tijdschriften waaraan hij heeft meegewerkt.

Het is een klein, hoog vertrek, met grote ramen op het westen. Het deed vroeger dienst als schoonmakershok, meteen achter wat eens een van de operatiekamers van de Vrouwenkliniek was. Hier zijn sinds 1900 duizenden Amsterdammers ter wereld gekomen. Bijna dertig jaar lang is dit Davids schrijfkamer, zijn uitvalsbasis, zijn *batcave*. Al die jaren heerst hier de mooie maar ook intimiderende zekerheid dat hij aan zichzelf is overgeleverd.

De inbrekers wagen zich voetje voor voetje verder de ruimte in. De magere man voorop. De boekenkasten keuren ze geen blik waardig. Die bevatten kennelijk niets van hun gading. Wat ze hier zoeken is me een raadsel. Waarschijnlijk is nou juist het enige van waarde in dit vertrek een boek: de geannoteerde editie van Vergilius' *Aeneis* uit de zeventiende eeuw, in leer gebonden. De rest van de boeken is zo goed als waardeloos. Aan elektronica staat er een predigitale wereldontvanger en een cassettespeler van een jaar of dertig oud. O ja, en een stel antieke Apple-computers, die alleen fanatieke liefhebbers nog aan de praat kunnen krijgen. Kunst hangt er niet, alleen wat foto's en posters. Op en onder de tafels, in de kasten en op stoelen leeft een klein volk aan schrijfmachines, waaronder ikzelf. Kostbaar antiek of zeldzaamheden die de kenners onder de verzamelaars koopziek maken, zijn er niet bij. Voor een dief zijn wij gewoon afgedankte apparaten, het sjouwen niet waard.

Als de magere inbreker de inloopkast met archiefdozen ziet, vloekt hij. Ze staan rijendik, tot aan het plafond. Op de grond bananendozen vol slordig opgestapelde boeken. Hij blijkt een rauwe basstem te hebben.

'Jezus, An, dat vinden we toch nooit in deze puinhoop.'

De vrouw duwt hem opzij en schijnt van dichtbij op de dozen.

'Er staan gewoon jaartallen op. Hier, kijk. En afgezien daarvan, het moet een flink pak papier zijn. We zoeken niet een of ander floppy, of USB-stickie, maar een of twee kilo dichtbeschreven A4'tjes.'

'Herinner je je de kleur van de map of misschien een versiering erop? Een titel?'

'Rustig nou. Het is dertig jaar geleden en ik zat er toen ook niet met mijn neus bovenop wat Eden de hele dag uitspookte. Ik doe mijn best, ja! Zijn naam zal er wel op staan.'

Sommige moorden worden begaan uit liefdesverdriet en jaloezie. Zo'n misdaad noemen ze een crime passionnel. Wat hier gebeurt is iets vergelijkbaars, maar dan in het genre diefstal. Deze klungels lijken me geen beroepsinbrekers. Ze willen iets stelen dat waarschijnlijk alleen sentimentele waarde heeft.

Het zoeken gaat ze niet al te best af. Dat komt, ze blijken slecht op de hoogte van Davids werk, en ze kibbelen. Ik heb geen idee wie die Eden is over wie de vrouw het had, maar voel een schok door me heen gaan als de handen van de man het pak papier vastpakken dat beschreven is met behulp van mij, mijn razende bolletje, mijn soepel draaiende wals, mijn sterke elektrische hart.

'En dit? Uit de doos '84.'

'Shit, Louis, te gek. Staat er een naam op?'

Het is even stil. Ik weet wat ze vast hebben. Davids eerste poging een roman te schrijven, *De Lus van Tanger*. Nooit gepubliceerd, en terecht. En ik weet heel zeker dat er geen Eden in voorkomt. Wat moeten ze daar in vredesnaam mee?

'Jezus, Anja, is dit het nou, of niet?'

'Ik heb m'n leesbril niet bij me. Kan jij het lezen?'

'Schijn eens bij.'

Met een licht noordelijk accent en die schorre kroegstem leest de inbreker iets voor van de eerste bladzijde, waarop verteld wordt hoe Paul Esselte aankomt in de Marokkaanse havenstad Tanger. De brede, Portugese trap van natuursteen verbindt de oude medina met de boulevard d'Espagne en er zijn palmen en reisbureaus, maar ook diepe scheuren in de treden. Er ontbreken spijlen in de balustrade en het koloniale marmer is moe en vervuild, door vlekken, mos en drek. In beeld stapt de lange blonde Nederlander, die in opdracht van zijn vader in Tanger komt zoeken naar zijn weggelopen oudere broer Victor. De verloren zoon moet terugkomen, zijn vader en het familiebedrijf hebben hem nodig.

'Familiebedrijf! Dit moet het zijn. Ik herinner me dat Eden een bedrijf bedacht had om te kunnen vertellen over pa en ma en de mensen in de straat waar we woonden. Staat er echt nergens een naam?'

'Nee, ook niet op de laatste bladzijde. Klopt het jaartal? Herken je de schrijfmachineletter?'

'Doe niet zo bijdehand, man. Dit moet het zijn. Ik wil hier weg.'

Het pak papier verdwijnt in het rugzakje, waaruit de vrouw een pakje sigaretten en een aansteker opvist. Ze biedt de man iets te roken aan en geeft hem vuur.

'Ga jij maar eerst,' zegt ze als ze weer bij het raam staan. Ze krijgt na de eerste trekjes een hoestbui terwijl ze toekijkt hoe de man via de stoel naar het raamkozijn klautert en zich met de oplichtende punt van de sigaret als een fietslampje voor zijn gezicht laat zakken. De rugzak doet de vrouw niet meer om. Ze gooit hem naar buiten en begint dan zuchtend en steunend aan de moeizame klimpartij, in een wolk van sigarettenrook.

Ik ontleen mijn stem aan de vriendschap tussen David en Lizzie Thornton. Dat is de geest die in mij huist en het leven dat ik heb toegevoegd aan die mislukte roman, waarvan Anja en Louis daarnet het enige exemplaar hebben gestolen. Het lijkt daarin te gaan om die vergeefse poging Pauls broer Victor ervan te overtuigen dat hij terug moet komen uit Tanger. Maar wat Paul Esseltes kijk op zichzelf en het leven veel sterker verandert, zijn het verblijf in Marokko zelf en de weken die hij met ene Leslie Katoozian optrekt, die jonge vrouw die hij daar in Tanger tegen het lijf loopt. Het personage van Leslie is gebaseerd op Lizzie Thornton. Met Lizzie lijken de twee Groningers me niets te maken te hebben, die woont al een jaar of vijfentwintig in Londen en komt om de paar jaar een lang weekend logeren bij David en Tessa. Verder komen er alleen puur fictieve figuren voor in *De Lus van Tanger*.

Ach, 1984, het jaar ervoor was David met zo'n aandoenlijke ernst begonnen aan het leven als voltijds aspirant-schrijver. Hij had een schrijfkamer, een kaartenbak met ideeën voor verhalen, mappen aantekeningen voor essays, al zijn boeken om zich heen en een pasje voor de universiteitsbibliotheek, om toegang te hebben tot de hoogste kwaliteit kennis en informatie. Met bevriende kunstenaars zette hij een tijdschrift op waar hij zijn eigen verhalen en essays in kwijt kon, en hij publiceerde in kunsttijdschriften artikelen over de nieuwe kunst en de kwesties die erdoor werden opgeworpen. Inkomsten waren er nauwelijks, maar net als het nieuwe leven in Amsterdam was het allemaal spannend en veelbelovend. Hij werkte hard, hield van Tessa, verveelde zich nooit, en toch was hij na een klein jaar doodongelukkig. Het werd 1984.

Het enige waar zijn geluk van afhing, naast zijn band met Tessa, was zijn geloof in een schrijvend leven. En dat werd zwaar op de proef gesteld. Niet door afwijzingen van uitgevers of redacties, maar door zijn zelfkritiek. Ondanks zijn enthousiaste en noeste arbeid werd hij moedeloos van de kwaliteit van zijn eigen schrijverij. Hij vond de verhalen die hij schreef verkrampte, gekunstelde en bloedeloze maaksels. Slim bedacht en alsmaar vaardiger opgeschreven, maar er miste iets. Soms dacht hij door een exotische setting of een gruwelijke gebeurtenis die tekortkoming goed te maken, maar als hij anderen de teksten waarover hijzelf redelijk tevreden was liet lezen, voelde hij zich beschaamd en te kijk gezet. Trots kon hij er niet op zijn. En dat niemand van zijn vrienden riep dat het geweldig was, begreep hij maar al te goed. Hij leefde naar zijn eigen idee voor niets anders dan het schrijven, maar wat hij schreef wilde maar niet leven, of je kon het leven erachter niet zien. Hij wist ook waardoor het kwam.

David besefte dat hij zichzelf tegenwerkte en klein hield. Maar hoe hield je daarmee op? Nog altijd had hij de deur van de kamer waarin hij was opgegroeid en waarin zijn verlangens waren opgeslagen alleen maar op een kiertje gezet. Dat hij destijds, als schooljongen of samenwonende student, die deur niet had opengetrapt, had hij van zichzelf nog kunnen accepteren. Verstandig zijn, eerst je opleiding afmaken, de lieve vrede met zijn ouders bewaren, enzovoort. Maar nu, eindelijk aan zichzelf overgeleverd in het open landschap van het vrije schrijven? Wat een truttigheid, wat een muizenhapjes van het leven! Wat was ervoor nodig om al het angstige gepieker achter zich te laten en op de stroom naar buiten tredende energie de wereld te verkennen? Een écht andere wereld, zonder de bekende bruine cafés en de goede gesprekken die vloeiend overliepen in voorspelbaar politiek of artistiek gebral. Zonder hippe discotheken en verantwoorde weekendbijlages; zonder kunstenaarsinitiatieven en redactievergaderingen. Wat moest hij doen om nieuwe kanten van het leven en zichzelf te ontdekken en terloops een eigen schrijversstem te vinden? Zijn vader zei: maak een wereldreis, in je eentje.

Een logisch maar afschrikwekkend voorstel. Eerst al het stomme werk in de horeca of via een uitzendbureau om het geld bij elkaar te krijgen. En vervolgens de verlammende angst waar hij die hele reis mee moest worstelen, zichzelf dag na dag intenser hatend, omdat hij wist dat die angst nergens op sloeg en stompzinnig was. Angst voor wat? Voor het verliezen van greep op de situatie; voor ziektes, overvallers, oplichters, geldgebrek. Maar het meest nog had hij angst voor het onverbiddelijke malen van de molen in zijn hoofd die alles wat hij meemaakte vermorzelde tot een waardeloos poeder dat uit miljoenen kleine oordelen bestond. En zelfs als hij die molen kon stoppen, dan was er nog het oordeel van die hele stoet totaal onbekenden met wie hij in gesprek zou raken en die hem een stijve, schijterige lulhannes zouden vinden – en die nog gelijk hadden ook! Waarom zou hij zichzelf dat allemaal aandoen? Alleen op reis gaan wilde zeggen: de wurgende greep van zijn angst vergroten.

Er was natuurlijk maar één ding erger dan zo'n beschamende reis: thuisblijven, zich verschuilen bij de paar mensen die van hem hielden, alles zijn gewone gangetje laten gaan en in stilte gemarteld worden door het zelfverwijt dat hij een echte kans om wat op te knappen en losser te worden willens en wetens liet liggen. En dus reisde hij, na extra diensten als afwasser te hebben gedraaid, met nog wat geld van zijn ouders en Tessa voor twee maanden naar Griekenland. En wel zo snel mogelijk. In februari landde hij in een kil en bewolkt Athene. Van de rondreis langs een paar eilanden die hij zich had voorgenomen, kwam door gepieker en uitstel niets terecht. Wat een lul vond hij zichzelf! Desondanks bivakkeerde hij twee maanden lang tot zijn opluchting in dezelfde hotelkamer in de Plaka. Ergens halverwege die periode ontmoette hij Lizzie Thornton, en dat verleende nog enige glans aan de hele onderneming, die verder niet veel meer opleverde dan een schrift met wat leesaantekeningen en een dagboekje.

Later dat jaar, toen hij samen met Tessa in de zomer een reis door Marokko had gemaakt, wist David dan toch een zekere losheid te vinden. Zonder veel planning vooraf begon hij te schrijven. Ik zoemde en ratelde, ik was de beste vriend van Davids handen. In twaalf weken tijd smolten de twee reizen van dat jaar samen in *De Lus van Tanger*. Onder mijn heen en weer swingende bolletje ontstond uit de ontmoeting met Lizzie Thornton het personage Leslie Katoozian, dat de dolende jongen uit het boek een levensles geeft.

Net als in zijn eerste jaren in Groningen gedroeg David zich in Athene als de dolende toerist. Hij was terug bij af. Met een boek, een pen en papier op zak liep hij rond, de dagen aftellend tot de dag van de geboekte vlucht terug naar Amsterdam. Zijn verblijf in Athene onderging hij als een noodlot. Zijn lege dagen hadden als kleine hoogtepunten het schrijven van een brief naar Tessa, het bezoek aan een museum of een film. De beste manier om de leegte te verdragen was in beweging te blijven. Hij stiefelde door Athene, langs winkels, fabrieken, scholen en woonwijken, tot hij op zoek moest naar een sandwich of een bord pasta om niet rillerig en chagrijnig te worden van de honger. Op de dag dat hij Lizzie Thornton tegen het lijf liep, was hij vroeg opgestaan en had hij bij het ontbijt op luchtpostpapier een brief aan Tessa geschreven. De strekking daarvan: deze reis doet me goed, ik houd me kranig, je bent mijn grote liefde, maar waar blijven verdomme die brieven van je? Want je schrijft toch wel?!

Daarna had hij ruim drie kwartier gelopen om in een zonnig maar kil parkje op een bank tussen miezerige dennenbomen te lezen in *Visions of Cody* van Jack Kerouac. Dat boek had hij een paar dagen eerder gekocht in een Engelstalige boekwinkel. Hij kende *On the Road* wel, gelezen op zijn achttiende, maar erg geïnteresseerd was hij niet meer in Kerouac. Dit boek, dat hij inkeek in die piepkleine winkel, staand op twee meter afstand van de luid telefonerende verkoopster, was nieuw voor hem. *Visions of Cody* ging ook over een reis door Amerika, maar nu was de verteller alleen, ongelukkig in New York, en schreef hij over die mythische vriend in San Francisco van wie hij maar steeds *visions* heeft, en met wie hij denkt te moeten reizen, ouwehoeren, jazz luisteren, zuipen en wat al niet, zodat hij besluit dat het welletjes is en op pad gaat. Daarna een reeks visions op reis en een bewerking van de uitgetikte bandopname van eindeloze stonede gesprekken met die vriend na aankomst in San Francisco. Het was een ontsporend boek.

David las het ratelende, tastende, trompetterende Amerikaans van Kerouac in een smalle gang, tot aan het plafond omgeven door boeken, terwijl het onverstaanbare Grieks van de verkoopster door de benauwde winkel kolkte. Meer dan *On the Road* is *Visions* een collageboek waarin Kerouac hardop denkt over het schrijven, terwijl het onderwijl in volle vlucht onder de ogen van de lezer plaatsvindt. Wat David prachtig vond was het idee van een vision, zoals Kerouac dat hier gebruikte. Het was zoiets als een improvisatie op basis van een bestaand thema. Een avontuurlijke poging een nieuwe en onthullende versie voort te brengen van 'het oude liedje'. Kerouac doet dus niet alsof hij zomaar spontaan quasi unieke gebeurtenissen schildert, nee, het zijn half verzonnen, half herinnerde scènes, een soort dagdromen die worden opgeroepen door wat hij hoort en ziet in de straten van New York.

Waarnemingen die van een eenzame doelloosheid door de toevoeging van het thema 'Cody', de half reële, half mythische vriend, opeens veranderen in een lied van proza, dat wervelend, kleurig, geestig is. Vurig en sentimenteel. De lezer mag zien hoe alles ontstaat, Kerouac laat hem toe achter de schermen, zodat je de uitglijders en de breuken ziet. De herhalingen en de zwakke plekken, de context waarin de briljante invallen ontstaan. Het boek is een film in sprongen, afgewisseld met scènes uit *the making of*. Kijk, door de techniek van de vision, de zwerftocht op de plaats waarin waarneming, herinneringen en verbeelding in elkaar grijpen, bracht Kerouac een kleine verteltornado op gang, die zich grillig door de wereld bewoog, mooi in zijn dreigende onafhankelijkheid. Dit moest hij lezen. Misschien dat zoiets weer wat vaart en leven in zijn schrijverij kon brengen.

Nu al een paar dagen lang las hij het boek snel en gulzig. Om de veertig bladzijden las hij alles meteen een tweede keer, om passages over te schrijven en van commentaar te voorzien in een schrift. Het was inspirerend, er waren momenten van opwinding, momenten waarop het lezen hem goede moed en nieuwe plannen gaf. Maar het was vooral ook nederig stemmende lectuur. Al het morsige pathos ten spijt was dit prachtig rapsodisch schrijven, met een eigen muziek, sterke beelden en pijnlijk trefzekere gedachten. Kerouac had veel afgezien voor zijn schrijverij, hij had dom durven zijn en vreselijk alleen. Als David zich afvroeg hoeveel hijzelf op het spel wilde zetten om zo vrij te worden in zijn schrijverij, boog hij het hoofd en voelde een zwaar gewicht in zijn maag. Brent had gelijk gehad: ze waren en bleven brave jongens. Echt verloren wilden ze niet raken.

De zesentwintigjarige Noord-Ierse Lizzie Thornton stond op het Omoniaplein in het centrum van Athene met een boodschappentasje aan haar arm een ijsje te eten. Op een zonnige dag begin maart was het opeens bijna twintig graden. Voor het eerst in weken was ze ouderwets vrolijk. Ze was al anderhalf jaar op reis, maar pas de afgelopen twee maanden had ze haar leven een beetje op orde. Het plan om met haar vriendje, haar jongste broer en twee van diens vrienden naar Kreta te gaan en van de druiven- en olijvenpluk te leven en vooral veel lol te hebben en flink te drinken, verliep aanvankelijk vrij vlot. Maar de hygiënische omstandigheden op het Kretenzische platteland, het zware fysieke werk en het ontmoedigende gezelschap van vier onbehouwen, meestal dronken Noord-Ierse mannen eisten hun tol. Op een dag stond ze voor dag en dauw op, dronk het laatste lauwe sinaasappelsap en liet de bewusteloze mannen achter in hun stinkende slaapzakken met vlooien.

In Athene werkte ze in bars en cafés, maar kreeg een hekel aan de drukte en de herrie, het leven zonder dag. Bovendien dronk ze zelf algauw meer dan ze wilde en had ze veel te stellen met malloten die haar in de richting van de betaalde liefde pushten. Op het laatst werkte ze in een nachtrestaurant waarvan de baas in dreigende ernst volhield dat ze tegen hem loog als ze zei dat ze dat niet wilde: ze was helemaal het type om de hoer te spelen, ze vond het zelfs prachtig, alleen gaf ze dat nog niet toe. Hij róók het aan haar, hij zág het, hij wist het zéker. Toen hij op een dag in december alvast een voorschot op zijn erotische revenuen wilde nemen en haar aanrandde, stal ze de volgende dag na sluitingstijd de kas leeg, sloeg de hele voorraad whiskey, cognac, likeur en wodka aan diggelen en verdween.

Nu was ze kindermeisje bij een welgesteld gezin. De man was een uitgever van tijdschriften die zijn kinderen wat Engels wilde meegeven. Ze had zelfs een grote kamer in het appartement aan een brede avenue. De kinderen waren acht en vijf, een jongen en een meisje, twee mollige, slome, stierlijk verwende ettertjes, maar als ze op school of bij opa en oma waren, had Lizzie tijd om door de stad te wandelen, een museum te bezoeken, wat te lezen, op jacht te gaan naar koopjes in kledingzaken; kortom, al die dingen die ze vreselijk had gemist het afgelopen jaar.

Of: zomaar in de zon staan, nergens aan denken en een ijsje eten. Geamuseerd haar ogen uitkijken naar de drommen Grieken en vreemdelingen. Ver weg van de slepende burgeroorlog in Noord-Ierland die haar schooltijd had verpest en Belfast tot een deprimerend gekkenhuis maakte. Ver weg van haar sappelende ouders in de katholieke arbeiderswijk, haar vroeg getrouwde zusters, die een stel kinderen en werkloze, louche mannen hadden.

Sinds die ochtend in Kreta dat ze haar biezen pakte was ze ook eindelijk los van Steve, die ze al sinds haar zeventiende kende. Hij was spichtig en had stug rood haar, deze zoon van een protestantse accountant; een bedachtzame jongen die goed kon leren. Hij was haar bondgenoot geweest tegen de gemene achterlijkheid van Noord-Ierland. Maar nu hij zich onder vrienden in den vreemde ontspande, zag ze pas hoe akelig besluiteloos en vooral hoe ontstellend saai hij was.

Het voetgangerslicht aan de overkant sprong op groen. In de menigte die op haar afkwam viel haar oog meteen op een energiek stappende jongeman van haar leeftijd. Geen Griek, daarvoor was hij te bleek en te blond, te hoekig in zijn bewegingen, met zijn puntschoenen, die wat wijde broek, het korte strakke jack en het *spiky* haar. Hij zag er onmiskenbaar Nederlands uit, alles aan hem rijmde op haar herinnering aan de week Amsterdam van een paar jaar terug. Ze bleef kijken naar die prettige verschijning, naar die heldere, open blik die haar nieuwsgierig maakte. Voor ze het wist had ze haar zonnebril opgetild en hem in het voorbijgaan met een brede glimlach aangesproken: 'Jij kan alleen uit Nederland komen. Of heb ik het mis?'

Een uur later stonden ze nog op het Omoniaplein in de lentezon. Ieder aan een oordop van haar walkman luisterden ze lachend naar haar cassette van *Rock the Cashbah* van The Clash. David haalde *Visions of Cody* uit zijn binnenzak. Lizzie bleek een fervente lezer en liep de deur plat bij de Engelse boekhandel. Haar lievelings-Kerouac was *The Subterraneans* over zijn tragische affaire met een zwart meisje.

Twee uur later zaten ze ergens kippenpoten met rijst te eten. Lizzie had een lage stem voor een frêle vrouw van één meter zestig. Hij had kwetsbare ogen voor iemand die zoveel wist en zo slim was. Lizzie kon wat hem betreft de hele nacht door blijven vertellen, met haar jongenshumor en lichtbruine ogen. Wat haar betreft sloeg hij een arm om haar heen en viel ze opgerold tegen zijn naakte lijf in slaap, maar ze zag op tegen de seks die zoiets mogelijk moest maken. Bovendien, Lizzie moest de kinderen bij oma en opa ophalen, in bed stoppen en hun voorlezen. David maakte met haar voor de volgende dag een afspraak en zag in het filmmuseum een Franse zwart-witfilm uit 1943, een verhaal waarin streng katholiek moralisme heerste en de hoofdrol was weggelegd voor een hysterische vrouw in een lange satijnen avondjurk die een moord beging met een jachtbuks. Op de terugweg naar het hotel brak er een verschrikkelijk onweer los.

Die wandeling door de wolkbreuk en de erop volgende uren in bed waarin hij door het onweer en zijn gedachten niet kon slapen, vormen de grootste gelukservaring van Davids verblijf in Athene. *De Lus van Tanger* is voortgekomen uit die avond. Vooral het moment van de stomme grijns op zijn gezicht, waarvan hij zich bewust werd bij het langzaam afdalen van de steile straat, ingehaald door het regenwater dat sputterend en kwetterend door de goten naar beneden stroomde. Zijn handen in de zakken, de spieren in zijn rug en billen rollend en meezwenkend met de eisen die de steile afdaling stelde. Hij waggelde losjes naar beneden, toegevend aan de zwaartekracht, die ook het glinsterende en ruisende regen-water zijn vaart gaf. Geef maar mee, zei de stad tegen hem; verzet je niet, zei het verrassend lauwe regenwater. Het lukte er de schoonheid van te zien, zich niet te af te sluiten, omdat het vanzelf ging en alles toch nat werd en er niets of niemand haast had. Hij ging, weliswaar menselijk traag, op dat flitsende, wegstromende regenwater lijken. Hij stroomde, hij was vandaag in beweging ge-komen, al was het dan de toevallige Lizzie die hem een zet gege-ven had. Zo lullig was het probleem dus, zo belachelijk klein, dat een paar uur kletsen met een leuke vrouw het wegtoverde. Onder de donkere en luidruchtige hemel voelde hij zich sterk en brutaal, hij had zin over de daken van de auto's te lopen, die vier rijen dik voor de stoplichten stonden en evenzovele bongo's waren waarop het onweer roffelde. Het was de muziek die zijn Atheense visioen begeleidde. De titel van die improvisatie voor noodweer en perso-nenauto's: *Als je je niet verzet verander je vanzelf.*

De dagen en de nachten met Lizzie Thornton die volgden maakten duidelijk dat hij niet verliefd op haar was. Ook stelden ze proefondervindelijk vast dat ze ongeschikt waren als erotische partners (zullen we hiermee ophouden, vroeg Lizzie proestend, wat tot opluchting leidde en een voortzetting van hun gesprek tot het ontbijt), maar ook ontdekten ze dat ze talent hadden om ver-rassende vrienden voor elkaar te zijn. Een gepaste afstand was daarvoor wel nodig, wist David. In de uithoeken van de nachten die ze gedeeld hadden, had de keerzijde van Lizzies bewonderens-waardige overlevingskunst zich namelijk geopenbaard. En dat was een afgrondelijk gevoel tekort te schieten – als dochter, als persoon, als levend wezen. Lizzie was opgegroeid onder het ver-zwegen motto: 'Je had er net zo goed niet kunnen zijn, van ons had het niet gehoeven; met jou wordt het toch niks, net als met ons en wat wij aan je hebben in onze ellende valt nog te bezien, veel zal het wel niet wezen.'

Bij Lizzie uitte de weerslag van die ontmoedigende grondtoon van haar jeugd zich heel Iers, als een religieus aangedreven tredmolen van schuld en dronkenschap. Eerst woedend loltrappen en iedereen schaterend vervloeken die je een schuldgevoel bezorgt, tot het zuipen zelfdestructief wordt. En vervolgens, in een gespiegelde beweging; theedrinken en in de Bijbel lezen, mediteren, zware gedichten schrijven en de waarheid van je nietswaardige egoïsme onder ogen zien tot je dood wilt. Tot je het potsierlijke daarvan inziet en weer wat gaat drinken met vrienden.

Hierbij vergeleken was Davids cultus van het schrijvend leven een zonnige en lichtvoetige onderneming. Die had weinig met familiedoem te maken, of met het verdriet en de misère van levens die verpletterd werden door armoede en ziekte, door oorlogsgeweld en onwetendheid. Zelfdestructie kwam er niet bij kijken, het was een strijd tussen maximale zelfontplooiing en neurotische zelfkwelling. Lizzie had geen idee van enige vorm van verlossing. David wel, uiteindelijk was er geen twijfel aan het ideaal om zijn leven vorm en toekomst te geven door romans, verhalen en essays te schrijven.

Of het ging lukken was een tweede. Het zou een luchtkasteel kunnen zijn, dat wist hij, maar hij voelde zich jong genoeg om voorlopig moed te putten uit het geloof erin. Lizzie had niet eens zo'n luchtkasteel. Ze leefde om te leven; ze had geen diploma, geen vak, geen geld, geen huis, geen man of kinderen. Er was niet eens een stad waar ze zich thuis voelde, behalve Belfast, dat ze haatte. Ze had weinig om in te geloven en gaf toe dat ze in haar wanhoop hysterisch katholiek kon worden en bidden om verlossing. Maar te veel drinken was ongeveer hetzelfde, vond ze. Lizzie was een balling, een schipbreukeling, gegijzeld door verdriet. En vooral: ze was eenzamer dan David ooit was geweest. Maar ook veel vrolijker en moediger, en erg grappig. Om de paar dagen ging hij uit eten en drinken met Lizzie, en deelden ze verhalen over familie, vrienden, dromen, hun kindertijd en vooral besteedden ze veel tijd aan lachwekkende anekdotes. Een grondiger manier om zijn zelfkwelling en problemen te doen verdampen was er niet.

Hoe langer hij met Lizzie in Athene optrok, hoe meer David ervan overtuigd raakte dat Tessa degene was met wie hij moest leven. Ook zij was een van huis weggelopen vechter tegen de lokkende afgrond die riep dat ze het niet verdiende te leven. Ook zij was een donker, lief en trots, ontwapenend en sluw soort vrouw. Allebei waren het types die zich liever doodvochten dan een dwingeland te gehoorzamen. Allebei stonden ze met lege handen, maar het grote verschil was dat Tessa zijn overtuiging deelde dat hij schrijven moest; zij vocht ervoor dat zijn geluk, hun vriendschap haar van de afgrond konden redden. Zoiets dacht Lizzie niet, niet over David en waarschijnlijk kon ze dat over niemand denken.

David besefte dat er niemand was behalve Tessa van wie hij zulke duistere en gevaarlijke gevoelens zou toelaten in zijn leven. Hand in hand langs de afgrond liep je maar met één ander.

Niet lang na zijn Athenereis kwam Tessa op een dag thuis van haar werk met een grote kartonnen doos. Haar ogen straalden: dit was een enorme vangst. Ze had er flink wat afgepingeld, maar het was nog steeds een duur cadeau. Het bedrijf ging definitief over op computers en de elektrische schrijfmachines mochten weg. Als ex-secretaresse geloofde Tessa er heilig in dat schone, professioneel ogende typoscripten een grotere kans maakten te worden uitgegeven. Zo kwam ik bij David terecht. Mijn aanslag is motorisch aangedreven, altijd gelijkmatig en krachtig. Ik gebruik geen inktlint, maar stans met mijn bolletje de letters uit een dunne carbonfolie. Omdat die perfecte letters op het papier liggen kun je fouten herstellen zonder wit smeersel. Je gebruikt een plakkend correctielint, dat de zwarte folie weer lostilt. Mijn letters zijn altijd scherp en diepzwart, nooit vlekkerig of grijs.

Ik was een geschenk dat hoorde bij de volgende stap die David moest zetten, volgens Tessa: een roman uitgeven. Het werd na een jaar hoog tijd eens een poging te wagen, dat was de boodschap. En eerlijk is eerlijk, David zette alle schroom opzij en heeft mij maandenlang als een bezetene laten ratelen, tot mijn motor gloeiendheet was. Ik heb hem naar mijn beste krachten geholpen en geprobeerd het plezier en de ontroering tussen David en Lizzie in de tekst van *De Lus van Tanger* te krijgen. Misschien wel mede dankzij mij is Lizzie Thornton nog altijd een vriendin van David en Tessa. Ze vond haar draai als interieurstyliste in Londen. Ze is nooit getrouwd en heeft geen kinderen; er zijn affaires, het is altijd ingewikkeld. En als ze om de paar jaar komt logeren in Amsterdam is ze nog altijd grappig, dapper, eenzaam en vol goede verhalen.

David heeft het typoscript van *De Lus van Tanger* nooit gekopieerd. Niemand van zijn vrienden heeft het gelezen en het is nergens ter publicatie aangeboden. Het enige exemplaar is al die jaren in een archiefdoos hier in het oude ziekenhuis gebleven. Tot vannacht. Wat die twee nepinbrekers ermee moeten is me een raadsel. Het kan niet anders of ze zien het aan voor iets wat het niet is.

(Adler Gabriele 25, bouwjaar 1973, een witte draagbare schrijfmachine met een kunststof bovenstuk, Duits modern, in een open boekenkast, in een huiskamer aan een straat met negentiende-eeuwse huizen in Amsterdam, het is het begin van de avond, zomer 2010, door de open ramen dringt het rumoer binnen van een wedstrijd van het Nederlands elftal, in de binnentuinen wordt straks de wedstrijd op een groot scherm bekeken, rondom een bierpomp. Ter voorbereiding draait men Oranjemuziek tussen de voorbeschouwingen door. In huis hangen wat oranje versierselen, maar de sfeer is niet feestelijk.)

Tessa Inmijnen leunt achterover en blaast de rook naar het plafond. Ze zit er stoer bij met de ene arm languit over de leuning van de zwarte bank, de benen over elkaar, de sigaret in de hand, de blik naar boven. Aan tafel zit David, gebogen over twee vellen stug papier. Zijn rechterhand speelt gedachteloos met een potlood.

Ik ken de manier waarop ze nu samen zwijgen door en door. David probeert door zich op de papieren te concentreren rustiger te worden. Tessa's geest zoomt uit en werpt een adelaarsblik over de situatie, waarin duistere veronderstellingen en wraakzuchtige gevoelens alle ruimte krijgen. Op tafel ligt een dreigbrief. Hij is gisteren, de dag na de inbraak, aangekomen. Anja Wildervank windt er geen doekjes om. Ze wilde laten zien hoe ver ze wil gaan, met de inbraak. Nu heeft ze een ongepubliceerde roman van David in handen en wil hij die terug? Voelt hij nu een klein beetje hoe erg het is als iets waaraan je zo lang hebt gewerkt verloren is gegaan? En hoe kwetsbaar je bent als anderen erover beslissen wie het mag lezen? Heeft hij óók moeite te begrijpen dat anderen zo gemeen kunnen zijn?

'Het moet nu echt stoppen. En wel snel, straks doet ze de kinderen iets aan of ze steekt de boel in de fik,' zegt David.

Tessa heeft al voor de volgende dag een afspraak gemaakt bij de politie, om met de brieven langs te gaan en uit te leggen dat de vorige week aangegeven inbraak het werk van dezelfde stalker is. Anja Wildervank verstopt zich niet, gebruikt haar eigen naam, staat gewoon in het telefoonboek en is dus gemakkelijk op te pakken en te stoppen. Dat ze dol van woede is geworden omdat David en Brents weduwe haar nu al een maand lang min of meer negeren, begrijpt Tessa maar al te goed. En dat zoiets na een paar borrels kan uitlopen op het ingooien van ruiten en eventueel brandstichting en mishandeling begrijpt ze ook nog wel. Waar ze slechter bij kan is hoe het nu zit met Anja's broer. Waarom is hij volledig buiten beeld? Weet hij wel wat zijn zus overhoophaalt?

'Wat zegt ze nou eigenlijk over die broer?' vraagt Tessa, en David zucht. Hij leest de twee computerprints van voren af aan. Het is hetzelfde liedje, het gaat over een groot romanmanuscript van haar broer Eden, dat David en Brent destijds, begin jaren tachtig, in Groningen zouden hebben geleend en gelezen. Om het dan kwijt te maken en zich harteloos en onverschillig te tonen tegenover de schrijver, die niet van alles een kopie had. David en Brent verlaten Groningen en maken naam als schrijver in Amsterdam, terwijl Eden Wildervank in psychische problemen raakt en na een zwaar motorongeluk een vreselijk leven leidt: invalide, depressief en armlastig. Van zijn schrijversambities is niets terechtgekomen. Twee jaar geleden is er ook nog een ongeneeslijke ziekte bij hem vastgesteld en is Anja begonnen een beroep te doen op

Brent en David, ook vanwege de ziekte van Brent, die daar zo vaak en openhartig over schreef. Zelfs Brents dood had niets veranderd aan de harteloosheid waarmee Eden genegeerd werd, en nu is de maat vol. Anja eist het manuscript en daarbij op z'n minst een verontschuldiging, een gebaar naar haar geruïneerde broer, voordat hij sterft.

'Dat verwacht je niet, zoveel melodrama uit Groningen, van een ex-punkmeisje,' zegt David.

'Wacht even, ze zegt dat ze twee jaar geleden is begonnen jou en Brent te benaderen? Daar heb ik jou nooit over gehoord.'

'Ik had nog nooit van dat mens gehoord totdat ze mij herkende en aansprak in Groningen! Als ze Brent twee jaar geleden heeft benaderd, dan heeft hij dat stilgehouden voor mij.'

'En wat is nou precies het dreigement?'

'Als we niet meewerken zal ze "nog veel drastischer maatregelen moeten nemen", zoals ze het noemt.'

'Je weet het niet. Die broer doet of zegt niks, en die wil of vindt blijkbaar ook niks. Hij wordt alleen opgevoerd als lijdend voorwerp. Als een slachtoffer dat gewroken wordt door Anja. Hij kan natuurlijk zo zwaar invalide zijn dat ie geen benul heeft van het hele verhaal. Maar dan is het zinloos hem een pak papier van dertig jaar geleden terug te geven en excuses aan te bieden. Wat ook kan, is dat zij dit allemaal doet zonder zijn medeweten en toestemming. We moeten dus die broer vinden. Als hij nog leeft. Je weet niet hoe gek ze is. We moeten zelf iets doen, want ik denk niet dat de politie erg vlot iets onderneemt.'

David kijkt Tessa plotseling verwilderd aan. 'Tess, ik snap dat van die ziekte en de tragiek van die man zijn leven, maar ik geloof er geen moer van dat alles draait om dat ene vage manuscript. En waarom pakt ze het op deze manier aan? Zo lomp en agressief? En waarom nu opeens?'

Tessa komt van de bank en drukt de sigaret uit in de asbak. Ze legt een hand op Davids schouder.

'Wie weet wat er op de achtergrond allemaal nog meespeelt. Misschien wel drugs, belastingschulden, een erfenis, familieruzies. Geen idee. En bovendien is het totaal onbelangrijk. Het maakt niet uit waarom ze dit doet.'

Ik voel de ogen van Tessa Inmijnen op mij rusten. David is weggegaan naar het dakterras van vrienden drie straten verderop, waar een hele kliek de wedstrijd van het Nederlands elftal gaat kijken. Tessa heeft gezegd dat ze later komt, samen met hun dochter, als die is thuisgebracht na een paar dagen logeren. Tessa is naar de koelkast gelopen en heeft er een biertje uit gehaald. Vanaf de bank tasten haar ogen mijn zwarte toetsen af en ik vang haar gedachten op. Buiten zwelt het pathos van de volkszangers aan, sommige regels worden zelfs al meegezongen. De stemmen van de televisievoorgangers dreunen in de binnentuinen, uit ramen, van balkons en speakers op de grond.

Haar voeten tikken op de maat, maar haar gedachten gaan naar de broer van Anja, Eden Wildervank. Ze stelt zich er een afschrikwekkend, triest type man bij voor. Iemand die zielig doet en zichzelf erom haat. Die anderen het leven zuur maakt en zich daarvoor schaamt. Een man die zich egoïstisch, kil en wreed gedraagt, omdat hij te bang is om vriendelijk, teder en nieuwsgierig te zijn. Het is een schrikbeeld, want ze weet: zo kunnen ook leuke en levenslustige mensen worden. Het is griezelig dichtbij geweest. Ze heeft de kille schaduw ervan gevoeld, anderhalf jaar na Davids reis naar Athene, toen hij voor de tweede keer een roman had geschreven die hij niet naar een uitgever wilde sturen. Zij zat op de kunstacademie en werkte 's avonds als kok in een eetcafé. Na het tweede mislukte boek was David verbeten doorgegaan. Hij zat zich iedere dag in dat schoonmakershok in het oude ziekenhuis klem te schrijven, het ene gekunstelde flutverhaal na het andere. Het eindpunt was bereikt toen hij na maanden bibliotheekstudie en museumbezoek een innerlijke monoloog schreef van een Amsterdamse vroeg-zestiende-eeuwse schilder tijdens het schilderen van het portret van zijn vrouw. De man leed aan zwart narcisme, de ziekte van de ongeremde zelfkritiek. Er was sprake van messen en het afsnijden van neus, oren en vingers.

Op de dag dat hij doorkreeg dat hij met dat soort fratsen aan de rand van de afgrond was beland, zat hij met het hoofd in zijn handen, wiegend in een hoek van de kamer op Tessa te wachten. Doodsbang. Urenlang. Ze kwam tegen middernacht binnenwaaien, moe en met haar kleren vol kroeg- en keukengeuren. Hij zat op zijn hurken en keek haar aan met een nat gezicht. Van schrik liet ze de tas uit haar handen vallen en liep naar hem toe. Die nacht was een van de vreselijkste die ze met David heeft beleefd.

Tessa staat op en loopt naar het raam. Ze neemt een slok van haar bier en ziet dat aan de overkant van de zonnige straat studententypes onder veel hilariteit een oude tweezitsbank, kratten bier en boodschappentassen vol met megazakken chips uit een oude Volvo-stationcar laden. Van de drie jongens hebben er twee het postuur van een teddybeer, de derde is lang en dun als een basketbalspeler. Hij draagt een oranje slaapmuts. Een meisje met brede heupen in een gele minirok en met een enorme zonnebril op haar neus loopt rokend achter ze aan. Door haar hoge hakken wiebelt ze, en de tassen met eten en drinken die ze draagt wiebelen mee. Allemaal mensen die over tien jaar heel respectabel hun brood verdienen, die gedwee gaan waar het geld stroomt en dat het volgen van hun passie noemen. Ze zullen tevreden zijn met hun welverdiende skivakantie en gelukkig worden van een dure tas of een lang golfweekend in Sevilla. Toen David zo oud was zat hij schor van het huilen uit te leggen dat hij ziek was in zijn hoofd en nooit meer zo moedig en vrij en vindingrijk zou kunnen zijn als toen hij twintig was; dat hij nu, vlak voor zijn dertigste alle moed verloren had, want hij zou nooit meer voor elkaar krijgen wat voor

hem het leven draaglijk kon maken: in het schrijven een evenwicht vinden waarop zijn hele bestaan rustte, hoe onzeker het
leven van een schrijver ook was. Dit was de nederlaag die hij al die
tijd had gevreesd: hij had zichzelf ongelukkig gemaakt, zichzelf
verpest en was van zichzelf gaan kotsen.

Davids grootste angst die nacht was dat hij in een opwelling
door zoveel onmachtige woede en walging zou worden overval-
len, dat hij niet meer wilde leven. 'Ik zit helemaal hier, tegen de
muur in de slaapkamer, zo ver mogelijk weg van al die messen in
de keuken,' zei hij. Niets zeggen, dacht Tessa, alleen omarmen,
liefkozen, kalmeren, water geven, laten uitrazen.

Tessa heeft nooit helemaal kunnen navoelen waarom voor David schrijven het enige was dat een gevoel van eigenwaarde en
levensvreugde mogelijk maakte. Ze had hem nooit gehoord over
beroemd worden of over het geld dat hij met zijn werk zou verdienen. Dat zou nog een duidelijk en romantisch verlangen zijn, een
droombeeld waarin je bewonderd wordt om je verzinsels, geliefd
door een massa fans en aantrekkelijk wordt vanwege je roem en
rijkdom. Een schrijver als een popster, die schrijft wat mensen
willen lezen; het is een droom die de meeste mensen na een tijdje
wijselijk weer opgeven. Maar zo leek David er niet over te denken.
Zijn verlangen was minder praktisch, veel ernstiger, duisterder.
Eerder een verslaving aan een noodzakelijk tegengif, om niet aan
het leven ten onder te gaan.

In het jaar van die nacht met de messen was David in paniek.
Terwijl hun kunstenaarsvrienden in galeries exposeerden, hun
eerste schilderijen verkochten en de winst besteedden aan een
tripje naar New York, een nieuwe auto, coke op een feestje, zaten
David en Tessa de tientjes in zes verschillende enveloppen te
doen, om te zorgen dat de boodschappen de huur niet opvraten
en er geld voor de energierekening overbleef. In ruil voor boeken-
bonnen publiceerde hij wel eens een artikel in een kunstblad,

maar Tessa maakte zich steeds meer zorgen. Hij wist zichzelf niet te bevrijden uit de wurggreep van zijn zwarte narcisme en werd daar steeds kwader over, aangezien hij besefte wat er gebeurde: hij draaide zich vast, als een schroef in een harde, droge plank.

Het kostte Tessa steeds meer moeite erin te blijven geloven dat het voor David het beste was trouw te blijven aan het verlangen naar een schrijvend leven. Misschien was haar trouw een rampzalige vergissing. Hoe wist je dat het beter was iemand tegen zichzelf in bescherming te nemen? Wanneer moest je toegeven dat je je met z'n tweeën had opgesloten in een waandenkbeeld?

Terug bij de tafel strijkt ze de vellen met de dreigbrief van Anja Wildervank glad. Misschien was er destijds wel niet veel verschil tussen Anja's onmacht bij het zien van haar broer, die het aflegde tegen zijn eigen literaire ambities, en die van Tessa in 1986, toen ze hulpeloos moest toezien hoe David zich met zijn zelfkwellende gepieker van zijn eigen toekomst leek te beroven. Ze kon niet hard juichen toen David in dat jaar voor het eerst een essay publiceerde in een gerenommeerd literair blad. Dat kwam doordat het stuk helemaal gewijd was aan die onderkoelde kampioen van de mislukking uit de jaren twintig: Jacques Rigaut, van wie Brent en David jaren daarvoor samen teksten hadden vertaald. In overeenstemming met een belofte die hij jaren eerder had gedaan, had de man zich aan de vooravond van zijn dertigste verjaardag door het hart geschoten.

Met David ging het een jaar na die nacht van de messen al stukken beter, door zijn samenwerking met Brent. Het besluit samen te debuteren had hen allebei gered en op gang geholpen, bedenkt Tessa, en ze besluit dat ze geen zin meer heeft in de rest van het inmiddels lauwe biertje. Ze heeft mij in die tijd gehaat, als het instrument waarmee David zichzelf al die paniek en dat verdriet aandeed. Maar dat verandert niets hieraan: wat mij stem en nog altijd invloed geeft, is dat David zich nooit een schrijvend leven zonder haar nabijheid en steun heeft kunnen voorstellen. En andersom heeft zij het nodig hem erbij te helpen een gelukkig evenwicht tussen schrijven en leven te vinden. Op het moment is dat evenwicht niet erg gelukkig. Tessa is terughoudend in het uiten van haar zorgen tegen David. Ze wil het hem niet moeilijker maken. Hij zou dit jaar een roman schrijven, maar is al meer dan een halfjaar aan het watertrappelen. Hij brengt nauwelijks geld binnen met lezingen of artikelen en van die roman komt er niets uit zijn handen. Ze heeft hem aangemoedigd naar Groningen te gaan om in de sfeer te komen, maar sindsdien lijkt zijn zorgelijke stuurloosheid alleen maar groter geworden. Hij is vaag over het werk aan de roman en lijkt iedere vorm van planning te hebben opgegeven; hij dobbert.

Buiten schalt het commentaar bij de wedstrijd waarin Oranje een benauwde en gelukkige overwinning op Denemarken boekt. Het beste is als David Anja een begripvol briefje schrijft, om tijd te winnen. En van de week moet Eden worden gevonden, dat neemt ze zich voor. Op David wachten is zinloos nu.

Tessa zoekt haar telefoon en belt met haar dochter. Als ze neerlegt stelt ze vast dat ze nog tijd heeft om te douchen en iets anders aan te trekken voor vanavond.

HOOFDSTUK 3

(Erika kofferschrijfmachine, Model 42, uit 1977, Oost-Duits
fabricaat, bleekgrijs plastic boven, zwart van onder, beetje
vierkant, een loszittende spatiebalk, in een woonkamer in
een bakstenen jarentachtigrijtjeshuis in Uithoorn, een plaats
onder de rook van Amsterdam, aan de Amstel, op een
donker gebeitste houten eettafel, tussen een doos met het
spel *De kolonisten van Katan* en een fruitschaal met vijf kleine
appels, een halfgroene banaan en negen walnoten, tegenover
de bank; tegen de lange muur staat een ziekenhuisbed;
vanuit de achtertuin, door het openstaande raam aan de
achterkant, achter kamerpalm en vitrage, hoor je kinderen
lachen en gillen in hun watergevecht, het is halftwee
's middags en warm, zomer 2010.)

Precies zoals ik het me had voorgesteld. Ted, in korte broek vanwege de warmte, die met zijn linkerbeen vooruit van tenen tot
aan de knie in fluorescerend roze gips op het ziekenhuisbed in de
kamer ligt, en door een krantje bladert. Kopje thee op het tafeltje
onder bereik. Door de vitrage heen ziet hij op straat een man langzaam in beeld lopen. Hij nadert door het plantsoen, langs de sloot
met de bloeiende waterlelies en lijkt de huisnummers te lezen. Hij
stopt een papiertje in zijn broekzak en loopt de voortuin in. Ted
controleert de tijd op zijn horloge en begint te roepen: 'Davie!
Kom naar beneden! De voordeur! Die man voor de typemachine
is er!'
Met hulp van een beugel die over het bed hangt en een kruk
hijst Ted zich overeind en staat naast zijn bed als David binnenkomt, achter Davie aan. Davie is dertien en precies zijn vader,

maar dan in het klein: kort, mollig, ronde kop, vuilblond, een bril, een blos op de wangen, een sloom-vrolijke uitdrukking. Verschillen zijn er ook: Teds buik is bol en prominent aanwezig in zijn Harley-Davidson-t-shirt, het stekelhaar boven op zijn hoofd is bijna verdwenen en hij heeft een keurig bijgehouden ringbaardje. Hij geeft David glunderend een hand. Zachte huid, een kleine, harde hand, merkt David op.

Waarom is David hier in Uithoorn? Dat zit zo: hij had de lievelingsschrijfmachine van Brent in bruikleen gekregen van Riëtte, om te proberen er brieven op te schrijven aan zijn dode vriend. Maar op die wat stijve Underwood Champion lukte het niet om vrijuit zijn dode vriend aan te spreken. Een week geleden bedacht David dat het aan die schrijfmachine lag. Hij vermoedde dat het kwam doordat Brent die laatste maanden ziek en verteerd door machteloze woede naar dat toetsenbord had zitten kijken. Daardoor was de Underwood ontoegankelijk geworden. Als hij een poging waagde stokte het na een paar regels, het was alsof zijn zinnen verdwaalden. Hij vergeleek de gewaarwording met het enthousiast naar buiten lopen in een plotselinge sneeuwbui. Daar wil je in opgaan, in die zacht bewegende pracht, tot je de geruisloze oneindigheid opmerkt van die vallende sneeuw, de snijdende kou voelt, denkt aan de mensen en dieren die zijn weggekropen en de comateuze bomen en struiken voor je ziet. Dan sta je daar, verloren, zonder zin of reden ergens heen te lopen. Daarbuiten, waar de hemel op de aarde neerstort, stil en kil in de vorm van sneeuw, is niets of niemand te bekennen. Geen mond, geen oor. Dus je draait je om en gaat weer naar binnen. David trok op zo'n moment het vel papier uit de machine en maakte er een prop van die hij er zachtjes naast legde. Dus ik ben gaan roepen. Vanuit de onderaardse vuilcontainer waar de verscheurde Brent zijn eerste schrijfmachine in had gesmeten op die stormachtige oktoberavond; vanuit de vuilniswagen; vanuit het inferno waar plastic en metaal gescheiden worden, zelfs vanuit de smeltovens waarin het aluminium van Brents Erika zich vermengde met dat van kinderfietsen, gordijnroedes en voorraadbussen. Net op tijd begon David aan Brents Erika te denken; hij bladerde door de map met Brents brieven, geschreven met zo'n nederig Oost-Duits exportproduct uit de jaren zeventig, zoals die door heel Nederland verkocht werden, en ook dicht in de buurt bij David was er een, zodat ik terechtkon in Uithoorn, waar ik dit nieuwe lichaam vond, gekocht door Ted, in 1978 na een halfjaar sparen, om zijn werkstukken voor de avondschool te schrijven. En ik ging stug door met roepen, net zolang tot Bea, zijn vrouw, hem vroeg of er niet wat weg kon uit de schuur, want het nieuwe gereedschap dat er maar bij kwam liet geen ruimte meer voor haar fiets en het droogrek. Er werd een zaterdagmorgen flink geruimd en gesopt. Na afloop lagen er twee stapels spullen in de tuin. Eentje voor de vuilniswagen en eentje met spullen die ze zouden proberen te verkopen. Die avond zette Ted de advertenties op Marktplaats: voor Bea's witte kunstschaatsen, Davies kleuterfiets, een ouderwetse heggenschaar (Ted had een elektrische voor zijn verjaardag gekregen) en voor mij, de schrijfmachine. Toen Ted mij te koop zette, was David al wekenlang vastbesloten een zustermachine van Brents Erika te vinden, en nu, nog geen week nadat hij de zoekterm heeft ingetoetst, staat David hier in Uithoorn. David luistert naar Ted, die met een gebaar naar zijn felroze linkerbeen uitlegt hoe zijn stilstaande motor, door een onhandige manoeuvre met een zadeltas, omviel – over hem heen – en de botten in zijn onderbeen verbrijzelde. 'De schroeven en de metalen plaat mogen er al over drie weken uit,' zegt hij en gaat op de rand van het bed zitten. Hij ademt zacht kreunend uit, staan houdt hij nog niet lang vol. Zijn gezicht bloost en grijnst, de zon fonkelt in zijn brillenglazen.

Flanken, dat is het woord dat David te binnen schiet als hij zijn hand langs mijn behuizing laat gaan. Brent had het in zijn brieven regelmatig over 'de flanken van mijn Erika'. Hij legde uit wat hij zag als ik voor hem stond, door te vertellen over naaktfoto's van een DDR-fotograaf die hij gezien had. De vrouwen zagen er zelfs naakt armer uit dan naakte vrouwen uit het Westen, maar ook gezond en betrouwbaar. Zo beschreef hij mij ook, armoedig, maar goed gebouwd. Een Erika is misschien niet al te mooi, maar betrouwbaar, geduldig, ja zelfs lief. Hij hield van zijn meisje uit het Oosten.

Wat David indrukwekkend maar ook vreemd vond, waren de beelden die Brent opriep van het schrijven zelf. Hij las hoe Brent zat te zweten aan een ontruimde keukentafel, in een naar muizen stinkend, krotachtig huis in Amsterdam, waar bij warm weer de teer van tussen de planken uit het dak drupte. Links van zijn toetsenbord een pak onberispelijk opgestapeld leeg papier. Een flesje typex en een flesje met verdunner. Een doosje typex-kalkpapiertjes, een potlood, een heel dunne viltstift, een dikke viltstift, schaar en een rol plakband. Aan de rechterkant: een fles water, een glas, een asbak, een aansteker, iets te roken. Het papier werd met uiterste zorg volmaakt waterpas om de wals gelegd, en voor de inspiratie werd de regelafstand ingesteld op maximaal. En dan kon het beginnen. Het wachten op zinnen, die zich, aanvankelijk nog onbegrepen, zouden uitvouwen tot passages die Brent voor even een geluksgevoel gaven. Iets moois gemaakt, even alles goed, zo noemde hij dat.

David kon het slecht geloven, dat beeld waarin zijn vriend helemaal zonder plan of voornemen, zonder aantekening of idee ging zitten wachten op een eerste zin, die Brent, de schrijver, als een totale vreemde aankeek, waarna de wederzijdse kennismaking een verhaal opleverde. Het staren naar het witte papier, het schoonmaken en liefkozen van de Erika en het rokend en water drinkend wachten waren ook een vorm van dagdromen, zoals Brent het beschreef. Een vlucht, een zoete, sluimerende verliefdheid op de toekomst.

Als David Brents brieven uit Amsterdam ontving, was hij onder de indruk van hoe de bladen eruitzagen. Zwaar papier, enorme kantlijnen, maximale regelafstand, altijd een vers lint en schoongepoetste hamertjes, zodat de letters scherp en zwart waren. Je zag weggelakte typefouten, en, nog mooier, de op het laatst verworpen frases en ingeslikte woorden die waren weggestreept met een dikke permanente viltstift. Dat leverde een ondoorzichtige zwarte balk op, waar niets boven of onder uitstak en waar zelfs tegen het licht geen letter in te ontwaren viel, zodat het resultaat eruitzag als een door de geheime dienst vrijgegeven, maar gecensureerd rapport.

Davids brieven op de Gabriele waren niet zo zwierig. Zijn kantlijnen waren minder royaal, de regelafstand nuchterder. Typex gebruikte hij nauwelijks. Omdat hij doorslagen maakte met carbonpapier tikte hij de definitieve versie geduldig om geen typefouten te maken. Gebeurde dat wel, dan x-te hij over het foutief gespelde woord heen en schreef hij het opnieuw, nu correct. Die doorslagen en kopieën waren er niet voor niets; de brieven die David en Brent elkaar schreven toen ze in verschillende steden woonden, beschouwden ze al op voorhand als ruw materiaal voor een gezamenlijk literair project. De werktitel was *Het Kompas*. De fragmenten die ze elkaar stuurden moesten gezien worden als evenzovele peilingen; data over de richting waaruit ze afkomstig waren en over de plaats waar ze zich bevonden.

Mijn stem is die van de geest van die briefwisseling. Van het samen schrijvend zoeken naar zelfvertrouwen en een vorm. Iedere brief bestond uit zo'n vier tot tien vellen en de stukjes tekst waren van elkaar gescheiden door witregels. Soms waren ze genummerd, soms waren de stukjes voorzien van een titel tussen haakjes. Brent schreef over de jazz waar hij eindelijk, 'na lang leren luisteren', plezier aan beleefde. David over de uren dat hij leerde drummen na afloop van een dufmakende werkdag aan zijn scriptie. Hij schreef ook over terugkerende gewelddadige dromen, spelend in verre verledens en vreemde landschappen, die Brent beantwoordde met verhandelingen over films of met observaties van de straat. Ook gelezen boeken, de schilderijen van vrienden, de katten in huis of de bonje met hun vriendinnen konden ter sprake komen.

David schreef vanuit het sterke, bijna driftige verlangen zich van schoolsheid, vormelijkheid en verwachtingen te bevrijden. Hij stond op het punt zijn studie af te maken en een nieuw leven in Amsterdam te beginnen. Brent leek vooral met zichzelf in gevecht, schrijvend dat hij geen idee had, alleen maar kon reageren op anderen door ze een vraag te stellen. Hij werkte langzaam en hard aan verhalen over passieve, tobbende, drankzuchtige mannen. Maar zelfs als hij passages goed gelukt en mooi vond, twijfelde hij vreselijk aan de waarde van die verhalen. Toch werd hun geestdrift in de brieven het grootst als ze elkaar konden aanmoedigen bij het nieuws dat de ander aan een verhaal of novelle was begonnen, en als er plannen werden gesmeed voor een tijdschrift, een optreden, een samenwerking met bevriende kunstenaars.

Hun gezamenlijke literaire debuut van zes jaar later ontkiemt in deze brieven, bij de montage van fragmenten die ze publiceerden in een zelf gekopieerd tijdschrift onder de titel *Het Kompas*. Het is een wolk aan beelden en onderwerpen, een mengeling van jongensachtige gewichtigheid en glasheldere stijl. Soms schrijven ze meer aan zichzelf, of hun toekomstig ik, dan aan de ander. En toch was dit hun manier om samen te zijn zoals ze met niemand anders samen konden zijn: schrijvend. Zich de wereld en het leven schrijvend toe-eigenen, als vanaf een vlot na een watersnoodramp. Hun ideaal gaven ze een naam: de zichzelf organiserende schriftuur.

David laat zijn vingertoppen over mijn flanken gaan en moet denken aan de Madonna-sticker die Brent op zijn Erika plakte, omdat hij helemaal gek werd van het moeizame schrijven aan een nooit uitgegeven novelle, en zo wat vrolijkheid en relativering dacht toe te voegen aan de sfeer waarin hij werkte. Na een tijdje, schreef hij, word je dat lonkende mens zo beu dat je tenminste niet meer naar je schrijfmachine gaat zitten staren, maar naar buiten kijkt, en dat is beter. Of nog beter, je haalt de kap van de machine af en wordt gehypnotiseerd door de hamertjes en hun nederige, perfecte werking.

Mijn spatiebalk zit los. Een kwestie van een schroef en een plaatje, om de plastic balk aan de twee stalen hevels vast te maken. Niets is beschadigd, ziet David, en er is nergens roest. Achter hem leutert Ted door over zijn eerste computer en hoe opgelucht hij was dat hij van die schrijfmachine verlost was. Dat is een standaardonderwerp als David bij mensen komt om naar een schrijfmachine te kijken. Hij glimlacht dan doorgaans beleefd en laat de blik zwijgend afdwalen. Maar nu brengt hij het niet op om zich naar de keuvelende gastheer om te keren. Hij staat met zijn rug naar Ted bij de tafel en draait papier rond mijn wals, en alles maar dan ook alles lijkt voorbij, voorgoed verdwenen. Zelfs de letters die op papier komen en aan de brieven van Brent doen denken, zelfs het overbekende geluid dat David maandenlang iedere dag hoorde toen ze aan hun gezamenlijke boek werkten, zelfs die aanrakingen van oog en oor helpen niet.

Hij denkt aan hun brieven, aan hoe het vinden van een vorm voor het schrijven gewoon hetzelfde, even grote en zenuwslopende avontuur was als het veroveren van een vorm om te leven. Want een goede, veilige woonruimte vinden, aan geld komen, helder krijgen of je nu met een vrouw wilde samenleven en hoe dan, en zou je de rest van je leven zo'n armlastige marginaal blijven of hoefde dat niet, en wat als dat toch dreigde te gebeuren: het waren vragen die even overweldigend en onontkoombaar waren als de vragen die hen achter de schrijfmachine bestormden: over stijl, over de realistische roman, over het beschrijven van het stadsleven en de documentaire montage, over de onbeklimbare berg van de romanvorm en over de mysterieuze vraag naar de toegangspoort tot de literaire hoogvlakte. Er zat een geheim verband tussen die twee soorten vragen en het vermoeden daarvan was de wind waarop ze zeilden. Dat geheime verband kon uiteindelijk de sleutel blijken tot de verwezenlijking van de droom van een schrijvend leven.

Oud en in de steek gelaten, op een dwaalspoor beland voelt David zich aan deze tafel in Uithoorn, en dat mijn mechaniek niet volmaakt is (het transport van het lint hapert en mijn spatiebalk hangt er los bij) geeft hem in dat hij hier met lege handen weg moet gaan. Weg uit dit trieste kutdorp.

Op instructie van Ted geeft Davie hem een kop thee en biedt hem een schaal aan met ouderwetse likkoekjes. Het joch kijkt opgetogen, hij straalt! Blosjes op de wangen! David schrikt er een beetje van. Als Davie naast zijn vader op het ziekenhuisbed gaat zitten, kijken ze allebei zo blij naar hem. Zijn ogen gaan door de huiskamer, en wat opvalt is de totale afwezigheid van ruis, toeval of de sporen van een leven. Er is alleen inrichting, meubels in het gelid, gordijnen in de plooi. Nergens foto's van familie, ook geen tijdschriften, souvenirs, ansichtkaarten, niet eens een sleutelbos of een flyer met een uitnodiging. Het interieur is dwangmatig doorsnee en suggereert een verkrampte, stille manier van leven. Alleen de fruitschaal en het bordspel roepen nog iets van plezier of menselijke activiteit op. Deze mensen hebben heel weinig vrienden, vermoedt David. Hier komt zelden iemand over de vloer. En hoe langer hij naar de jongen kijkt, hoe zekerder hij denkt te kunnen zien dat die op school gepest wordt. Ze stoppen zijn rugzak in de pleepot en maken varkensgeluiden als hij in de buurt komt.

David ziet zichzelf staan, hij denkt aan de waterlelies in de sloot voor het huis, aan de ongetwijfeld maniakaal goed opgepoetste Harley van Ted, ergens in een naburige schuur of garage, die hij vast en zeker berijdt alsof ie van porselein is, en hij bedenkt dat de pijnlijke situatie waarin hij nu verkeert ideaal is om over te schrijven in een brief aan Brent. En omdat hij hier om zo'n maffe reden gekomen is en Brent dood is en ik, de zus van zijn schrijfmachine, hier sta en het ideale gereedschap ben om die brief op te schrijven, zegt hij tegen Ted dat hij mij mee naar Amsterdam neemt voor twintig euro. Davie kijkt zijn vader verwachtingsvol aan, alsof hem iets beloofd is van de opbrengst. Ted komt met een brede grijns overeind van zijn bed, maakt een geluid dat het midden houdt tussen een tevreden brom en een kreun en steekt zijn dikke korte arm uit. David loopt naar het bed en schudt Ted de hand. Hij voelt zich nog altijd verloren, maar minder somber. Hij kan me niet horen, en toch roep ik naar hem: raak me aan! Ga even zitten schrijven zodat ik je nog wat herinneringen kan doorseinen en je inziet dat ik bij je hoor!

In het centrum van Uithoorn, aan de Amstel, is maar één café met terras aan het water dat niet volgehangen is met oranje WK-decoraties. Daar strijkt David neer en bestelt een uitsmijter en een cola. Ted was er blijkbaar niet zeker van dat ik twintig euro waard zou zijn, want David werd bedankt en uitgezwaaid als een weldoener. Vandaar ook het pak papier dat hij meekreeg.

'Zo, da's een oud beessie,' zegt de ober die de uitsmijter brengt. De man loopt laconiek te zweten in een te strak zwart overhemd, de natte plekken sieren zijn overhangende buik. Hij is geamuseerd, hij vindt het blijkbaar even potsierlijk als sympathiek dat David zo zorgzaam zit te prutsen aan mijn ingewanden. Het praatje, waarbij de ober hinnikende lachgeluiden maakt en om de paar seconden zijn neus ophaalt, leidt ertoe dat hij David even later een rol zilverkleurige taaie tape brengt, van het professionele soort. Daarmee plakt David de spatiebalk vast. En zoals alles wat David en Brent vroeger repareerden met ducttape (tenten, jassen, schoenen, fietsen, tassen, gitaren, keukenkasten), is het resultaat wiebelig maar bevredigend, omdat het onmiddellijk werkt.

Terwijl de sloepen met innig tevreden opvarenden over de rivier passeren (pilotenbrillen, gele sweaters, vrouwen in matrozenblouses) eet David zijn uitsmijter. In plaats van koffie neemt hij daarna een biertje, draait papier in mijn binnenste en hij begint een brief aan Brent te schrijven.

Amigo!

Hij schrijft over Ted, het gipsbeen en zijn zoontje Davie. Over het verlaten gevoel, daar in die ongelukkige Uithoornse woonkamer te staan met het mallotige voornemen een stand-in te kopen voor Brents schrijfmachine en mij treffen, een gemankeerd exemplaar. Maar ook schrijft hij over het uitzicht op de Amstel op deze zomerdag en over de vrouw tegenover hem op het terras, een lange, pezige verschijning van rond de vijftig met roodbruin geverfd, maar uitgegroeid haar, die in een witte kanten jurk een bord sla zo groot als een afwasteil zit te verorberen. Ze is gulzig en drinkt er in een hoog tempo witte wijn bij. Als haar mobiele telefoon gaat, drukt ze het gesprek weg om haar eenzame eetfestijn niet te laten verstoren.

Ze lijkt zich op te laden voor een afspraak, die alleen een succes kan worden als ze vol zit met salade en witte wijn. Haar concentratie is die van een roofdier, en haar vork beweegt snel en met chirurgische doelmatigheid tussen bord en mond. Haar gezicht heeft een dromerige, tevreden uitdrukking, opgebouwd uit gebruinde huid, kraaienpootjes, een volle, gestifte mond en brede kaken. Ze voelt zich hier op haar gemak maar keurt de omgeving geen blik waardig.

Ik moet je ook vertellen over Tessa's speurwerk. Jij herinnert je geen donder meer daar onder de grond, maar bij mij is het de afgelopen dagen wel boven gekomen. Ons bezoekje aan dat bovenhuis aan het Damsterdiep, eind 1980, omdat Leo, de krullenbol uit dat skabandje van geschiedenisstudenten, zei dat ene Eden Wildervank die daar woonde een literair talent was en verhalen wilde publiceren. Als hij een afspraak had met Wildervank, zou Leo ons een keer meenemen. Op een druilerige herfstdag beklommen we een trap met Perzische loper en gepoetste geelkoperen roeden, die uitkwam op een verrassend brede overloop. Er deed een blond meisje open in een fluorescerend groene trui, zo grof gebreid dat je haar zwarte beha eronder goed kon bewonderen. Zou dat die zus van hem, Anja, zijn geweest? Er waren nog meer mensen, geen idee wie, een stuk of vier. Eden zat bij het raam, naast een theetafel, met daarop allerlei schaaltjes en flessen. Op de schaaltjes chocolade, van flikken en slagroomtruffels tot pindarotsjes en brokken extra bitter; in de flessen allerlei likeur en andere drank, vermouts, aperitieven en rum. Door het grijze licht van buiten, de schemerlampen die binnen over alles een sprei van gelig licht legden, was het of we terechtgekomen waren op een filmset. Niemand leek iets te doen, ze zaten aan tafel of op lage stoelen te wachten. Waarop was onduidelijk, maar wie bepaalde waarop gewacht werd was zonneklaar: de heer des huizes.

Eden, met een groen paisley sjaaltje om zijn nek, zwartgeverfd piekhaar, tilde langzaam een hand op en ging door met smakkend kauwen. Een beetje spottend bekeek hij ons terwijl we een stoel zochten. Hij bleef zitten in zijn salonstoeltje. Onderuit, in een dunne zwarte kamerjas. Die hele verdieping vol antiek had hij onveranderd gelaten nadat zijn deftige oude moeder was overleden. Zijn vader was al tien jaar dood en hij was precies op tijd meerderjarig geworden om nu als de jonge prins te heersen over huis en erfenis.

Van het gesprek dat we met hem hadden herinner ik me gek genoeg bitter weinig. Alleen dit: dat hij geheimzinnig deed over een groot romanmanuscript over een familie die een garage dreef. De garagistenfamilie regeerde de omliggende straten door zich met alles en iedereen te bemoeien, want iedereen had hun diensten nodig. Een morsige biotoop, met centraal daarin een Groningse slapstick-maffiabende, noemde hij het.

Verder staat me nog bij dat hij intimiderende ogen had, lichtbruin, denk aan de kleur van een lichtgevende toffee. Hij probeerde jou te sarren en noemde je een discipel van Fré Meis, de stoere communist uit de strokartonindustrie. Dat deed hij omdat je iets had met een meid die hoog was bij de studentenbond, waarvan de top regelmatig overlegde met prominente CPN'ers in een ouderwets volkscafé aan een straat met kinderkopjes. Je stak nog een Gitanes op en vroeg hem op een slepende toon wat hem dat kon schelen. Helemaal niks, jongen, gaf Wildervank toe en giechelde zelfingenomen. We gingen met lege handen weg en later hebben we nog een paar keer vergeefs per brief om kopij voor Vlug & Zeker gevraagd. Onze conclusie was dat Wildervank een poseur was, die alleen onkritische vrienden en onnozele types zijn werk liet lezen en serieuze literaire ontmoetingen uit de weg ging. Ik kan me niet herinneren dat jij het na onze Groningse tijd nog over hem hebt gehad. Ik heb Eden Wildervank in ieder geval nooit meer gezien.

Maar dat gaat veranderen. Dat is het gevolg van een veldtocht van zijn geschifte zuster Anja. Die liep ik in Groningen tegen het lijf. Ze beschuldigde ons van het kwijtmaken van die superroman en het ruïneren van haar broer, die volgens haar nu een invalide stakker was, depressief wegkwijnend aan een ongeneeslijke ziekte. Ze bleef bellen. Ze eiste van alles, van excuses tot smartengeld. Omdat we haar negeerden werd ze link. Ze gooide een steen door het raam bij jou thuis. Stuurde dreigbrieven, brak in en stal een onuitgegeven roman uit mijn studio. Ze beweert nu ook dat ze jou heeft benaderd, twee jaar terug, toen je voor de tweede keer ziek werd en in je columns schreef over je ziekenhuisbezoeken. Daar heb ik jou nooit over gehoord en Riëtte zegt van niets te weten. Hoe het ook zij, Tessa heeft de politie gebeld en is speurwerk gaan doen om te kijken hoe we dit het beste kunnen laten stoppen.

Wat blijkt. Anja is al een jaar of twee in beeld bij de politie. Sinds haar scheiding verloor ze haar baan en maakte ze schulden. Ze werd al een keer uit haar huis gezet. Ze is zelf voorwaardelijk veroordeeld wegens heling, en vrienden van haar zijn gepakt met wietplantages en rommelen met auto's. Maar Anja is ook actief bij de Dierenambulance en zamelt geld in voor Pup in Nood. Ze heeft een zoon van dertien met duizend kwalen en ziet haar broer Eden zo goed als nooit.

Die heeft namelijk met de familie gebroken en woont sinds een zwaar motorongeluk in 1993 in een klein huisje aan de rand van Zeist. Hij leidt een teruggetrokken leven en is nauwelijks te vinden op het internet. In een bibliotheekcatalogus vond Tessa een kunsttijdschrift van een Utrechts kunstenaarsinitiatief uit 1996, waarin hij een reeks van zeven korte teksten publiceerde onder de titel Belachelijke dieren. Ze zegt dat het er nog het meest op lijkt, afgaande op de spaarzame verwijzingen op het internet, dat hij ofwel in de kunsthandel actief is, dan wel zelf kunst maakt. Zijn naam duikt op bij twee galeries, een in Heusden en een in White Ellis, een plaats vijfentachtig kilometer ten noorden van New York. Is dat niet aan de voet van de Catskills? Hoe het ook zij, via een maatschappelijk werkster heeft Tessa contact gelegd met Eden, die natuurlijk niet in het telefoonboek staat. Hij belde me eergisteren. Ik nam op, zei mijn naam en hoorde een harde, hese stem, die de hele telefoon, mijn hoofd, de kamer, het huis leek te vullen. De stem van een wezen dat niet maalt om begrip, instemming of sympathie.

'David?'

'Ja, met wie spreek ik?'

'Eden Wildervank. Je hebt problemen met mijn kleine zus, hoor ik.'

'Ja, het loopt uit de hand en voordat er echte ongelukken gebeuren...'

'Ze zegt dat ze het namens mij doet, toch?'

'Ja, om je te wreken of genoegdoening te...'

(een rauwe lach) 'Ja ja, het zal wel. Laat me je geruststellen, ik verwijt jou of Brent niets en ik heb een raar maar fantastisch leven. Hah! Jullie zijn veel meer te beklagen. Brent crepeert voor zijn vijftigste en jij zakt al schrijvend langzaam weg van middelmatigheid naar totale vergetelheid, omsingeld en uitgezogen door duizend kleine zorgen. Wie is er hier ongelukkig?!

Het was overrompelend, dat geef ik toe, en erg gevat kwam ik niet uit de hoek. Over Anja sprak hij grof en harteloos, tegen mij deed hij uitdagend en smalend. Over zijn motorongeluk, zijn veronderstelde handicap of zijn ongeneeslijke ziekte repte hij met geen woord. Ik hield me maar op de vlakte en wist hem over te halen te beloven dat hij zou proberen Anja tot de orde te roepen. Toen het gesprek op z'n einde liep vroeg hij achteloos of ik een keer wilde langskomen. Hij had een zakelijk plan onder handen dat me misschien wel interesseerde. Wat ik ook probeerde, hij zei over dat plan geen woord meer, en ik treuzelde met mijn antwoord, tot hij geërgerd wilde ophangen. Op het nippertje, schreeuwend in de hoorn, riep ik: 'Ja! Ik kom graag eens langs om het erover te hebben.'

We maakten een afspraak.

Wat een raar, dansend toetsenbord heeft deze Oost-Duitse griet, een zus van jouw Erika. Het werkt feilloos, maar het voelt en klinkt onzeker en flodderig. Ik baar aardig wat opzien hier op het terras, en oogstte aanvankelijk sympathieke glimlachjes, maar na twee A4'tjes is de nieuwigheid eraf voor de ober en de andere terraszitters. Ze gaan zich een beetje ergeren aan mijn vlijtige getik, volgens mij, maar ze laten niets merken. Nou, ik ga ervandoor, amigo, gegroet,

David

Niet veel later brengt David me zijn huis binnen. Een huis met een giechelend, vrolijk zingend meisje van zestien en een jongen van achttien die aandoenlijk serieus over zijn plannen voor volgend jaar praat met zijn ouders, en een oven vol heerlijk eten, dat gezamenlijk en met smaak wordt opgegeten. Er is geurige, koele witte wijn. Er speelt brutaal toeterende, los swingende muziek bij en de zon is nog niet eens onder.

Het was een glorieuze dag, een beetje een goedmaker voor die verschrikkelijke avond dat Brent mijn zus naar buiten nam en met stramme, agressieve bewegingen in de onderaardse afvalcontainer smeet. Liever had ik dat hij nog leefde. Dat er twee levenden waren die hoorden bij de brieven die Brent en David elkaar schreven en waarin ze elkaar dichter naderden dan de meeste keren dat ze elkaar zagen.

HOOFDSTUK 4

(Antares Parva North Star, een Italiaanse, platte lichtgewicht
schrijfmachine uit 1962, van donker-olijfgroen gespoten
aluminium, in de loop van de ochtend, op een klein vierkant
tafeltje van helder berkenhout in de hoek van een meisjes-
kamer van bescheiden afmetingen; op het tafelblad liggen
verder een haarelastiek, een iPod inclusief witte oortelefoon-
tjes, een halfleeg pakje suikervrije kauwgom en een waarde-
bon van de drogist, het muggennet om het bed wiegt zachtjes als er een briesje opsteekt, een cyperse kat springt buiten
op de vensterbank en wringt zich lenig door de kier naar
binnen, in de zomer van 2010.)

Zo begint de ochtend heel vaak. Dat de kat zich onder het muskietennet wurmt, op iemands bed springt en knijpend en stam-
pend met poten en nagels luid spinnend om eten zeurt. Vanochtend is Chris aan de beurt, de zestienjarige dochter van David en
Tessa. Het is weekend en vakantie, maar ook al stralend weer, dus
de kat hoeft niet zoals op winterse ochtenden over te gaan op
drastischer maatregelen: met een forse haal de nagels zetten in de
bloot gekomen tenen. Of met het harig achterste pal voor het gezicht van de slapende gaan staan en zich dan laten omvallen. Of
met een roffelende aanloop van een meter of vier hard landen op
iemands buik. Of met een ander probaat middel: de nagels gaan
scherpen aan tassen, jassen, meubels, suèdelaarzen of de zijkant
van het bed. Vooral op Chris' moeder werkt dat plukkende,
scheurende geluid als een wespensteek. Chris glimlacht met de

ogen nog gesloten en zegt: Hé, Baruch, mannetje, kom es bij me. De cyperse kat loopt parmantig rondjes over het laken, laat zich vallen tegen Chris' heup, loopt over haar been en steigert als hij de hand van het meisje boven zijn kop opmerkt.

Met de benen al uit bed, de lange haren warrig om het hoofd, laat Chris al meteen weer haar duimtoppen razendsnel over het toetsenbord van haar smartphone gaan. Zodra ze wakker is staat ze voortdurend in contact met een stel vriendinnen, met wie niet alleen commentaar op eten, televisieprogramma's en de mededelingen op sociale netwerken van vrienden en bekenden worden gedeeld, maar vooral ook plannen worden gemaakt. De invulling van de dag is aan een stormachtige verandering onderhevig, vanaf het ontwaken af aan, als de eerste uitgelaten voorstellen voor parkbezoek, cupcakes bakken en winkeluitjes gaan circuleren. Soms is er in de middag inderdaad een samenscholing van door elkaar kwetterende meisjes, die met gegiechel en gedribbel op pad gaan om een hemdje, een paar kniekousen of een onmisbare ceintuur te kopen. Maar vaak genoeg doolt Chris een hele dag van tuinmeubel via bank naar keukentafel, al dan niet met de ogen gekleefd aan het scherm van haar laptop, waarop een illegaal gedownloade aflevering van een Amerikaanse televisieserie speelt, zonder dat er iets van de al zo vroeg gesmede plannen doorgaat. Dat is ook vrij onwaarschijnlijk omdat de plannen, ook tijdens het videokijken, aan de lopende band veranderen. Het is een uitbreiding van het verschijnsel 'voorpret', iets waarvoor Chris een enorm talent heeft. Zich juichend en dansend warmen aan een toekomstige bezigheid, daarin blinkt ze al uit vanaf dat ze kon lopen, juichen en dansen. En zelfs als het over een hele dag wordt uitgerekt en via mobiele netwerken wordt gedeeld, dan nog toont Chris een opmerkelijk uithoudingsvermogen. Geen wonder dus dat Chris in haar vriendinnenclub een drijvende kracht is en dat de meeste activiteiten via haar smartphone worden gepland, uitgebreid, verplaatst, verschoven en afgezegd.

Baruch laat met een plof zijn achterlijf op haar blote voeten vallen en rekt zich tot het uiterste. Er ontsnapt hem een klagelijk krakend geluid en zonder haar ogen van het scherm van haar telefoon te halen tast het meisje naar de kop van de kat en haalt hem aan. Nu klinkt er een onmiskenbaar ongeduldig om niet te zeggen verontwaardigde klank door in het luide miauwen. Chris moet lachen, trekt Baruch even zachtjes aan zijn staart en loopt de kamer uit. De kat rent met kaarsrecht omhooggestoken staart achter haar aan.

Chris loopt binnen en pakt mij op en neemt me mee naar de tuin. Op een uit onbewerkt hout getimmerde kampeertafel met bijbehorende banken staat haar witte laptop. Er ligt een stapel papier, een correctiepen en het snoer van een witte koptelefoon slingert zich over tafel.

Dit is een recente vorm van huisvlijt die Chris aan de dag legt. Ze heeft altijd een voorliefde gehad voor doe-het-zelfprojecten, zoals die woensdagmiddag toen ze zes was en eindelijk geloofde dat haar ouders werkelijk geen paard voor haar zouden kopen. Na een uur op haar teleurstelling te hebben gebroed begon ze uit de kelder stukken karton naar de tuin te slepen. Met een roze stift tekende ze de omtrekken van de benodigde onderdelen: hoofd, hals, benen, rug, staart, om met een keukenschaar, plakband en een niettang haar eigen paard te bouwen. Met zonsondergang stond er tussen de struiken bij de schutting een roodbruin silhouet van wat een opgezette shetlandpony zou kunnen zijn. Na het eten ging ze wat biscuit en een emmertje water naar haar paard brengen, anders kon ze onmogelijk naar bed.

Een jaar of twee later was er een cartoonserie op de televisie waarin een tienermeisje in een vriendenclub uitblinkt in surfen, racen op een BMX-fiets en skateboarden. Chris was idolaat van haar. Voor het kijken naar deze serie knipte Chris uit kartonnen platen een surfboard dat langer was dan zijzelf en beschilderde het met kleurige, exotische patronen, want de serie speelde op Hawaii. De surfplank ging op het bed voor de televisie, waar het beddengoed voor golfjes zorgde, zodat ze balancerend op haar plank, in de juiste bewegingen en poses, mee kon leven met haar heldin.

Nu zoekt ze via haar laptop op het internet naar een uitzending van een komische Nederlandse serie, waarvan ze de dialogen zo gevat vindt en de woordgrappen zo briljant. Om dat nagenieten te stroomlijnen draait ze een vel papier langs mijn wals en lijnt het keurig aan. Daarna gaat de pauzeknop op de website ervan af en volgt er een woordspelige dialoog tussen een moeder en een dochter, gevolgd door klaterend gelach. Met een tik op de spatiebalk stopt de meisjesvinger de internetstream. Chris begint met het typen van de titel van de aflevering en de namen van de spelers die in deze eerste scène meedoen. Ze herinnert zich de eerste drie zinnen van ieder van de spelers en tikt die over. Haar vinger gaat naar de spatiebalk voor het volgende stukje. Op die manier tikt ze woord voor woord alle tekst van de aflevering over en beschrijft ze ook de handelingen en attributen in de scènes. Als ze dat gedaan heeft, hebben Chris' huisgenoten ontdekt, is ze in staat de hele aflevering zo goed als woordelijk te reproduceren.

Het typewerk wordt alleen onderbroken voor het eten van koek en boterhammen en het communiceren met vriendinnen, maar het gaat gestaag door. Ze zit met gemak een paar uur achter mijn bijna vijftig jaar oude toetsenbord, neuriënd en grinnikend in de schaduw van de achtertuin, tot er een stapeltje rommelig betikte vellen ligt. Chris is niet een meisje dat ze in een smetteloos mapje in de boekenkast zet. De papieren slingeren rond, lopen koffie- en jamvlekken op, raken tussen de kranten verzeild en verlaten het huis. Chris gaat het om het nagenieten van het tv-programma, de lol van het typen en het vanbuiten leren van de tekst. Het beschreven papier is maar de voetafdruk van die ervaringen.

Vintage is cool, stelt Chris al een jaar met grote overtuiging, ze zocht op het internet naar een stalen racefietsframe uit de jaren tachtig (knaloranje, van Peugeot) en laat dat opknappen door Kasper, haar oudere broer, zodat ze stijlvol door de stad kan zoeven, met haar nieuwe *seventies* retro Ray-Ban op de neus. Omdat oversized (mits met taille) juist in is, draagt ze nu ook de zware gabardine cowboyhemden die David al twintig jaar niet meer draagt. Met hondenuitlaten en oppassen verdient ze genoeg om af en toe een spectaculaire slag te slaan. Van een bezoekje aan een rommelmarkt in Noord kwam ze terug in een origineel Yamaha-motorjack, dat wonderlijk genoeg gegoten zat om haar meisjes-lijf, het leek op maat gemaakt. Strak op de heup, van dik wit leer, met rode en donkerblauwe accenten.

Een maand geleden, op een zonnige zaterdagmiddag, zat David op een terrasje met een vriend. Ze hadden elkaar getroffen in de boekwinkel en moesten nodig bijpraten. De vriend vertelde over een begrafenis die hij bezocht had en hoe hij nog dagenlang moeite had de spookachtige stilte uit zijn hoofd te verdrijven die een paar keer tijdens de bijeenkomst gevallen was. Net toen David begon over een verbluffend grappige Zweedse film die hij had gezien, ging zijn telefoon.

'Pap, ik ben bij Klaar, weet je wel, maar nou wil ik naar huis en de ketting van die omafiets is eraf gelopen. En ik heb een cadeau voor je.'

David informeerde eerst of de ouders van Klaar die ketting er niet even op konden zetten. Nee, die waren een uur geleden vertrokken. Toen vroeg hij naar het cadeau.

'Klaar en ik waren buiten op straat en toen zag ik dat een buur-man, een oude man met geverfd haar, maar goed, allemaal planken, oude lampen en koffers buiten zette. En toen zag ik ook dat kleine groene koffertje. We vroegen of hij het allemaal weggooide. Hij zei: ik heb het dertig jaar op zolder gehad en nu is het grof vuil geworden. Toen deden we het open en het was een prima schrijfmachine. Voor jou! Kom je me ophalen? Anders moet ik helemaal lopen en ook nog met dat ding.'

David bestelde nog een espresso, dronk die staande op, gooide een glas water erachteraan, legde geld neer en groette zijn vriend. Hij sprong op de fiets en een klein kwartier later zat hij op zijn hurken bij zijn dochters fiets in een stille straat waar de bomen bloesemden en een feestelijke zoete geur verspreidden.

'Die roestige ketting zit helemaal klem. Dat doe ik thuis wel. Weet je wat? Je geeft mij die schrijfmachine en dan hou je mijn andere hand vast en sleep ik je door de stad naar huis.'

Chris straalde, aan haar vaders hand, moeiteloos glijdend dwars door het drukke centrum van de stad, op deze glorieuze lentedag. Ze had heus wel gezien hoe opgetogen David was geweest bij het openen van het deksel. Nog mooier was het dat hij gevraagd had: 'Chris, vind je het niet leuk om hem zelf te houden? Vintage is toch cool? Ik zal hem helemaal schoonmaken voor je, een nieuw lintje zoeken. Nou?'

Naspeuringen op het internet met het serienummer bij de hand, in de juiste databases, leerden dat ik dus een Italiaanse vedergewicht uit 1962 ben. En ook dat je gewoon lintjes kon bestellen. Een week later poetste David me op met wasbenzine en zette een mooi zijden lint op mijn spoelen. Chris schreef, meezingend met haar lievelingsmuziek op de koptelefoon, een drie kantjes lange brief aan haar beste vriendin, die vijfhonderd meter verderop woont. Een week later zei ze tegen David: 'Ik kan soms op de fiets, als ik sta te wachten bij het stoplicht, zo'n gek gevoel in mijn onderarmen hebben, dan heb ik zin om te typen; ik ben gewoon verslaafd aan het worden!'

Ik kan de dag, of beter de nacht aanwijzen waarop ik een stem kreeg en in de ogen van David en Chris een levend ding werd, een verband en een verbond. Dat was niet lang nadat Brent David had geschreven dat de doktoren er eindelijk achter waren wat de oorzaak van zijn ziekte was. Het was een kort mailtje en het eindigde strijdbaar, maar David bleef als bevroren achter het scherm zitten. Ergens rond zijn middenrif voelde het alsof een klein hulpeloos mannetje in een bodemloze put viel en spartelend in het donker verdween.

Hij viel die nacht wel in slaap, maar met een benauwd gevoel in zijn borst. In slaap vallen, daar bleef hij goed in. Ook in de dagen na de rampzalige diagnose. Maar hij schrok meestal wel een paar keer per week wakker, midden in de nacht, rond een uur of drie, na dromen die hij meestal was vergeten, maar die een bitter gevoel achterlieten en het grauwe, vermoeide gezicht van Brent, dat maar één ding kon betekenen: binnen een jaar zou hij Brent begraven.

Er was een nacht waarin hij droomde van Brent die met grijze stoppelbaard, in een wijd glanzend hemd van een dofrode kleur, in een stevige bries rond een auto was gelopen, ergens langs de weg in verlaten heuvelachtig terrein. Uit het kurkdroge landschap joeg de wind gelig stof over hem heen. Zijn haar, zijn hemd, zijn geest waren wild en onrustig in de hete wind. Hij was geërgerd, regelrecht opgefokt, en dat allemaal omdat ze aan de grens gekomen waren. Nog twee kilometer en dan zouden er gendarmes staan, gewapend en achterdochtig. Weggooien of opsnuiven! snauwde Brent en vloekte. Schopte tegen een band van de auto. David had op een steen gezeten, met een flesje water, geduldig wachtend tot Brent zijn keuze had gemaakt.

Nu zat hij op de trap met een glas appelsap, in de schemering die ontstond door het verre licht van de badkamer. Idioot dat hij zulke dingen droomde, terwijl hij nooit iets dergelijks met Brent had meegemaakt. Het waren beelden die uit verhalen van anderen kwamen, mensen die volledig ontsporende nachtelijke avonturen met hem zeiden te hebben beleefd. Lang geleden alweer, maar toch. Allemaal verhalen die zich ophielden in de dode hoek van hun vriendschap, samen met andere onuitgesproken en verzwegen zaken.

Chris, op rode sloffen, in een geruite pyjamabroek en een wijd zwart t-shirt kwam de trap af, op weg naar de wc. Ze groette afwezig en passeerde zonder iets te zeggen, maar ging naast hem zitten toen ze van de wc kwam. Leunde tegen hem aan en geeuwde terwijl hij een arm om haar heen sloeg. Ze rook heerlijk naar zoete slaap. David liet haar lange zachte haar door zijn vingers spelen.

'Moest je ook naar de wc?'

'Nee, ik had een rotdroom. Even bijkomen met een glaasje sap. Wil je ook wat?'

Even later zaten ze naast elkaar op de bank met een glas in de hand, het er helemaal over eens dat ze het licht uit zouden laten en in het halfdonker nog even kletsen. Chris vroeg naar de nachtmerrie. David maakte ervan dat hij in de droom een meningsverschil had gehad met Brent over iets onbenulligs. En dat hij toen stil werd en rondkeek en in de droom het verlammende droevige gevoel had dat hij ook had als hij wakker was, nu hij bijna zeker wist dat Brent niet lang meer zou leven.

'Jullie zijn al heel lang vrienden, toch?'

'Al vanaf dat we zo oud waren als Kasper nu. We hebben samen ons eerste boek gemaakt.'

'Ben je zelf ook bang om dood te gaan?'

Daar had David oprecht nog niet aan gedacht. 'Misschien, met Brent komt het wel dichtbij. Maar als ik aan hem denk ben ik niet bang, eerder heel verdrietig, alsof ik al alleen ben.'

'Alleen? Jullie zien elkaar bijna nooit, en je hebt ons toch ook nog en andere vrienden?'

'Dat is wel zo, maar zoiets als samen je eerste boek maken, dat is wel een groot avontuur en als Brent doodgaat, ben ik alleen met de herinneringen daaraan. Op die manier alleen. Alles wat je samen met iemand hebt gedaan, gaat een beetje dood in je als diegene overlijdt.'

Aan Chris was niet te zien of ze begreep wat David zei; ze keek een paar keer steels naar hem en knikte. Terug in bed was het vooral de kwetsbare indruk die David maakte, die bleef hangen. Haar vader is geen toonbeeld van daadkracht en onwankelbare zekerheden. En al helemaal niet van de kalme, superieure zelfverzekerdheid zoals die van sommige vaders van haar vriendinnen, de dokters en accountants vooral. David is een lieve, energieke vader. Doorgaans vrolijk, maar ook een onrustig en zenuwachtig type, dat snel uit balans kan raken en dan geërgerd, ongeduldig of verontwaardigd wordt. Soms lijkt hij daardoor meer op een ongedurige jongen dan op een vader van over de vijftig. Het is alsof haar ouders niet echt het spel van de volwassenen meespelen. Je ziet het al wanneer je het huis binnenkomt. Het is een gezellige, hier en daar versleten en meestal rommelige bedoening. Net zoals hun hele leven chaotisch, onzeker en gezellig is. Voor vakanties is opeens geen geld of ze worden op het allerlaatste moment geboekt, plannen voor de weekenden veranderen snel, er zijn perioden met nijpend geldgebrek, dan weer tijden met cadeautjes en feestjes.

Dat is geen reden tot schaamte, werd haar geleerd, maar juist iets om trots op te zijn. Het gaat, zoals Tessa haar eens heeft voorgehouden, in het leven altijd eerst om mensen, en dat je het goed hebt met je vrienden, in goede en slechte tijden, en ten tweede om dingen maken, of het nu een maaltijd, een schilderij, een meubelstuk, een verhaal of een feest is; want dat schenkt mensen geluk en brengt mensen bij elkaar. Mensen die geld, een positie, roem of egomanie op de troon zetten ten koste van vriendschap en het geluk iets te maken, zijn heel fundamenteel 'niet-oké'. Die dien je kritisch en liefst van enige afstand te bekijken. Ze zijn niet te vertrouwen.

Als er iets is wat Chris geleerd heeft in de gaten te houden, dan is het wel dit: hoe gaat het met Davids schrijverij? Dat bepaalt veel in huis. Soms is de sfeer gespannen en wordt Tessa kwaad op hem, omdat hij 'doof en blind lijkt voor wat er om hem heen gebeurt, en er dan helemaal niet bij is!' Vaak eindigen zulke rotperioden ermee dat hij een paar weken weg moet, om alleen te gaan zitten schrijven. In een geleend huis in een bos of aan zee. Of in een gemeubileerde kamer boven een theatercafé in Antwerpen. Toen ze klein was vond Chris dat heel erg en snapte ze maar niet waarom het moest. Er vloeiden tranen als hij vertrok. Ze verstopte briefjes in zijn koffer, versierd met ingekleurde stempelkunstwerkjes van konijnen en dwergen ('Slaap je in een lekker bed of een stom bed?') en was uitgelaten blij als hij er weer was, meestal in een stukken beter humeur en met cadeautjes. En altijd riep hij dan dat het boek dat hij had afgemaakt wel eens geweldig kon gaan verkopen. Ja, echt, niemand weet het van tevoren, zei hij dan stralend. Het was nog nooit gebeurd.

Als David het heeft over lang geleden, over de tijd dat hij met Brent aan hun boek schreef, moet Chris denken aan de paar foto's die ze gezien heeft. Die gave gezichten, de piekerige kapsels, de armoedige interieurs, het haar van Brent dat nog niet grijs was en vooral hun zorgeloos glimlachende gezichten. Als Chris Brent en David nu samen ziet, kunnen ze enorme lol hebben, maar hun lachen is kort, grijnzend, en in Brents geval alsof het zeer doet.

Van haar oudere broer Kasper of van zijn vrienden kan ze zich niet voorstellen dat die zoiets zouden doen als Brent en David destijds. Ergens in een donkere zijstraat in het oosten van de stad maandenlang dag in dag uit in een kamer met twee tafels en een koffiezetapparaat zitten, twee jongens met hun schrijfmachines. Waarom zou je zo'n leven willen? Zonder vaste baan, zwervend van verhaal naar verhaal, van boek naar boek, en altijd de kans dat het faliekant mislukte, dat je jezelf dwarszat, gek maakte of dat je depressief werd. Waarom wilden ze dat zo graag? Het lijkt wel op die wiebelende jongens die in het Vondelpark over een canvaslint lopen dat tussen twee bomen gespannen is. Ze zijn fanatiek, ze zweten enorm, ze oefenen uren achter elkaar, ze zien er spannend uit met hun wijde broeken en tanige ontblote bovenlijven, maar wat doen ze nou helemaal? Heen en weer lopen en wiebelen.

Wat ze wel begrijpt is dat David schrijfmachines anders bekijkt dan andere mensen. Ze zijn voor hem zoiets als gitaren voor iemand in een rockband. Een gitarist heeft eenzelfde ontzag voor het wonderlijke van een apparaat, alsof er een mogelijk leven in huist, en dat kan Chris navoelen. Schrijfmachines zijn ook mooi. Retromooi. Ontwerp, techniek en materiaal zijn aan elkaar uitgehuwelijkt, alsof ze voor eeuwig mee moeten. Typen lijkt op drummen, en dat letterstrommelen maakt vrolijk. Het is een bezigheid waar ze naar kan verlangen, al weet ze meestal niet wat ze moet opschrijven.

Vandaag weet ze dat wel. De goudenregen die bij de buren in de tuin staat vangt een zuchtje wind en de gele bloemblaadjes worden op de tafel geblazen waar Chris met haar laptop zit en de woorden van de televisieserie overtikt op mijn toetsenbord. Ze plukt de droge gele snippers tussen de toetsen vandaan. Daarmee is ze opeens van gedachten veranderd. Ze trekt het papier uit mijn wagen en draait er meteen een nieuw vel in. Ze klikt de televisieserie weg en zoekt in haar mail naar foto's die ze vanuit haar telefoon naar zichzelf heeft gestuurd.

Ze bladert door de beelden die ze wil gebruiken voor haar modeblog. Jonge meiden met modeblogs zijn een rage in de mode-industrie, en soms hebben deze piepjonge trendsetters zoveel lezers, volgers en FB-vrienden dat ze vooraan mogen zitten bij de modeshows van de grootste merken. Chris is nuchter genoeg om te weten dat haar zoiets niet zal overkomen, maar ze vindt het wel leuk om haar enthousiasme voor een bepaald soort mouwtjes en kraagjes dat ze in films van rond 1960 ziet te delen en om op jacht te gaan naar zulke bloesjes in de vintagewinkels van de stad.

Vorige week heeft ze stills uit een vroege Truffaut en een zwart-witfilm van Godard (een rok en een heel coole regenjas) online gezet, aangevuld met foto's van haarzelf in een blauw gestippeld bloesje dat inderdaad volmaakt zou passen in het straatbeeld van Parijs anno 1960. De begeleidende tekst voor haar blog schrijft ze, geheel in stijl, met mij, de Antares Parva North Star, bouwjaar 1962.

Als ze een zo goed als foutloos A5'je heeft geschreven, gaat het onder de scanner en wordt het als digitaal beeld ingepast tussen de zonnebrillen, close-ups van onderbenen met leuke laarsjes, etalagekiekjes en straatopnamen van leuke modedetails waar Chris haar lezers op wil wijzen. Haar vrienden vinden het erg stoer dat ze zo ver gaat in de eigenzinnige vormgeving van haar blog. Na een paar reacties van bloggers uit Londen en Milaan, die haar teksten door de Google-vertaalmolen hebben gehaald en toegaven dat ze haar niet helemaal konden volgen, schrijft ze soms haar teksten in het Engels. Dan laat ze haar kladje aan David lezen, die er met vulpotlood verbeteringen in aanbrengt. Dan word ik weer van stal gehaald om de publicabele versie te schrijven. Er wordt gewisseld tussen geel, groen, blauw en roze papier.

Wat later gaat de deurbel. Chris staat op en loopt met haar telefoon in de hand het huis in, naar de voordeur. Er staat een postbode, die haar een dikke, brede envelop overhandigt. Die gaat niet door de brievenbus, zegt de man, een zorgelijk kijkende brildrager met sliertig grijs haar en een stoppelbaard. Chris bedankt hem en sluit de deur; de envelop legt ze gedachteloos op tafel. Later die dag, als iedereen weer thuiskomt, zorgt het pakket voor opwinding. Het blijkt te maken te hebben met die enge vrouw die wraak wil nemen voor een broer, een invalide, mislukte schrijver. Ze heeft ook al een raam ingegooid bij het huis van Brent en Riëtte en ze had ingebroken in Davids werkruimte. Nu stuurt ze terug wat ze daar had gestolen: een nooit uitgegeven roman van David. Tsjongejonge, hoe belangrijk is dat? Het is een stapel van een paar honderd A4'tjes, dichtbeschreven met een elektrische schrijfmachine. In de kantlijnen wemelt het van gekriebelde woorden en zinnen, pijltjes en symbooltjes, in potlood. Chris heeft het gevraagd, maar David wil het voor geen goud publiceren. Toch zijn ze blij dat het terug is.

David staat achter Tessa bij de eettafel en slaat zijn armen om haar heen, duwt zijn hoofd in haar nek en kust haar en zegt: 'Jongens, dat komt omdat jullie moeder zo'n goede Sherlock Holmes is, ze heeft die gekke broer opgespoord en ervoor gezorgd dat hij Anja gekalmeerd heeft.'

Chris vraagt wat er te eten is, ze heeft honger. Het valt tegen dat het weer vis met groenten is. Een andere vis en andere groenten, maar toch. Aan tafel, etend met lange tanden, ergert ze zich aan de uitgelatenheid van Tessa en David. Ze lachen en krijgen er geen genoeg van naar het kaartje te kijken dat in de envelop zat. Met een dikke stift en gekke blokletters staat er:

OP BEVEL VAN ZIJNE GODDELIJKE HOOGHEID
DE TSAAR VAN ZEIST,
UW NIETSWAARDIGE DIENARES,
ANJA WILDERVANK.

Chris zucht. Volgens haar is er echt niets op de wereld waar mensen zo gestoord van gaan doen als van boeken schrijven.

HOOFDSTUK 5

(Underwood Touchmaster 5, bouwjaar 1961, een lichtgrijze, brede kantoormachine, met een donkergrijs toetsenbord, een groot ding, maar toch elegant, futuristisch zelfs, het ontwerp roept strakgesneden pakken en jurken op, interieurs met veel glas en heldere kleuren, de belijning van klassieke sportwagens en de eerste ruimteschepen, op de hoek van een overvolle werktafel in Davids huis in Amsterdam, op een vilten mat, tien centimeter verwijderd van een opengeklapte laptop waarvan het licht meer en meer straalt terwijl de schemering invalt, een avond in de zomer van 2010.)

Kijk, je ziet het aan zijn houding, hoe die bovenrug wat bol komt te staan. Gespannen turend naar het beeldscherm van zijn laptop vergeet David aan zijn rechte rug te denken. Hij gelooft in een rechte rug. Alles wat helpt je rug zo lang mogelijk recht te houden verlengt je gezondheid en je leven. Hij is daar al dagen niet mee bezig, omdat hij uit zijn evenwicht is gebracht. De oorzaak is zijn bezoek aan Eden Wildervank in een huis in de bossen bij Zeist. Met hem heeft hij de kwartfinale tegen Brazilië gekeken. En tot de volgende morgen gedronken en gepraat. Vooral over de levensloop van Eden, want van Davids geschiedenis bleek Wildervank redelijk goed op de hoogte. Het tolt en spookt nog in Davids hoofd, want in een sprongsgewijze volgorde kwam alles voorbij: de Groningse tijd, Edens ongezouten meningen over werk en loopbaan van Brent en David, zijn rabiate ideeën over literatuur en duizend andere verhalen, losgemaakt door de voorwerpen in zijn huis en de boeken in de kasten.

Hij heeft beloofd dat hij morgen aan Eden vertelt of hij instapt in het Phoenix Typewriter Project en meegaat op de reis door Europa om het ambitieuze plan van de grond te krijgen. Tot die tijd had hij bedenktijd, maar aan denken komt hij nauwelijks toe. Hij is onrustig, hij heeft het bange vermoeden dat hij het overzicht aan het verliezen is. Zijn voornemen een boek met brieven aan Brent te schrijven heeft alle vorm en vaste grond onder de voeten verloren en drijft stuurloos door zijn hoofd. Geen beginnen aan. Het zweet staat op zijn rug, zijn hemd plakt, zijn keel brandt, hij heeft al een uur geleden gedacht dat hij beter kan gaan douchen en met Tessa in de achtertuin wat drinken, maar hij doet het niet.

De taxichauffeur kon het niet laten opmerkingen te maken over de buurt. Ze reden over een laan omzoomd door oud en dicht bos, links en rechts glooiende oprijlanen en af en toe een glimp van vrijstaande huizen. Allemaal keurige gestudeerde mensen met een luxeleven, maar het waren net zulke sjoemelaars en viespeuken als de rest. Wat hij allemaal had meegemaakt en thuisgebracht! De dealers, schandknapen en temeiers die hij af en aan moest rijden, de relatiedrama's waar je als chauffeur getuige van bent.

David hoopte dat zijn afwezige blik en stilzwijgen de man zouden ontmoedigen. Dat was niet het geval. Boven de airco van de met leer beklede Mercedes uit vroeg hij daarom: 'Dat adres waar we naartoe gaan, breng je daar vaker mensen?'

Nee, het adres dat David hem had gegeven, zei hem niets. Jammer, David had graag een vluchtige typering gehoord van de bezoekers die per taxi bij Eden Wildervank werden aan- en afgevoerd.

Na het passeren van een grote villa in de brede, fronsende stijl van de Amsterdamse School met een rieten dak en twee terrassen sloegen ze een oprijlaan in. Smal en kronkelig, alsof het de bedoeling was het huis zo lang mogelijk onzichtbaar te laten zijn vanaf de weg. Na een flauw heuveltje en een laatste scherpe bocht stond daar een klein bakstenen huis. Het was langwerpig en smal, zonder bovenverdieping, met zwarte dakpannen op een puntdak. Het was eigenlijk niets anders dan vier of vijf kamers op een rij met een gang erlangs. Er was een terras dat uitkeek op een grasveld. Op zo'n zeventig meter van het huis lag een ronde vijver, met stil zwart boswater, groot genoeg voor een eilandje met twee berken.

Toen de taxi weg was hoorde David vooral vogels, een luid en gevarieerd koor van opgewonden fluiters, kwetteraars, krassers, koerders en krijsers. Het had er alles van weg dat hij alarm en verontwaardiging hoorde. Zou al dat misbaar betekenen dat hier de rust zelden werd verstoord? Ergens achter het struikgewas aan de overkant van de vijver blafte een hond. Nog altijd was er geen teken van leven in het huis. David besloot niet aan te bellen, en naar het terras te lopen. Hij werd tenslotte verwacht, er was geen reden aan te bellen als een colporteur.

Op het terras stonden vier rieten stoelen, een tafel met daarop glazen, een asbak, een karaf water en flessen wijn. De tuindeuren stonden open en gaven toegang tot een kleine woonkamer. Twee fauteuils, een televisie en een kleine versleten bank, omsingeld door uitpuilende boekenkasten. Niemand te bekennen. David riep: 'Hallo.' Antwoord kreeg hij van een lage vloekende stem aan de voorkant van het huis.

'Wil ik je godverdomme netjes door de voordeur binnenlaten, ben je me te vlug af. Wacht!'

Staand in Edens huiskamer zag David hoe Eden in de deuropening verscheen, terug van de voordeur, leunend op een zwarte wandelstok die tot borsthoogte reikte en die hij omklemde vlak onder de zittende zilveren valk die erop troonde. Wildervank was ooit langer geweest dan David, maar door zijn gebogen houding keken ze elkaar recht aan. Grijze ongekamde krullen vingen het zonlicht als een aureool om het gebruinde ronde hoofd. David schrok van de grimas waarin het stond: de hele linkerkant van Edens gezicht leek omhoog geschoven en bevroren, waardoor zijn wang en lip waren opgetrokken en zijn oog halfdicht zat. Het deed aan een hondenras denken waarvan David niet zo gauw op de naam kon komen.

David stapte naar voren en schudde hem de hand. Groot, droog en krachtig, een hand van geschaafd eiken leek het. David keek in de lichtgevende lichtbruine ogen en schudde lachend het hoofd, terwijl hij kou in zijn nek voelde, een scheut kippenvel tussen zijn schouderbladen. 'Misschien je ogen, maar verder zou ik je niet herkennen.'

Wildervank gromde en wees naar het terras. Op weg ernaartoe bleek dat hij met zijn linkerbeen sleepte. Hij kon erop staan, maar er goed mee stappen leek onmogelijk. Zelfs leunend op de forse stok waggelde hij langzaam vooruit. Van opzij zag David het gezicht van een man die tien jaar ouder leek dan hij kon zijn.

'Ga zitten, schenk wat in, ik pak wat te roken,' zei zijn gastheer, opeens zo zacht en vertrouwelijk met zijn lage gruizige stem dat David verbaasd op een van de rieten stoelen zakte en rechtop en roerloos wachtte tot Eden vanachter de openstaande deur uit een leren tas met een lang hengsel een pakje Gauloiseshag, vloeipapier en een aansteker had gepakt en zich moeizaam naar de tafel bewoog. Hij liet zich zuchtend in een stoel zakken. 'Ja, ook water graag,' zei hij terwijl hij een sigaret draaide. Toen de brand erin ging werd het stil, of beter, David luisterde naar het knisperende geluid in de brandende sigaret. Tevreden keek Eden naar de eerste pluim kruidige tabaksrook die hij boven de tafel had uitgeblazen. Samen zagen ze hoe die lange wolk zijn voorwaartse beweging grotendeels verloor, in elkaar schoof tot een traag wervelende bol en toen wiegend uiteenviel om zich te vermengen met de zware, zurige geur die uit het omringende bos kwam.

'Even vooraf. Ik heb er een goed gevoel over dat je hiernaartoe bent gekomen. Dat waardeer ik. Ik hoop dat het een begin is. Van een vorm van samenwerking, bedoel ik.'

Eden tilde zijn hoofd iets naar achter en pauzeerde terwijl hij David in de ogen keek. Er was niets te zeggen en dus knikte David, langzaam.

'En verder, ik heb een gebruiksaanwijzing. Sinds mijn motor-ongeluk in '93 maakt mijn humeur soms onverwachte zwiepers, dat schijnt iets met het coma te maken te hebben waarin ik een tijdje lag, dus schrik daar niet van; en verder is het net alsof ik iedereen voortdurend sarcastisch zit uit te lachen, maar dat komt door een stel verlamde zenuwen in mijn gezicht. Moet je dus ook doorheen kijken. Ja? Ga er maar vanuit dat ik zelden lach, en als ik het doe schrik je je waarschijnlijk kapot.'

Met zijn ogen lachte Eden wel en David hoorde dat de zelfverzekerde klank van Edens stem de functie had van een tuinhek om een afgelegen huis.

Tijdens een lange, droevige zomer, over een lange, trieste straat, op een lange, hete dag kwam David naar mij toe, bijna tien jaar en drie romans na het schrijven van zijn debuut met Brent. David logeerde met Tessa en hun vier jaar oude Kasper bij vrienden in Columbus, Ohio, in een oud houten huis met een veranda en een tuintje in een van de eerste suburbs; het huis was vol kleine kinderen en had geen airco. De hele maand dat ze er zaten vocht David tegen de paniek.

Hij had een jaar lang gewerkt aan wat zijn vierde roman zou worden en wat hij als een superboek voor zich had gezien: een uit vijf delen opgebouwde, encyclopedische roman van tegen de vierhonderd bladzijden. Uit verschillende richtingen kletsten, praatten, reisden en spoorzochten vijf personages naar het Hoofdkwartier. En daar kwamen alle lijnen samen. Vijf personages voor de vijf dimensies van de wereld en het leven volgens David. Met gebruikmaking van alle denkbare teksten die hij geschreven had en nog wilde schrijven (van lofredes op bepaalde schoenen of een bepaalde film, en een essay over Herodotus tot vertellingen over de ruzie in een rockband), zou hij schrijvend en knippend en plakkend van zijn wereldbeeld en levensgevoel een epos, een verhaal maken. Het ging erom het onderliggende verhaal in die veelheid tevoorschijn te brengen; het verbindende en bezielende element. En dat zou een kwestie zijn van trefzeker schakelen en bezield aan elkaar zingen; van een helder overzicht en vooral van veel energie en geloof. Als het lukte, dacht hij stiekem, zou het zijn Grote Werk kunnen worden.

Het werd een ramp, na acht maanden werken als een bezetene moest hij toegeven dat hij er niet meer in geloofde. Dat het niets werd. De samenhang was te bedacht en geforceerd, de verbrokkeling te groot, het proza te saai, de personages waren mechanisch. Het was pijnlijk om toe te geven, maar hij was bang dat zijn wereldbeeld misschien geen erg boeiend verhaal was. Hij gooide veel weg en bleef met een archipel aan halfvoltooide rommel zitten. Het plan was prachtig bedacht, alleen kon hij het niet in een levend en leesbaar boek omzetten. Het was een nederlaag die hij zich zwaar aantrok. Het vrat aan zijn zelfrespect. Acht maanden lang had hij bijna niets binnengebracht, terwijl er al zoveel problemen met de belastingen waren; naheffingen en afbetalingsregelingen. Ze hadden geld moeten lenen van Davids vader om de boel niet uit de klauwen te laten lopen. En nu dit. Het was een vreselijk gezichtsverlies. Tegenover Tessa, zijn vrienden, zijn ouders, de instelling die hem een beurs voor dit boek had gegeven en tegenover zijn uitgever.

In de broeierige warmte van de vakantie in de Midwest viel het David zwaar om nog ergens van te genieten. Hij wilde niets liever dan een bevrijding van de kwelling die dag en nacht in zijn lichaam woedde, en wie anders dan Brent begreep wat hij meemaakte, wie anders kon hem helpen weer plezier en balans in zijn schrijvend leven te vinden? Hij wisselde om de paar dagen lange e-mails uit met Brent, die net als hij in een stuurloze, hopeloze situatie was beland.

Brent was, na een episode waarin hij uit huis was gezet door Riëtte, al een jaar bezig te stoppen met drinken (en met alle spilziekte, snuiverij en overspel die daaruit voortkwamen), eerst met behulp van pillen en controles, daarna op eigen kracht. Verder praatte hij wekelijks met een zenuwarts om de achtergrond van zijn gedrag en verslavingen te ontrafelen, en ondertussen deed hij zijn best naast journalistiek werk een roman te schrijven. Alles ging hem moeilijk af, van de ene op de andere minuut konden zekerheden door paniekaanvallen het raam uit waaien. Als dat in zijn studio gebeurde, bijvoorbeeld omdat hij ten einde raad de bus met aanstekergas zocht en die na een halfuur nog niet had gevonden, durfde hij daar een paar dagen niet terug te keren. Om de onvoorstelbare puinhoop die hij had aangericht. Ondertussen vond hij zichzelf dan een hopeloze lulhannes, maar ook enorm zielig; al wist hij dat hij met beide niets opschoot. Daar stond tegenover dat hij in zijn brieven ook hele hoofdstukken van de nieuwe roman stuurde, en opgetogen was over zijn werklust.

Ze waren geen jongens meer, allebei onzeker over hun vermogen het vaderschap en kostwinnerschap te combineren met de literatuur, allebei bang dat ze het kwijt waren, die vonk die hen kon optillen, zodat inzet en lef genoeg waren om boeken te maken waarin je geloven kon. En ook al schreven ze via de elektronische post, het waren brieven als vroeger, met verslagen en overpeinzingen, stukken vertelling en gedicht, roddels, geintjes over het nieuws en straatverhalen. In een van zijn brieven schreef Brent dat hij Davids vorige brief zo mooi vond; dat brieven David spelenderwijs uit de handen kwamen. Met groot gemak waren daar leven, kleur, flair gevangen. In zijn boeken was daar veel minder van terug te vinden. Te veel gepieker en geredeneer.

Twee dagen later had David in de Gele Gids van Columbus de Used Typewriter Exchange gevonden en reed hij er in een stinkend Japans bestelbusje met zijn destijds vierjarige zoon Kasper en Henry, de gastheer, naartoe. Ze reden over een eindeloze rechte weg door een kreupelhout aan treurige achterbuurten, langs bedrijventerreinen met uitgebrande supermarkten; ze passeerden weerzinwekkend lelijke kerken en uitgestrekte vlaktes met tweedehands auto's, waar altijd slingers hingen alsof er iemand jarig was, tot ze bij een rijtje winkels kwamen: een bouwmarkt, een elektronicawinkel en de Used Typewriter Exchange. David had gebeld en wist dat ze twee Touchmaster Fives hadden, want dat was waarvan hij zijn heil verwachtte. Een groot en degelijk apparaat, om een nieuw begin op te maken. Door de verstikkende hitte liepen ze op de winkel af. De kleine Kasper met zijn witblonde stekelhaar huppelde vooruit over het gloeiende asfalt van de parkeerplaats.

De man van de winkel was een lange, benige gestalte in een stokoude spijkerbroek en een blauwgeruit houthakkershemd dat helemaal zat dichtgeknoopt. Hij had een dode grijze paardenstaart en een verschoten baseballpet op. Achter een grote vierkante bril lagen teleurgestelde, lieve ogen. De stem van Dale, want zo heette hij volgens het stickertje op zijn borst, klonk zacht en verslagen. Of David zeker wist dat hij geen elektrische machine wilde. Dale had pas een perfecte IBM Selectric opgeknapt. Betere schrijfmachines waren er niet, eigenlijk.

Nee, David wist het zeker, hij wilde mij, de Underwood-kantoormachine met de kleine scherpe letter, want de andere Touch-master Five haperde; als je snelheid maakte verslikte hij zich in de volgende letter en sloeg over. Het zou een heksentoer worden mij terug in het vliegtuig mee te nemen, in de grootste koffer, beschermd door zo ongeveer alle kleren die ze bij zich hadden. Bij de douane op het vliegveld zouden ze het ook vreemd vinden, zoveel staal op de röntgenbeelden, het zou ongetwijfeld gedoe en achterdochtige vragen opleveren; maar het moest. David zag dat zijn ernst Dale amuseerde.

Diezelfde avond op de veranda stond ik op het tafeltje dat Henry voor hem achter in de garage had opgescharreld, breeduit en trots; al in het eerste vel papier dat David volschreef werd ik onderscheiden met een bijnaam: het vliegtuig, vanwege mijn luchtmachtgrijze kleur en mijn elegante, verchroomde hengel en strakke belijning. De schemer viel, de kinderen sliepen, de anderen waren eropuit of met elkaar bezig en alles wat zich aan verveling, warmte, vocht en luchtdruk had opgebouwd die dag balde zich boven de stad samen tot een stel torenhoge stapelwolken en barstte in een onweer los. En David ging ervoor zitten. Ja, kom maar, ik zit hier droog en op de eerste rang, laat maar zien: de plotselinge windstoten, het scala aan verschillende klanken van de slagregen op auto's, huizen, vuilnisbakken, kippenhokken, struiken en glijbanen, de geuren die opstegen en voorbijtrokken, de rondborstige grondlucht van de groentetuin van Marieke die gulzig de regen opslokte, maar ook de ozon, de plotseling andere geur van de oude Cadillac van de mensen met de kennel vol vechthonden op de hoek van de straat. Ook het hout van de oude veranda waar hij zat openbaarde nieuwe geuren. Oude verf en gemorste olie. De bliksem sloeg toe over de hele breedte van de hemel, links en rechts, boven de stad, maar ook naar het oosten, boven de moerassen en bossen waar de rivier doorheen stroomde; felle, grote flitsen waren het, die alles in een ontploffend maan-

licht zetten. In de verte hoorde hij sirenes van politie en brand-
weer.

Het onweer was een opluchting, een mooi boos feest, en het
maakte het David misschien eenvoudiger op te schrijven dat hij
moest toegeven dat hij was uitgeteld, op zijn rug lag. Als hij zichzelf wilde oprichten uit de ruïnes van zijn superboek en zijn over-
moed, dan moest hij terugkijken naar het moment waarop hij
was opgehouden in zijn eigen vlees te snijden. Er was maar één
antwoord: de maanden dat hij met Brent in de krotverdieping in
Oost iedere dag aan hun debuut had geschreven. Er was geen ontsnappen aan het kritische oog van de ander, en dus ook niet aan
de eigen twijfels en zwakheden. Het goede was dat ze juist door
de grote onderlinge verschillen elkaar over het dode punt heen
konden helpen. Bovendien, blijven rondkloten was uit den boze:
er was een plan, een contract, er moest voor iedere hobbel en mislukking een oplossing worden gevonden. Een gedeeld belang verplicht.

Ze hadden elkaar het begin van een schrijvend leven cadeau
gedaan, staand op de schouders van hun correspondentie, profi-
terend van hun intense, maar schichtige vriendschap, waarin veel
werd verzwegen en in het vage gelaten. Hun eigenwijsheid en onzekerheid hadden ze geruild tegen aanmoediging en het enthousiasme van de gedeelde droom. Soms waren ze werkelijk samen
een derde schrijver.

En terwijl het onweer doordaverde en David zijn tweede biertje
dronk wist hij ook wel, dat het onmogelijk was iets dergelijks te
herhalen; maar al was het belachelijk om je aan een schrijfmachine vast te klampen terwijl computers net draagbaar werden en
het wereldwijd digitaal uitwisselen van informatie opwindende
vormen begon aan te nemen – het was verdomme 1996! –, toch
slaagde ik erin hem te laten zien dat ik belichaamde waar het om
ging: uit de machinerie van verplichtingen en verwachtingen

stappen, ingesleten gewoonten en snelle oplossingen opzijschuiven en apart durven gaan zitten met je ingewikkelde verlangens en die aan een simpele machine in een eigen en eenvoudige vorm gieten. Was dat niet de vonk die er was overgeslagen in die meest recente briefwisseling over de oceaan? Het begin van een opluchtend onweer, een driftbui boven het drukke freelancersleven met kleine kinderen dat ze leidden. Een moment van de waarheid ook: allebei waren ze bang hun zelfrespect en hun geloof in hun literaire werk te verliezen. En dus vonden ze elkaar, net als vroeger in brieven, in het gedeelde verlangen schoon schip te maken, opnieuw te beginnen. Zoals hun debuut vooral het einde aan vertwijfeling was en een nieuw begin. Die vonk, dat is wat mij mijn stem geeft, en dat is waarom ik hier een ereplaats heb op het bureau in Davids huis.

Brent schreef in een van de latere brieven: Gefeliciteerd, man, met je Underwood-monster; ik heb er een kamertje bij gekregen naast mijn kantoor en daar staan alleen een tafel, een stoel, een printer en een stel schrijfmachines. Misschien moet ik daar ook maar eens gaan zitten typen.

De waarheid is dat Brent wist dat het voor hem nooit zou kunnen werken, dat hij veel te nerveus en te ongeduldig was om nog op een schrijfmachine te schrijven. Het was een eenzelvig, bijgelovig gebaar, dat niet paste bij Brents manier van schrijven. Zo eenzaam als David kon hij met zijn schrijvend leven niet zijn. Zonder het ooit toe te geven kon hij wel eens jaloers zijn op de diepe, kinderlijke ernst waarmee David zich aan zijn twijfels overgaf en zich dan uit de nesten werkte door zoiets mafs als een schrijfmachine. Al vond hij niet alles geweldig wat David schreef, hij bewonderde de onverstoorbare trouw aan de zoektocht naar een ongrijpbaar ideaal van 'vrij en zichzelf organiserend schrijven'. Daarmee zocht David opnieuw contact op die veranda tijdens die majestueuze, lange Midwestern onweersstorm. En daarom riep ik David naar mij toe en sta ik hier en zie ik David nerveus achter zijn laptop zoeken naar iets wat hem rust geeft over het aanbod van Eden Wildervank om mee te gaan op een reis waarop ze technici en geldschieters gaan zoeken voor een uitzinnig zakelijk plan: een als luxe-item aan rijke liefhebbers te verkopen eenentwintigste-eeuwse draagbare mechanische schrijfmachine, bol van de exotische ruimtevaartmaterialen en het hedendaagse vernuft, maar vormgegeven als een kostbare mechanische fetisj.

'Denk aan een Patek Philippe-horloge,' had Eden gezegd, 'in de reclame daarvoor staat: nee, je bent er niet de bezitter van, je beheert en koestert een Patek Philippe voor de volgende generatie, en dan zie je een mooie man in een mooi pak met twee keurig geklede jochies die op zijn bureau zitten. Om zijn pols een volkomen zinloos, maar volmaakt mechanisch kunstwerkje dat op stijlvolle wijze vertelt hoe laat het is, maar dat vooral een teken is dat jij iemand bent die een klassiek mechanisch horloge als waardevol kunstwerk en als sieraad kan zien. En kan betalen vooral. Voilà, wij gaan een draagbare schrijfmachine maken die ook overbodig is, maar heel exclusief en dus onweerstaanbaar voor een snob met stijl, zoals hij een Patek Philippe wil of een Rolex, een zeiljacht, handgemaakte Engelse schoenen, een Mont Blanc Meisterstück-vulpen en op maat gemaakte Italiaanse hemden.'

David is in de war. Dit project roept een wereld op waar hij geen enkele ervaring mee heeft. De vraag is of Eden voldoende kijk heeft op de mensen en de zaken waarmee je dan te maken krijgt. Het gaat om een enorme investering, heel gespecialiseerde kennis en verstand van de markt in luxegoederen. Is het een riskant, maar gouden idee? Of een rampzalig idee van klatergoud?

Tessa komt binnen en geeft hem een koud biertje aan. Ze gaat naast hem zitten en kijkt naar het scherm.

'Man, het is benauwd hier. Het is zo lekker in de tuin, waarom kom je niet buiten zitten?'

Vanaf het moment dat David met al zijn onrust Tessa aankijkt en ze naar hem glimlacht met die ogen van een Franse comédienne, is hij niet meer te stoppen. Dat is geen verrassing, daarvoor heeft ze dat biertje meegenomen. Ze steekt een sigaret op terwijl hij begint over zijn bezoek aan Eden. Hij heeft er wel over verteld, maar haastig en rommelig, en nu is de dag voorbij en zijn ze even alleen, zonder programma.

'Het was een gouden zet om samen eerst die wedstrijd te zien,' zegt David, 'er valt toch een hoop schroom en pose weg, vooral omdat er iets gebeurde wat we totaal niet hadden verwacht. We hadden verwacht dat de Brazilianen ons van de mat zouden spelen. En zo begon het ook, met zo'n lachwekkend simpel doelpunt. Maar ze gingen alsmaar beter spelen. En dat die kabouter Wesley verdomme twee keer scoort! We waren helemaal los. En ook goed ingedronken. Dus toen kon het beginnen.'

'Was het niet eng?' vraagt Tessa. 'Je had het toch over een verwilderde figuur, die zomaar keihard kan gaan zitten schelden en schreeuwen. En dan zit je daar alleen in het bos met die vent, die ook nog stevig doordrinkt.'

David schudt zijn hoofd. Eden Wildervank was verre van bedreigend geweest. Hij wekte eerder de indruk dat hij enorm had uitgekeken naar Davids komst. Alsof hij niet vaak zo kon praten en tekeergaan, oreren en doorvragen als bij David. Hij was juist welkom in de oude bungalow in het bos, en alle uitbarstingen van Eden zag hij als eerlijkheid en gulheid, ook al was het niet altijd grappig of aangenaam wat hij David in het gezicht slingerde.

Tessa legt haar hand op zijn arm. Dat doet ze omdat ze weet dat David niet graag hoort wat ze wil gaan zeggen. Ze legt hem uit dat hij een ontvankelijke geest is (of een beetje naïef, maar dat zegt ze niet) en dat Eden Wildervank hem overdondert, en dat doet hij slim, hij weet precies welke dingen David boeiend vindt, en dat is prima, maar hij moet wel oppassen dat het geen alternatieve manier is om hem in een louche handel te betrekken. Of is Eden eropuit hem geld afhandig te maken? Moet hij geen geld inleggen in het chique, denkbeeldige schrijfmachinebedrijf om mee te mogen op die reis?

'Nee, hij vraagt alleen dat ik een deel van de kosten van die reis betaal. Dat is toch geen idiote vraag,' zegt David, vouwt zijn handen tegen zijn achterhoofd in elkaar en leunt achterover. 'Dat hele verhaal van die titaniumschrijfmachine in deftige leren tas, het zal wel. Een bizar plan waar ik best aan de zijlijn bij betrokken wil zijn. Dat is nieuwsgierigheid. Maar die Eden heeft me echt geraakt.'

In Tessa's ogen is Eden vooral een luidruchtige potsenmaker, ze heeft liever dat David met andere mensen praat om zijn boek over Brent en hun geschiedenis op gang te brengen. Ze zegt dat David niet alles moet geloven wat Eden over zichzelf vertelt; hij kon wel eens iemand zijn die zijn leven verzint en zelf in al zijn fantasieën gelooft.

David zegt wat terug: 'Zulke mensen bestaan. Maar het verschil met doorsneemensen die niets verzinnen, maar wel een mooi verhaal maken van wat ze doen en wat hun overkomt, is minder groot dan je denkt. Dat is een bijna even grote illusie die ze zichzelf en elkaar voorspelen. Als ze dan gaan scheiden of depressief worden zien ze opeens dat het mooie verhaal van hun leven zwaar gecensureerd was en dat je de feiten ook heel anders aan elkaar kunt praten; veel minder mooi en hoopvol en deugdzaam en ga maar door.'

Tessa vraagt waarom hij nou Eden zit te verdedigen; een man die hem uitkaffert voor een halve schrijver, Brent een charmante oplichter noemt en zichzelf blijkbaar beschouwt als een literair genie zonder dat er een boek van hem in de winkel te koop is of er zelfs maar een e-book of een weblog op het net te vinden is.

David staat lachend op en drinkt van het koele bier. Dan hurkt hij bij Tessa neer, pakt haar gezicht met twee handen beet en kust haar klamme voorhoofd, haar wangen, haar ogen en ten slotte haar mond. Wat ruikt ze heerlijk naar de zomer, naar Tessa, naar altijd en wat zijn haar lippen sterk en zacht en glad.

Hij zit op de grond en kijkt haar aan. 'Dus je gaat niet,' vraagt Tessa, en houdt haar flesje omhoog om te klinken.

'Ik ga wel,' zegt David en trekt verontschuldigend zijn schouders op. 'Ik haal die tweeduizend van de spaarrekening en die stort ik voor het eind van het jaar terug. Ik doe van het najaar wat extra werk ervoor, dat beloof ik. Tess, die man is gek, en misschien zelfs louche, maar hij heeft een manier van schrijvend leven bedacht, helemaal los van de boekenindustrie, juist vanuit zijn weerzin en walging over wat hij zag gebeuren met mensen als Brent en mij, zijn leeftijdgenoten, die moesten zien te overleven in de literatuur. Zolang ik weet met wie ik praat is er niemand met wie ik het beter kan hebben over wat Brents dood aan vragen en verdrongen herinneringen oproept dan deze mafkees in het bos.'

'Lieve David, waarom moet dat allemaal? Kun je niet een vrolijk boek schrijven over een verbaasde intellectueel uit het westen die verliefd wordt op een simpel meisje uit het diepe zuiden en verzeild raakt in de exotische gekkigheid van haar familie? Met carnaval, piratenradio, gekke huurders, hysterische ruzies tussen zusters, eeuwigdurende verbouwingen en een ongeleid projectiel als pater familias? Ik zeg maar wat.'

David knikt en pakt haar hand. Hij zegt: 'Dat ga ik ook nog eens doen. Echt. Maar eerst moet dit uit mijn systeem. Weet je nog dat ik eens heb gezegd dat Brents dood me een spiegel leek voor te houden, een zwarte spiegel, waarin je andere dingen ziet dan in een gewone spiegel? Ik kan wel achter een bureautje gaan zitten denken aan wat dat dan is, maar die rare Wildervank ís de zwarte spiegel en hij is de enige die ik nu ken die geduld heeft om met mij over dit soort zaken te praten. Ik kan iets ondernemen met een ander, iets meemaken, en dat is beter dan gaan zitten nadenken. Mijn ervaring is dat dat link is; het levert vaak nog meer ellende op. Dat heb jij ook altijd gezegd. Wie weet schrijft Eden niet eens zo beroerd. Ik ben benieuwd naar zijn werk, misschien kan ik wat van hem leren en geeft me dat wind in de rug. Veel van zijn ideeën herken ik. Hij heeft wel iets van een in de prak gereden, alternatieve versie van mezelf. Als ik destijds in dat kunstenaarsmilieu was blijven hangen en niet met Brent was gedebuteerd, wie weet was ik dan wel zo iemand als Eden geworden. Het heeft iets van een schrikbeeld in een verwrongen, kapotte spiegel.'

Tessa ziet dat David onverbeterlijk is. Voor haar ogen heeft hij zich van besluiteloosheid en verwarring naar een optimistisch en energiek besluit gepraat. En zoals gebruikelijk leidt het tot een onzekere onderneming, die veel tijd en moeite zal vergen en waarschijnlijk nauwelijks een cent zal opleveren.

Tessa staat op. 'Als dit het begin is van een met liefde en vuur geschreven boek, dan is er niets tegen in te brengen,' zegt ze. 'Dat nutteloze gedobber van de laatste maanden moet snel ophouden. Je stelt alles uit, je loopt weg, dus ik hoop dat die trip met Eden niet weer zoiets is. Kom je?'

David neemt de laatste slok uit het flesje en zegt dat hij een brief moet tikken en dat hij dan naar de tuin komt, voor een laatste biertje. Ze omhelzen elkaar en David voelt dat het ernst is, Tessa is een schat maar ook een praktische vrouw.

Als Tessa de trap af loopt trekt hij aan de vilten mat en schuift hij mijn twaalf kilo staal naar het midden van het bureau. Hij draait een vel papier in mijn wagen, stelt ruime kantlijnen in en schrijft:

Geachte Eden Wildervank,

Het leek mij passend om mijn reactie op je uitnodiging mee te doen aan de oriëntatiereis voor het Phoenix Typewriter Project per papieren, machinegeschreven brief, en met de post tot je te laten komen.

Voilà.

Een woord dat ik je vaak en met plezier hoor gebruiken.

Mijn antwoord is: ja, ik doe mee. Volgende week stort ik het geld, als je me het rekeningnummer geeft. Die twee weken in augustus blokkeer ik in mijn agenda. We trekken samen langs, wat was het ook weer, Milaan, Parijs, Zürich, Wuppertal?

Eden, ik wil eerlijk zijn. Het is voor mij geen uitgemaakte zaak dat er zoiets als een succesvolle, luxe en nieuwe eenentwintigste-eeuwse draagbare mechanische schrijfmachine op de markt te brengen is. Ik vind het een opwindend beeld en word er inderdaad begerig van: ik zou zo'n ding willen hebben, zelfs als het € 2000 moet kosten. Maar ja, wat zegt het? Ik ben net als jij beroepsgedeformeerd. Iemand die zich aan de letteren wilde wijden in de tijd van schrijfmachine en briefpapier en volwassen werd met de computer, het internet en de doodsstrijd van het gedrukte woord.

Maar het idee dat een schrijfmachine een persoonlijke fetisj kan worden, zoals een vulpen of een mechanisch horloge, is slim. De individuele stem, die zich op niets anders dan zichzelf en het alfabet verlaat, ook al is hij een doorzichtig schijnbeeld van echtheid en autonomie, wordt prachtig opgeroepen door een simpel, mechanisch, aan één enkele functie toegewijd instrument. Het roept de oude mythe van het geschreven woord op.

Wat de schrijfmachine produceert verschuilt zich niet achter beelden, in voor de massa voorgeprogrammeerde formats, verwijzingen naar anderen, leunt niet op achtergrondmuziek en is niet vervlochten met reclame, de vluchtige opwinding van uitbrekend nieuws of sociale media. Het is eenvoudig, discreet en een voldongen feit door zijn materiële aard. Daar gaat rust van uit, kracht, zelfverzekerdheid. In de ogen van digitale inheemsen heeft het bovendien iets magisch: symbolen die in één zichtbare klap van gedachte een fysiek feit kunnen worden. Geen black box, maar eigenmachtig handelen.

We zullen zien of dit sterke beeld te koppelen is aan de begeerlijkheid van een exclusief, duur en ambachtelijke must have. Ik heb mijn twijfels, maar die berusten vooral op het bewustzijn van mijn onkunde op het gebied van techniek, industrieel ontwerp en marketing.

Ik wil graag mijn waarnemingen, analyses en gedachten naar aanleiding van onze ontmoetingen met experts inbrengen om het verder uit te zoeken. En dat samen met jou te doen, daar kijk ik naar uit. Ik ben kinderachtig genoeg om me te verheugen op het jongensplezier dat ik in zo'n expeditie vermoed.

Nog iets om eerlijk over te zijn.

Je hebt me op onstuimige wijze welkom geheten in je wereld. Daar ben ik nogal beduusd van en dat heeft veel te maken met de omstandigheden waaronder we elkaar ontmoetten. Ik drijf al maandenlang rond in een wak in mijn schrijvend leven. Ik probeer eruit te klimmen en een boek te schrijven over wat er in mij veranderd is in het laatste jaar, dat wil zeggen het jaar na de dood van mijn vriend Brent. Je begrijpt dat jouw felle en uitgesproken denkbeelden over de literatuur, je merkwaardige schrijfpraktijk, maar vooral je meningen en gedachten over de loopbaan en werdegang van Brent en mij me enorm bezighouden. Nu kan ik me terugtrekken en in mijn studio achter schrijfmachine en laptop gaan zitten mediteren en herinneren; ik kan ook het diepe in springen, met jou meegaan en in de kantlijn van het Phoenix Typewriter Project met jou praten over wat een schrijvend leven is, of beter, wat wij vroeger dachten dat het was of kon zijn, en hoe dat veranderd is, en hoe ieder dat weer anders inschatte en gokte en zich vergiste in zijn kansen en beperkingen, over wat het vandaag de dag wel en niet meer is om schrijver te zijn. En hoe jij daar, als extreem betrokken buitenstaander, naar kijkt. Ja, wat is het? Ergens getuige van zijn, en er een verrader van zijn, een goochelaar en een profiteur, en een waarheidszegger en een clown. Kortom, minstens zo belangrijk als mijn nieuwsgierigheid naar de kansen van het PTP, is mijn verlangen met jou over je leven te praten, te horen waar jij de vrienden en ideaalbeelden van het eerste uur dreigde kwijt te raken, waar jij in je eigen vlees gesneden hebt, en wat jij denkt dat er zich in de dode hoek bevindt van het systeem dat je nu hebt opgezet.

Het kan zijn dat je na lezing van deze brief geen zin hebt in een sceptische bijrijder, die de helft van de tijd aan zijn eigen boekproject zit te denken. Als je me daarom niet als reisgezelschap wilt, dan hoor ik dat van je en dan is het goed.

Voor nu,
    een groet vanuit Amsterdam,

David

Hij staat op, vouwt de brief op en stopt hem in een envelop. Hij rekt zich uit en het correct stapelen van zijn wervels is een heerlijk gevoel; het tintelt, er stroomt iets door, dat eerder vanavond werd opgehouden. Het is of zijn ogen verder openstaan als hij de trap af loopt naar de tuin, naar Tessa.

III

DE DODE HOEK

(Olivetti Lettera 22, bouwjaar 1957, een kleine draagbare schrijfmachine, sober vormgegeven, met vloeiende, elegante lijnen, van donker olijfgroen gespoten metaal, hangend in een lederen foedraal met een lange draagriem, aan een kapstok tegen de wand van de eetzaal van een modieus restaurant in Parijs, uitvergrote fotodetails en kalligrafische graffiti aan de muren, in het Hindi, Armeens, Thai, Arabisch en gotisch Duits; even na middernacht, het tafellinnen op de tafel voor vier waar de kapstok bij hoort, vertoont de sporen van een meergangendiner en een langdurige nazit met koffie en gedistilleerd, het is de zomer van 2010.)

Zo, de kruitdamp trekt op. Grappig om te zien hoe de heren nog suizebollen van het urenlange tafelgesprek. Eden geeft zich een houding door omstandig zijn tanden te stoken met de bij de rekening op het bordje gelegde bamboesplinters. Ondertussen bestudeert hij het plafond, dat is bedekt met smalle, langwerpige strips brandhout. Een decoratie die de eetzaal een Scandinavische ruimtelijkheid geeft. Niet dat zoiets Eden wat kan schelen, maar het is wel even kalmerend om naar te kijken. David schenkt hun glazen vol met mineraalwater, als onderdeel van een poging weer met beide benen op de grond te komen.

'Wat is er toch zo vermoeiend aan zulke gasten?' vraagt David hardop en zucht. Hij heeft het over de twee mannen die net zijn vertrokken. De een was Jacques, een lange, wat lompe man, breed in de heupen en met een vormeloos, vlezig bovenlijf. Hij was voor in de veertig; vroeg kaal, met bolle, lichtblauwe ogen. Een resoluut onmodieuze verschijning, in duur flodderig grijs en zwart, kennelijk een vorm van camouflage om zijn vak uit te oefenen, dat van trendwatcher.

De ander, die net als Jacques een paar minuten geleden met een blos op de wangen van de calvados knikkend afscheid heeft genomen, was Hamza, een mediafilosoof van tegen de dertig. Hij had zijn krullend zwarte haar kort geknipt; zijn lichtbruine teint was een stijlvolle aanvulling op het naturel gelaten linnen van zijn strak gesneden jasje. Het meest opvallend aan hem waren zijn groene ogen, die niet bij de persoon leken te horen die zich bekendmaakte via de mond, de woorden, de gebaren. Alsof er naast die erudiete, koele en rad pratende filosoof nog iemand anders in dat dunne lijf van Hamza zat, die door het kijkgat van de ogen het restaurant in keek. Een bijgelovig, dromerig jongetje.

Jacques is voor zijn klanten in de reclame en mode-industrie een mengwezen tussen kunstenaar en profeet. Een veeleisende en duistere stem, maar wel eentje die de belofte in zich draagt van een strategische voorsprong op de concurrentie. Hamza was een uiterst hedendaags intellectueel, die je al pratend uit een zaal aan de rue d'Ulm mee kon nemen naar een televisiestudio en die dan al onderweg in de taxi de juiste balans trof van vlotheid en makkelijk te herkennen intelligentie die het massamedium vereist. Een jong en gaaf gezicht dat de vraag opriep wanneer hij dan in vredesnaam al die klassieke auteurs had gelezen die hij aanhaalde. Zijn ragfijne betogen konden duizelig maken. Als er even een stilte viel, dan had die de adembenemende ijlte van het hooggebergte of de woestijn.

De orakelzinnen van Jacques lieten David en Eden murw gebeukt en beduusd achter. De beweringen waren zo wereldomspannend en de verklaringen zo ongerijmd dat het geen voorspellingen meer leken, maar eerder toverspreuken die de trends en modes, de collectieve gevoelens en obsessies dichterbij brachten. Als je ernaar luisterde was het of iemand je door elkaar schudde, tot alles beurs was en op de verkeerde plaats zat.

De combinatie van die twee, een paar uur achter elkaar, begeleid door een aantal gangen verfijnd eten en flessen goede wijn, heeft haar tol geëist.

Eden breekt de tandenstoker doormidden en steekt die in de zak van zijn jasje. Terwijl hij zich naar David draait zegt hij: 'Dit soort lui praten vanuit de machinerie waarin ze wonen. Dat is een wereld die helemaal geen flikker te maken heeft met de wereld waarin we met z'n allen leven, dag in dag uit. Allebei zitten ze in hun eigen industrie van gelul. Daar kan ik niet lang naar luisteren. En toch zeggen ze dan plotseling weer dingen die me prikkelen, en die ik zelfs bruikbaar en overtuigend vind. Die misschien wel gewoon waar zijn! Dat zwalken tussen weerzin en belangstelling, dat maakt het zo doodvermoeiend.'

Hij pakt zijn stok en legt een hand op de zilveren vogelkop. Met de andere grijpt hij naar zijn glas en drinkt in een lange teug het water op. Met de scheve grimas op zijn gezicht, die geen lach is, bekijkt hij David, die op het puntje van zijn stoel zit en knikt, de lippen naar binnen gekeerd, peinzend over herinneringen, beelden of gedachten die hij schijnbaar op de tafel kan zien, tussen de kruimels, de jusvlekjes en de lege glazen.

Zo omringd door Eden en die twee Fransen met hun hoogdravende spraakconstructies, treft David me als een kwetsbaar persoon. Maar dat klinkt weer zielig, en dat bedoel ik niet. Ik heb het over zijn doorzichtigheid. Je kunt vlak onder een vernislaag van intelligentie en aangepastheid meteen zijn verwarring en twijfels zien, het werken en kolken van zijn verlangens en schaamte. Zijn zoekende, struikelende gedachten. Mijn baas, Eden, heeft een gezond arsenaal aan poses, die stuk voor stuk wortelen in oprechte angsten en liefdes, maar die zijn aangekleed als theaterpersonages, geschminkt en met rekwisieten het toneel van zo'n dinner-party als vanavond op geduwd. Ze vormen een dikke, ondoorzichtige schil om zijn gedrag. Een beschermende laag.

Eden is eerder op de avond ontploft in een staaltje theater waar het halve restaurant naar gluurde. Dat was toen Hamza een fladderend geformuleerde analyse begon van het Phoenix Typewriter Project. Was het niet zo, vroeg hij met een zoete Noord-Afrikaanse glimlach, dat je met zo'n product van het schrijven, toch een menselijke activiteit met groot cultureel en politiek potentieel, een luxe fetisj maakte? Hij moest denken aan het buitensluiten van de gewone man door de inrichting van bewaakte woonwijken voor rijken, omringd door hoge muren. Wonen als een luxe, internationale en verfijnde kunstvorm, die afgeschermd moet worden van de lokale, rauwe werkelijkheid. En die agressieve afzondering in een bevoorrechte zone was onverenigbaar met het republikeinse karakter van de literatuur: het alfabet was van iedereen, iedereen kon schrijver worden en iedereen kon leren lezen; wie geen geld had kon naar de bibliotheek, literatuur was bij uitstek een in de openbaarheid bedreven kunstvorm. Het vrije schrijven was bij uitstek het kanaal waardoor emanciperende, vernieuwende, subversieve energie werd verspreid door een maatschappij. Dat gaf je toch geen toekomst door er een gadget op de bladzijden van een glossy van te maken?

Dit dreef Eden halsoverkop naar een van zijn stokpaardjes. Wellustig verweet Eden Hamza, die met gemak zijn zoon kon zijn, met een aangezette rauwe stem, dat hij een ouderwets idee van het begrip luxegoed had. Het waren de armen die zich, beter dan wie ook, lieten gelden in hun verering voor Ferrari, Bentley, Louis Vuitton en Bvlgari. Dat was de brute kracht van de emancipatie vandaag de dag, Ze eisten de status, de glamour, de roes van het leven van de superrijken voor zich op, desnoods voor één dag in een gehuurde auto, of via een namaaktas. De smaak van de superrijken wordt gekaapt door het getto! Ze brengen daarmee de welgestelden in verlegenheid. De roes van snel, nieuw geld, misdadig, bruut en verblindend als een flitslicht, dat is wat de armen gevaarlijk maakt. Exclusief is het meest democratiserende adjectief in de reclame.

Bovendien vergat Hamza iets belangrijks: een schrijfmachine is geen sieraad, maar blijft ook in zijn meest verfijnde en luxe vorm nadrukkelijk een stuk gereedschap. De eenentwintigste-eeuwse schrijfmachine is niet verguld of ingelegd met robijnen en smaragden. De ware kwaliteit van de Phoenix openbaart zich alleen in zijn werking, in het manifest worden van de kennis en inventiviteit die erin belichaamd zijn. Wat geperfectioneerd is, is de functionaliteit.

'Het is net als bij een dure racefiets. Je koopt zoiets als je flink wat geld over hebt, maar dan moet je er wel wat mee doen. Met zo'n sublieme fiets moet je op z'n minst een paar zomerse toertochten doen, of een lang weekend met vrienden over de heuvels in Toscane. En eigenlijk nog meer. En zo is het met schrijven ook. Met een schrijfmachine kan je niets anders dan schrijven, het is de machine om dat zo soepel, slim en zuiver mogelijk mee te doen. Niet virtueel, maar fysiek, die roept de dwingende vraag op: en wat schrijf je dan? Brieven aan je kinderen? Memoires? Een filmscript? Een speech? Wat het ook is, het moet even echt en stijlvol zijn als de Phoenix, daartoe verplicht je jezelf.

En ik zal je eens wat vertellen, als de oerkracht van het schrijven nu érgens op respect kan rekenen, dan is dat niet bij de welgestelden. Mensen met geld en macht zien zichzelf meer als mensen die door de praatjesmakers heen kijken. Ze lezen geen boeken. Ze geloven meer in netwerken en rekenen. Gehoorzame advocaten doen voor hen het papierwerk. Nee, de rauwe wil om te schrijven vind je bij de gasten in de slechte wijken, werkloos zonder diploma, verward door de rassen, ruzies, verslavingen, religies en het geweld die hun levens overheersen en op hun kop zetten. Bij de jongens en meiden die slim genoeg zijn om kwaad te worden over hun eigen onwetendheid en die het kreupelhout aan nepopleidingen en nephulpverlening dat hen gevangenhoudt in de fik willen steken, omdat ze niet geloven in de verheerlijking van hoeren, terroristen, pooiers en gangsters. Zulke jongens en meiden schrijven raps en gedichten en verhalen. Ze dromen ervan die boze, grappige en bezwerende teksten voor te dragen in volle clubs, ze op te nemen in een studio en gedrukt te krijgen in een echt boek.

Dat zijn de mensen die het schrijven vereren. Hoor je wat ik zeg: vereren!!! Voor hen is het een wapen: je ervaringen en gevoelens krachtig verwoorden, je belagers en uitbuiters treffen in het hart. De trefzekere woorden van een rap zijn de kogels die de getroffenen doen wegkruipen en de schutter onaantastbaar maken. Je zult zien dat de Phoenix Typewriter een snaar raakt bij die gasten en als de stijlbewuste middenklasse, de reclamejongens en trendsetters doorhebben dat dit een werktuig voor de getto-intellectueel wordt, bam, dan heb je een rage, en geen vlam in de pan, maar eentje met wortels.'

Eden beschreef vervolgens een schilderachtig verzorgde graffitipiece, vier bij vier meter, op een elektriciteitshuisje in Zeist, waar het fotografisch realistische hoofd te zien is van een magere jongen met een scheefstaand honkbalpetje, die met twee vingers zijn lippen van elkaar trekt. 'Om de tanden van zijn onderkaak klemmen zich vijf metalen letters: WRITE staat er, in goud.'

Eden stak de wijs- en middelvinger van zijn rechterhand al pratend in zijn mond, van opzij, met de elleboog horizontaal, en trok met gespreide vingers zijn lippen weg. Met slecht verborgen afgrijzen keken de twee Fransen naar de rommelige rij grijze ondertanden van Eden Wildervank.

Die ging nog even door met de overbodige uitleg van de kracht van dit beeld: 'Goud op de tanden is bij uitstek een getto-juweel, en uitgerekend daar, in de mond, de loop van het wapen van de rapper, staat "schrijf", als een bevel. Schitterend!' Hamza begon te knikken, overduidelijk om Eden te laten ophouden met deze uitleg. Voor de zekerheid roemde Eden nog de geraffineerde weergave van de briljantjes in die gouden letters. Zeker als je bedacht dat het gedaan was met spuitbussen op pokdalig beton.

Ik hoorde aan zijn stem dat hij die briljantjes erbij verzon. Maar de twee Fransen hoorden het niet, die zaten ongerust te kijken naar die luidruchtige, druk gebarende Hollander met zijn gekreukte witte hemd waarvan de kraag zover openstond dat het grijze borsthaar prominent in beeld kwam. Ze hoopten vurig dat hij wat zou bedaren, zachter ging praten, zich minder verloor in niet ter zake doende details, zoals die achterlijke briljantjes. Hoe lang zou het duren voordat de obers iets gingen zeggen van al het misbaar?

Jacques keek met een uitgestreken gezicht naar Eden, schonk een glas vol met mineraalwater en zette het naast het bord van Eden. Nogal hard. Een diagnose, een dwingend advies, een verwijt.

En ik schommel mee door de Parijse nacht, langs lauwe straten die stinken naar de vuilniszakken van de winkels en restaurants die al aan de trottoirband staan. Er komt nog een vleugje diesel bij van de passerende bussen en taxi's, en de warmte maakt alle geuren dikker en zwaarder, ook als we de Afrikaanse nachtwinkel voorbij lopen; vanuit die witbetegelde, neonverlichte grot, overvol met kleurige verpakkingen en open dozen, drijft ons een geurmozaiek tegemoet waarin bloemenparfums, maar ook groenten, koffie, rottend fruit, drank en exotische schoonmaakmiddelen vallen te ontdekken.

Moe en nogal wazig van het eten en drinken slenteren David en Eden naar het hotel. Snel gaat het niet. Hoeveel energie Eden er ook aan besteedt, zijn stappen zijn maar klein. Nu er minder omgevingslawaai is hoor je het slepen van zijn linkerschoen over het trottoir. En het snuiven van zijn ademhaling, het tikken van de ebben stok. Iedere stap is een klap van een bokser die zijn tegenstander op afstand houdt en hoopt te slopen voordat hijzelf omvalt. Zo knokt Eden zich naar het einde van de dag.

En ik ben Edens wijfie, zo noemt ie me, een verlengstuk van zijn lichaam, als in: het mes van de jager, de cello van Yo-Yo Ma. Op mijn toetsenbord maakt hij al twintig jaar al zijn werk. Mijn letters, het papier dat langs mijn wals is gegaan, hebben Eden in leven gehouden, zijn geest in evenwicht, zijn eenzaamheid draaglijk. Maar ik hoor ook bij het theater van zijn verschijning in het openbaar. Ik ben ook een gimmick, een rekwisiet. Hij neemt me overal mee naartoe. Net als zijn slepende been, de wijd openstaande witte hemden, zijn gewonde grimas en zijn warrige grijze krullen ben ik een onmisbaar onderdeel van wat een cartoonist van Eden Wildervank zou maken.

Ik hang aan Edens schouder in de holster en zwaai langs zijn heup heen en weer. We zijn onafscheidelijk. Eden nam mij in bezit toen hij verbleef in de werkruimte van zijn toenmalige vriendin, Lisa, een uit Oost-Duitsland afkomstige tekenares. Ze verpleegde hem na zijn motorongeluk in 1993. Toen hij ontslagen werd uit het ziekenhuis, na de eerste zes maanden revalidatie die nodig waren door het ongeluk en het coma, bleek dat hij geen vaste woon- of verblijfplaats had. En hij weigerde resoluut in te trekken bij familie. Lisa woonde in Utrecht en bood hem onderdak; ze kende hem uit Groningen, waar ze een blauwe maandag filosofie gestudeerd had. Nu was ze een tekenares, gewoon met een 3B-potlood op reusachtige roomwitte papieren vellen. Ze werkte ruim een maand dag in dag uit aan zo'n beeld en rolde het dan op. Je kon vervolgens met gemak weer een maand kijken naar zo'n metersgrote tekening, zoveel was er te zien. Geliefden die elkaar te lijf gingen, avonturen van een witte labrador, eindeloos herhaalde versies van de ingang van een onheilspellende grot, die de diepte in leidde, dieren die zichtbaar blij waren te zijn voorzien van mechanische protheses, ook al was niet helemaal duidelijk waar hun nieuwe ledematen voor dienden.

Eden heeft met zijn pijnlijke halfdode been en hersens van roerei een jaar liggen lezen en leren tekenen op de slaapbank in Lisa's atelier. En recht tegenover die bank was de stellingkast waar ik stond, tussen stanleymessen, potten met pigment, lijmsoorten en dozen met stiften, kleurpotloden en penselen. Een enkele keer had Eden gezien dat Lisa mij gebruikte, maar altijd ging dat zuchtend en met tegenzin. Meestal betrof het subsidieaanvragen of ambtelijke brieven. Al snel bood hij aan dat ze hem dicteerde vanuit haar schrift, zodat haar de ergernis van het typen en de fouten bespaard bleven. Zo leerden we elkaar kennen, Eden en ik.

Toen kwam de dag dat hij weer zoveel energie had dat hij plannen ging maken voor het vervolg van zijn leven. Daarin was een grote rol weggelegd voor het tekenen met potlood dat hij van Lisa had geleerd, en voor mij. Kort na het maken van de plannen kwam de dag van zijn vertrek. Dat betekende het abrupte einde van de op gedeelde droefheid gebaseerde band tussen Eden en Lisa. Ondanks de schuchtere seks die af en toe op de slaapbank werd bedreven, was er officieel geen liefde tussen hen, maar ze waren wel méér dan vrienden geworden, natuurlijk, na een jaar logeren. *Eine Art Familie*, noemde Lisa het, wat Eden deed huiveren en hem benauwde.

Een norse Groningse neef met rood stekelhaar in een Ford Bedford-bus kwam hem halen, en toen alles erin zat vroeg Eden of hij mij – die Olivetti van je – mocht hebben. Als aandenken en talisman, noemde hij het. Hij beloofde haar brieven te schrijven en zijn hulp als ze weer aanvragen en formulieren moest inleveren. Hij kuchte van opwinding terwijl ze terug het huis in liep. Zij haalde mij uit het atelier, huilend, niet omdat ze mij zou missen, maar om hem.

'Zeg het nou gewoon, man.' De stem van Eden is laag en zijn mond articuleert slordig.

'Wat?' vraagt David, waarop Eden stilstaat en diep uitademt.

'Mijn god! Je zit al een uur te draaien en op je lippen te kauwen. Zeg in godsnaam gewoon wat je dwarszit. Ik haat dat wijverige gedoe.'

Edens ruwheid lijkt David te verlammen: hij staart met een slap gezicht naar mijn baas. Akelig blauw neonlicht stroomt vanuit de etalage van een gesloten bakkerswinkel over de gestaltes van de twee. Een lege straat, een geasfalteerd trottoir, een paar uren nacht tot de volgende zomerdag alweer de broeierige stad inrolt. Ze zijn nog maar twee dagen onderweg samen en staan al lijnrecht tegenover elkaar.

'Ik snap niet dat je helemaal naar Parijs komt en met veel moeite twee boeiende types strikt, hun peperdure maaltijd betaalt, alleen om ze dan als een opgefokte lomperik de les te lezen. Het idee was toch dat je je voordeel zou doen met hun reactie op het Phoenix Project? Met hun kennis en ideeën? Daar heb ik niks van gemerkt.'

Eden staat stil. Even is het alsof hij zonder met de ogen te knipperen gaat uithalen met zijn wandelstok. Er schiet een kleine schrikbeweging door Davids schouder. Hij balt zijn vuist en voorkomt nog net dat hij zijn arm omhoogbrengt om zijn hoofd te beschermen.

Eden ademt snuivend uit en grinnikt.

'Ah, de evaluatie is begonnen. Luister, ik heb eerst met Jacques en Hamza gecorrespondeerd. Mij leek dat ze begrepen waarmee ik bezig was en dat ze met verbanden zouden kunnen komen die het project sterker maken. Dingen waaraan ik niet gedacht had.

Ze hebben zich goed kunnen voorbereiden op onze ontmoeting. Ik fêteer ze nog als extra prikkel en waar komen ze mee? De een zegt dat we qua culturele trend helemaal goed zitten, maar dat hij eraan twijfelt of het de enorme investeringen waard is, dit specifieke product. Volgens hem kan het zichzelf nooit terugbetalen, te exotisch. De ander maakt na wat omwegen het idee van de eenentwintigste-eeuwse schrijfmachine verdacht met oud-linkse flutanalyses en zegt met zoveel woorden vooral dat hij zijn handen niet vuil wil maken aan iets commercieels. Toen was mijn geduld op!'

Het zweet staat op Davids voorhoofd. Hij sluit even de ogen om zijn gedachten op orde te brengen en mompelt oké. Door de straat komen twee open sportwagens aangescheurd, afgeladen met uitgelaten feestvierders. In de achterste staat een meid in een paars metallic glanzend topje, de armen omhoog, een glas in de hand, een grote zonnebril op haar gladde, glanzende gezicht. Ze joelt en haar lange donkere haar wappert achter haar aan. Als ze passeren klinkt de claxon, meteen gevolgd door gegil en lachsalvo's. Als het weer stil is kijkt hij Eden recht in het gezicht.

'Maar wat Jacques zei, over het wegwerpkarakter van de informatiestroom waarin mensen leven, het besef van vergankelijkheid en tragiek, dat mensen in mechanische cultuur projecteren, die solidariteit tussen machines en lichamen, dat zijn toch waardevolle ideeën? Dat er een nieuwe ontroering is ontstaan rondom oude machines, daar is wat mee te doen. Jij maakt al twintig jaar werk dat esthetisch leunt op de versmelting van handschrift, tekening en machineschrift daar kun je toch wat mee?'

'Jezus man, het gaat niet over mijn werk!' Edens stem is hard en rauw. Hij begint weer te lopen. 'Ik kan me goed indenken dat Brent af en toe gek van je kon worden. We zijn hier niet om ons werk te verdiepen, goddomme! Dit zijn záken. Alles wat die Jacques zei weet ik allang, en beter dan hij, op mijn eigen manier, ze hebben me allebei zwaar teleurgesteld. Aan al hun intellectuele gelul hebben we niets, ben ik bang.'

Zwijgend leggen ze de laatste paar honderd meter naar het hotel af. Onderweg vang ik Davids verlatenheid op; het noemen van Brents naam heeft hem gestoken. Hij voelt een schaamte die hij ook tegenover Brent kon voelen.

Op de kamer van Eden word ik met holster en al op het bureau gelegd. Eden heeft David geprest om nog een afzakkertje te drinken, geweldige Irish whiskey, Connamara, waar je de zuivere eenzaamheid van de westkust in proeft, ziltig als de Atlantische Oceaan, met een zweem van rotsen en veen.

'Ah, levend water,' zegt Eden met zijn laagste keelstem na de eerste slok, en hij zakt onderuit in een fauteuil. David zit ertegenover en bladert door een blad met uitgaanstips en advertenties voor tentoonstellingen dat op tafel lag. Dat duurt tot David het blad weglegt en Eden zijn keel schraapt. Ze kijken elkaar even aan.

De stilte die volgt is de stilte die er viel in de nacht na de wedstrijd tegen Brazilië, toen ze tot de ochtend bleven praten en drinken in Zeist, omringd door de omfloerste zonsopkomst in het bos en de vogels met hun uitgelaten gefluit. Hier zijn het nachtbussen, vuilniswagens en taxi's, doorgespoelde toiletten en een enkele politiesirene die het achtergrondgeluid verzorgen.

Sinds die nacht is mijn geest vaardig over dit koppel en kan ik vertellen over deze twee verdwaalde mannen. Eden had net zitten vertellen over zijn jeugdwerk, die zoekgeraakte streekroman waarover zijn zus Anja zich zo had opgedraaid de afgelopen weken. Nou, een ramp dat die grotendeels verloren was gegaan vond hij dat niet. Het was een nogal saai en dik verhaal, helemaal gegijzeld door wat Eden noemde 'de overlevingsstrategie van de weg van de minste weerstand'.

De verteller in het boek was een slome, iemand die precies degene probeert te zijn die iedereen met rust laat. Al de intriges van de zussen en buurmeiden, het geweld en de zakelijke onstuimigheid van de ooms, de sluwheid van vader en de vergeefse opstandigheid van zijn broer en diens vrienden, het hysterische slachtofferschap van zijn zus Anja, alles werd beschreven vanuit de leegte die de hoofdpersoon opzocht. Het resultaat: slappe hap.

Eden gaf onmiddellijk toe dat het oprecht was, die manier van schrijven. Maar ook laf.

'Zo was ik ook. Ik verstopte me, ik schuilde in een familie, een straat, een buurt, ik had er een plek, ik hoorde erbij, maar ik accepteerde de prijs: alleen door een initiatiefloze, slome loser te zijn mocht ik erbij horen. Iemand die zijn bek hield en geen eisen stelde.

Ik denk wel eens, er zijn me drie rampen overkomen, en die hebben me gered. De eerste is de vroege dood van mijn ouders, de tweede is de vernederende chaos waarin ik mezelf vervolgens bracht en grote delen van dat manuscript kwijtraakte. En de derde is het motorongeluk, en de onherstelbare schade waarmee ik achterbleef. Dat was een harde reset. Alles kapot. Er was helemaal geen wereld meer om me heen om me bij aan te passen. Ik moest wennen aan het idee dat er niets meer in het verschiet lag voor mij.'

En toen, moeizaam overeind komend, boerend en zwaaiend op zijn zwakke linkerbeen, was hij naar de kast gelopen, had mij uit het leren foedraal getrokken en in een gevaarlijk zwiepende beweging terug naar de tafel gebracht. Ik kwam zo hard op tafel neer dat mijn hamertjes op en neer stuiterden. De naar Gauloises stinkende hand van Eden spreidde zich over mijn behuizing, klam van het zweet en dwingend. Hij keek David aan, die weer was gaan zitten, ze waren allebei doodmoe, halfdronken. Ontvankelijker ogen dan nu zouden ze wel nooit hebben voor elkaar. Mijn kans.

'Dan word ik verdomme maar een kunstenaar, dacht ik, en het enige wat ik kon was schrijven en een beetje tekenen. Nou, dat zouden dan mijn kunstwerken zijn en ik moest iedereen die er iets in zag verslaafd maken. Ook al begrepen ze er geen zak van. Dus ik begon in drie mappen met drie feuilletons zonder einde. Dat houd ik al bijna twintig jaar vol. Eentje over een reis van drie losers die zakkenrollend, zwartwerkend en als straatmuzikant door Europa trekken en altijd gaat het erover, hoe houden we hiermee op, wie haakt er af en waarom? De wereld bekeken vanuit de weigering volwassen te worden. Een tweede vervolgverhaal gaat over een huis met drie bevriende echtparen en hun kinderen, die op verschillende verdiepingen leven, en de onverteerbare fata morgana's van de liefde, het gewone leven in al zijn hilarische en gruwelijke gedaantes. De derde map bevat de belevenissen van een los-vaste groep van kleine misdadigers, of moet ik zeggen, ondernemertjes in kwade zaken. Louche vrije jongens. Dat is een ideaal podium om in fictieve vorm commentaar te leveren op de maatschappij, de politiek, de media.

Ik maak alles op zwaar tekenpapier, en alleen met dit ding, de machine van Lisa, en met een stel potloden. Soms plak ik er een foto in van een plek, een interieur, een stel mensen. Vaak tik ik om de beelden heen, of laat ik ruimte vrij voor een foto. Soms voeg ik met een pen wat woorden toe. Ieder blad moet een innerlijke samenhang hebben. Alles wat ik doe is zwart-wit en grijs. De kleuren zitten in de hoofden van de mensen die kijken en lezen.

In het begin kostte het me moeite er in de kunstwereld belangstelling voor te vinden, maar uiteindelijk vond ik een circuit van mensen die afkomen op juist dit type werk, iets tussen grafiek, literatuur en conceptuele kunst in. Ieder jaar stel ik de nieuwe bladen tentoon, gewoon met spelden tegen een muur, op een rij, en een galerist maakte er een losbladige map met perfect gedrukte facsimiles van, op identiek papier, een beperkte oplage die voor grof geld wordt verkocht. De originelen verkocht ik na een tijd ook, maar alleen aan mensen die ik echt vertrouwde. Ik heb inmiddels een netwerk van trouwe liefhebbers en kopers, drie galerieën, ik kan ervan leven, maar gelukkig wordt er nauwelijks over geschreven in kunstbladen. Het is een niche, net als etsen, glaskunst, ondraagbare futuristische mode of machinekunst.'

En vanaf het moment dat hij een van zijn mappen tevoorschijn haalde, een zwarte kartonnen doos waaruit hij de dikke betekende en betikte vellen haalde, voelde ik een vuurtje ontvlammen in Davids borst. Het licht en de warmte die dat vlammetje door zijn lichaam verspreidde waren een mengsel van bewondering, ontroering en ook een vorm van afgunst. De drie rampen hadden Eden uiteindelijk bevrijd van zijn schroom en zo kwaad gemaakt dat hij geen geduld meer had met iets anders dan de ideale vorm om zijn herinneringen, spookgedachten, wensdromen en grappen in onder te brengen. Hij pakte het geld van de vreemden en kennissen die hem erbij wilden steunen, en voor de rest had hij met niets of niemand iets te maken. Toen David zocht naar Eden en zijn werk bleek er nauwelijks over gepubliceerd te zijn. Pure tijdverspilling, had Eden gezegd toen David ernaar vroeg. 'Ik ontmoedig publiciteit, de mensen die begrijpen en waarderen wat ik doe hebben al die prietpraat toch niet nodig.'

God, wat vond David die bladen mooi, en tussen de aandoenlijke tekeningen en groezelige foto's van uitgewoonde kamers en mannen bij betreurenswaardige auto's stonden prachtige zinnen. Hij keek naar de kleine felzwarte letters die ik in het papier geslagen had. Edens eenzaamheid was in dit onwaarschijnlijke project tot bloei gekomen. Tastend, maar met grote kracht. Dit was Edens manier om schrijvend te leven.

In de stilte, in het grijze vroege boslicht, waarin Eden achterover leunde en diep uitademde, omdat hij voelde dat David zich gewonnen had gegeven, in die stilte maakte David een instinctief gebaar om nog dichterbij te komen en legde zijn hand op mijn behuizing. Streelde het aluminium, keek naar mijn roerloze toetsen die trots verwezen naar de honderdduizenden woorden die ik voor Eden geschreven heb. Daarmee was de kringloop rond en verkreeg ik mijn spreekrecht. Vrienden zijn het niet, maar David en Eden maken deze reis in mijn geest, geboren in die stilte in Zeist.

Over de stilte hier, tussen Eden en David, in de hotelkamer in Parijs hangt een dreiging. Niet dat David en Eden zich ervan bewust zijn, maar ik ben het des te meer. Hij gaat uit van de spookgestalte van de Phoenix Typewriter, een voorlopig nog denkbeeldige schrijfmachine. Het is een overmoedig luchtkasteel, waar ik niets van moet hebben. Ik zal er mijn best voor doen David zo veel mogelijk weerstand te laten opbrengen tegen Edens wraakzuchtige dromen van makkelijk geld. Want dat steekt erachter. Dat is ook de oorzaak van zijn ongeduld en opvliegendheid. Deze reis moet in krap twee weken met bluf het plan van de Phoenix Typewriter omtoveren tot een potentieel succesproduct. Hij ziet zichzelf al de show stelen met het hypermoderne paradepaardje en binnenlopen met iets dat chic, hip en authentiek tegelijk is; de gouden greep. Dan kan hij mij aan de kant schuiven. Want hij heeft er genoeg van om van de hand in de tand te leven, hij brengt het niet meer op, hij voelt zich oud worden met zijn beschadigde lijf. Eden geeft het niet toe, maar het vuur is uit zijn feuilletons aan het verdwijnen en hij weet niet of hij het nog kan oppoken.

Dit is een stilte tussen twee mannen die verwachtingvol naar elkaar kijken op een moment van stuurloosheid in hun levens. Tijdens een reis van nergens naar nergens om een denkbeeldige schrijfmachine te verkopen. En zoals het gaat, weten herinneringen die zich langs de kant van de weg verscholen houden zulke onbezette momenten feilloos te benutten.

Eden komt overeind, nipt aan zijn whiskey en prikt met zijn

stok tegen Davids been. Hij weet dat dat overbodig en ergerlijk is, daarom doet hij het. Net iets te hard ook.

'Dat vroeg ik me destijds af, toen jij en Brent een schrijversduo waren, hoe lang waren jij en Brent nou werkelijk samen één schrijver, na dat gezamenlijke debuut? Ik liep hem wel eens tegen het lijf in die tijd, en ik kon moeilijk geloven dat hij zich goed voelde bij dat idee.'

Nu is Edens grimas wel degelijk een grijns, die de stilte in deze Parijse nacht radicaal van kleur doet verschieten.

David heeft het gevoel dat het bloed uit zijn hoofd wegzakt. Er lijkt te weinig lucht in de schemerige kamer.

'Een duo,' zegt hij zacht. 'Het idee was dat we als duo vindingrijker, moediger en vrijer waren dan apart. Dat we samen geen last van onszelf zouden hebben, alleen maar plezier van de verschillen.'

'Wees nou eens eerlijk, man! Het eerste wat jullie daarna deden was ieder apart een boek schrijven. Die duo-act was voor de publiciteit, om stukjes en columns te kunnen publiceren, en op te treden of op de tv te komen. Om op te vallen en erbij te gaan horen.'

Eden zegt het snel, bijtend. Alsof hij met ongeduld heeft zitten wachten tot hij het kon zeggen.

Davids stem klinkt dof. Hij begint te zeggen dat ze nauwelijks dertig waren en in een jaar tijd hadden veroverd waar ze al jaren samen van droomden: een schrijvend leven, en het was geen wonder dat het aanvankelijk vooral een kwestie was van lol trappen.

'Na ons debuut werden we gevraagd door bladen waar we daarvoor nooit een voet aan de grond kregen. We deden opeens dingen voor de radio, kleine schrijfklusjes voor de televisie, er waren uitnodigingen voor verzamelbundels en themanummers. We buitten ons duo-schap uit, natuurlijk, vooral door een maffe en absurde draai aan alles te geven. Achter onze eerste computers zaten we samen soms happend naar adem van de slappe lach aan een column te schrijven. En als we moesten voorlezen in een bibliotheek in de provincie tussen een gevoelige romancière die in ieder boek haar weggelopen vader bezingt en een als een kantoorpik ogende producent van degelijke historische romans, dan beschouwden we ons optreden als een practical joke. Soms met alle pijnlijke gevolgen van dien. Dat samenschrijven van ons had ook iets van in een bandje zitten, snap je. Twee kwajongens tegen de wereld.'

Eden snuift en leunt voorover. 'David, ik heb het over wat anders. Meteen na dat debuut bleken jullie heel verschillende literaire ambities te hebben, en dat verstopten jullie achter die commerciële façade. Jullie verzwegen het tegenover elkaar volgens mij. Ik volgde jullie en het was heel duidelijk een act die jullie opvoerden. Wij zijn de nieuwe schrijvers, met schijt aan het hele literatuurbedrijf. Terwijl jullie op heel verschillende manieren erkenning zochten. Waren jullie daar eerlijk over tegen elkaar? Ik dácht van niet...'

David besluit niets meer te drinken; hij voelt de woede opkomen als kokend water. 'Man, dat afschuwelijk veroordelende toontje van jou. Natuurlijk hadden we het erover dat Brent heel andere boeken wilde gaan schrijven dan ik. In onze vriendschap was daar alle ruimte voor. Hoe dat bij de buitenwacht zou vallen, en wat voor gevolgen dat kon hebben, daarvan hadden we niet zoveel benul, vrees ik. Belangrijker was dat we allebei geloofden dat we samen ook boeken zouden blijven schrijven. Het vervolg. Dat was geen act, het was serieus. We maakten een lijst met titels en trefwoorden, het moest een hele reeks worden. Het ene zou geschreven worden in de vorm van een reisboek, het andere als een politieroman, weer een ander als een filmscript en nog eentje als een verzamelde correspondentie. Het was enthousiasme, jongensbravoure. Commercieel was het helemaal niet slim. We moesten altijd erg lachen als we terugkwamen van gesprekken op de uitgeverij. De mensen daar hoorden ons met knipperende ogen en hoofdschuddend aan. Ze hielden hun hart vast. We wilden zo veel mogelijk plezier aan onze positie en mogelijkheden beleven, en op die manier maakten we ruimte voor de bloedserieuze zaken waar we nu iets minder onzeker over waren geworden.'

'O, jullie wilden opeens ook nog serieus genomen worden als grote kunstenaars, bedoel je dat?!' sneert Eden en hij verwordt in een paar tellen tot een valse kobold, zoals ik vaker heb zien gebeuren, en dat liep soms uit op handgemeen en sneuvelend glaswerk. Vooral dat gesmoorde hinniken wat hij doet als hij om zijn eigen sarrende opmerkingen lacht is afschuwelijk. Hij doet het nu weer, onuitstaanbaar is het. En hij tikt er ook nog bij met zijn stok op de vloer!

Nu staat David op. Hij haalt zenuwachtig zijn handen over zijn gezicht en hij krabt op zijn hoofd. Hij klinkt alsof er een grote sterke hand om zijn keel zit.

'Luister Eden, ik dacht dat ik met jou kon praten over het verhaal van Brent en mij. Dat is een van de redenen waarom ik met je op pad ben gegaan, weet je nog? Maar als je mij meegenomen hebt om me iedere avond af te zeiken, ben ik snel weg. Ik heb geen zin in rancune en zelfrechtvaardigingen, twee weken lang. Ik heb de indruk dat je altijd een obsessie met mij en Brent hebt gehad, als voorbeelden van hoe het niet moest en van wat er allemaal niet deugde aan de literatuur, en nu moet ik voor straf iedere dag horen hoe slap en laf en teleurstellend wij waren en hoe geweldig stoer en authentiek en briljant jij gebleven bent. Daar ga ik niet aan meedoen, kameraad.'

Eden luistert met de kin op de borst, en David kijkt naar de vermoeide, dronken gestalte, neergekwakt in de nepantieke fauteuil. Even schiet het door David heen: nu doet hij zich beschonkener voor dan hij is, hij wil zijn valse uitval wegpoetsen.

'Sorry, man.' Eden schiet omhoog uit de stoel, veel sneller dan David voor mogelijk had gehouden, en staat opeens pal voor hem, de gloeiende karamelkleurige ogen opengesperd.

'Ik beloof je: geen gekanker meer. Ik snap dat je over Brent en jou wilt praten, en ik heb daar ook zinnige dingen over te zeggen, denk ik. Maar niet nu, niet vanavond. We moeten gaan slapen en ons op Milaan voorbereiden. Het laatste wat we moeten hebben is dat het verleden onze samenwerking in de wielen rijdt, toch?'

David zet het glas whiskey, waar hij maar een enkele slok uit gedronken heeft, zachtjes neer vlak naast dat van Eden. Bij het verlaten van de kamer steekt hij zijn hand op, zonder om te kijken, en gaat naar bed in zijn eigen kamer.

Eden hoort David het slot op de deur draaien. Stomme driftkop, kinkel, scheldt hij op zichzelf. Natte lippen. Halfopen mond. Opkomende hoofdpijn. Snuivend en steunend, met gesloten ogen ontdoet hij zich van schoenen, sokken, broek en overhemd. Alles in een grote prop naast het bed. Hij valt klam van het zweet in slaap, voorover op het brede bed, en brengt het niet op de lichten in de kamer te doven.

David kan niet slapen. Door de warmte weet hij niet goed hoe hij moet liggen, en hij eindigt plat op zijn rug. Hij concentreert zich op zijn ademhaling en legt zich erop toe zijn buik op en neer te laten gaan op een eb-en-vloedritme van lauwe lucht. Diep uitademen, en dan rustig wachten tot dankzij de onderdruk de longen vanzelf weer vollopen, net als het water stil en onverbiddelijk uit alle richtingen terugstroomt als je een geul graaft aan de vloedlijn op het strand.

Ondertussen stelt hij zich een tuin voor op een frisse, zonnige lentedag. Tussen twee appelbomen is een lijn gespannen met daaraan een groot wit tafellaken. Het hangt zacht te wiegen in de zon. David doet of het brandpunt van zijn aandacht een film-camera is en zoomt vanaf een afstand rustig in op het witte laken. Tuin, hemel, bomen, grasveld verdwijnen; hij valt voorover in het stralend witte weefsel.

Daar treft hij niet de slaap, maar herinneringen. Zoals de kille ochtend, grijsbewolkt, dat hij Tessa van de boot haalde waarmee ze aankwam op het Griekse eiland waar hij na het gezamenlijke debuut zijn eerste roman zat te schrijven. Hij woonde er al een maand alleen in een klein appartement aan de kustweg, met een Macintosh en veertig kilo filosofieboeken. Het plan was om in een vrolijke, springerige roman afscheid te nemen van de filosofie en na te vertellen hoe hij, zigzaggend via kinderfantasieën, reizen, beeldende kunst, muziek en literatuur een eigen weg gevonden had. Het was bij vlagen doodeng, die eenzaamheid rondom het eigen weggetje. En het kon gemeen koud zijn 's nachts, zeker als je bang was dat de hele onderneming uit zou lopen op een gigantische mislukking. En nu kwam Tessa en ze had drie dikke enveloppen bij zich van Brent. Deels uitgeprint, deels op de oude Erika geschreven waren ze, tientallen pagina's met *Brents Berichten*. Dat stond erboven. Brent logeerde op Davids verdieping, omdat het niet meer ging tussen hem en de vrouw met wie hij samenwoonde en hij had zo snel geen nieuw huis. Drie maanden in het sobere maar prettige appartement van David was een opluchting.

En dus schreef Brent over de wasmachine, dat die zo heerlijk draaide. Over de brave zwarte man die het konijnenhok verschoonde op het balkon in de binnentuin, en met zijn huishoudhandschoenen aan de keutels verwijderde alsof het diamanten waren en zijn dikke bleke vriendin die hem rondcommandeerde. Hij schreef over de boeken die hij las, over wat er op de radio was, over wie hij in het café zag, over boekbesprekingen in de krant en koddige uitspraken van de bondscoach. Over dat hij omkwam in de zee aan materiaal voor de roman die hij aan het schrijven was.

Over aan lagerwal geraakte kennissen van vroeger en lucifer-doosjes.

Het was overdonderend, die armvol met brieven, de oogst van de eerste maand. Er waren nog eens twee enveloppen met knipsels uit kranten, de *New Yorker*, *Vanity Fair*. David was er beduusd van. Het was een raar woord tussen kameraden, maar hij vond het zo verrassend lief van Brent. Hem van verhalen en vermaak, nieuwtjes en moois te voorzien in zijn eenzaamheid. Brent moest iedere dag uren hebben besteed aan dit pakket. Onder in de dikste envelop vond hij nog een cassette, waarop ook met hanenpoten *Brents Berichten* stond geschreven. Hier verzorgde hij gesproken commentaar op de televisie, anekdotes van de dag en nam hij lekkere muziek op. Fijne oude soul en stampende outlaw-country. Tussen de galmende betonnen wanden van het Griekse appartement klonk de krakende stem van Brent alsof ze nog dagelijks aan een gezamenlijk boek werkten. Wie is er nou eenzaam? dacht David. Ik op dit eiland, met mijn boeken, mijn werkschema, mijn meisje dat al na een maand aan mijn zijde is? Of hij? In mijn huis, omdat hijzelf geen huis heeft, zonder meisje, of beter: struikelend van het ene naar het andere meisje, spartelend in een vormeloze roman zonder werkschema, overduidelijk onrustig en te vaak dronken, tobbend over geld?

Iedere volle envelop: een uitgestoken hand, helpend en vragend tegelijk.

Dan brengt het witte laken een andere, donkerder herinnering naar boven. Het is avond, ze zitten op de grond op dunne kussentjes tegen een kale muur. Het is laat na de opening van een tentoonstelling van een bevriende kunstenaar en er is al heel wat bier en goedkope wodka doorheen. Vooral Brent heeft zich tegoed gedaan. David heeft maar half zoveel gedronken als de meeste anderen, hij moet regelmatig een geeuw onderdrukken.

Er zijn nog een kleine tien mensen, die in de weer zijn met hun drankjes en sigaretten. Gepraat wordt er niet veel meer. Het is winter en een houtkachel van bijna twee meter hoog verwarmt de expositieruimte. Het stinkt navenant en Brent roept om de haverklap dat hij gek wordt van die kunstenaars met hun stinkende houtkachels, hij meurt er dagenlang naar als hij bij zo'n gast op bezoek is geweest. Wanneer houden jullie daar nou eens mee op? roept hij, half als grap. Zijn gezicht staat geërgerd. Vol afschuw, zelfs. Een jongen met zwarte krulletjes en verbaasde ronde oogjes begint tegen David en Brent over hun volgende boek. Wat wordt het? Zijn ze er al aan bezig?

Brent leunt achterover en praat op een overmoedige, smalende toon. Zijn woorden knauwt hij tevoorschijn, alsof ze aan elkaar plakken met kauwgom. Zijn stem is hard, hij wil dat niemand een woord mist.

Het wordt een krankzinnig boek, al was het maar omdat hij en David steeds extremer worden. Hijzelf weet nu heel zeker dat hij helemaal niets te vertellen heeft. Geen verhaal! Geen fantasie! Hij kan alleen goed om zich heen kijken en reageren op wat hij hoort en ziet. Verder heeft hij geen idee. Nul!

'Terwijl David hier, die verzint de gekste verhalen aan de lopende band. Die heeft allerlei obsessies en hij borrelt van de ideeën. Altijd ideeën, het is om bang van te worden! Hij is nieuwsgierig naar hele rare dingen! Een jonge onderzoeker! En hij kan ook nog high worden van filosofieboeken, echt, het is een theoriejunkie, denk ik wel eens!'

De paar keer dat Brent David die avond aankijkt na zijn uitbarsting staan zijn ogen donker, boos en uitdagend. David ziet het en zwijgt. Hij doet zijn best helemaal niet te reageren. Geen gezicht te trekken, niets te zeggen. Niet boos weg te lopen. Het heeft geen zin tegen Brent te zeggen dat het hem kwetst, omdat hij allang weet dat zijn compagnon zich soms gevangen voelt in de samenwerking. Dat ziet er met toevoeging van genoeg drank blijkbaar zo uit. Dus een stap terug, ruimte geven, geen deining, dat is het beste. David was er zeker van dat Brent besefte wat hij deed. Dat wil zeggen: destijds. Inmiddels weet David ook wel dat ze allebei op goed geluk en op de tast leefden.

Vlak voordat hij in slaap valt is David met deze twee herinneringen dichter bij Brent dan wanneer hij hem een brief probeert te schrijven. Omdat hij slaapwandelt door zijn geheugen en niet schrijft. Kon hij maar slaapwandelend schrijven, denkt hij nog, op de valreep, vlak voordat hij passeert door de kier in het gordijn van de slaap.

Edens scheve gezicht maakt fluitende geluiden als zijn adem uit zijn vlezige borstkas ontsnapt.

David slaapt met een droevig gevoel in zijn buik en de dansende vlammen van de houtkachel voor ogen.

Buiten ontwaakt Parijs alweer, dat wil zeggen, het eerste zonlicht beschijnt de smog, de treinen schommelen over de ijzeren bruggen, nog even en het verkeer op de gloeiend hete rondwegen loopt vast.

In de droom die David die nacht heeft is hij samen met zijn zoon Kasper op bezoek bij Peter Handke. Zijn zoon is jonger dan in werkelijkheid, het is een jochie van een jaar of elf, met kort stekelhaar, in een te groot T-shirt. Handke woont op een plein in een Duitse stad. Tussen hoge gebouwen neemt een enorme tent een kwart van de parkeerplaats in beslag. Als ze binnenstappen zien ze de dikke bruine zeildoeken, overeind gehouden door stalen balken vijf meter boven hun hoofden, deinen in de wind. Er liggen vloerkleden, er staan kamerschermen, tafels, kisten met boeken en cd's. Veel matrassen. Zonnepanelen geven energie voor koelkast, geluidsinstallatie, computer, een kopieermachine.

Ze gaan zitten op een van de sofa's die her en der door de tent staan. Handke is een schrale jongensachtige man, maar met een uitgedroogd, rimpelig gezicht. En een grote stalen uilenbril. Het is niet prettig hem aan te kijken. David wordt er nerveus van en krijgt het een beetje koud, terwijl het toch heerlijk weer is. Handke schenkt thee in en wil zijn gasten entertainen, van alles vertellen, maar wordt steeds onderbroken door mensen die zich bij de tent melden. Mensen van buurtcomités, een gemeenteambtenaar, fans en een enquêteur. Dat leidt steeds tot ergernis en pittige woordenwisselingen. Wanneer Handke dan weer bij hen komt zitten maakt hij sarcastische opmerkingen over de mensen met wie hij een aanvaring heeft gehad. Hij draait vage wereldmuziek voor ze, met trommels en fluiten. Soms kijkt hij een tijdje naar het tentdak en zwijgt, alsof hij zijn bezoekers dwingt met hem naar de muziek te luisteren.

David legt een hand op het been van zijn zoon en kijkt naar het wapperende tentdoek boven zich. Eerst overheerst er een gevoel van teleurstelling, maar na verloop van tijd is er ook bewondering of zelfs afgunst. Dit is een leefwijze die totale toewijding aan het schrijven uitdrukt. Praktisch is het niet, maar Handke zit midden in de stad, heeft alles om te schrijven, wat hij zoals bekend doet aan een houten tafel met een potlood. Die tafel staat een beetje achteraf. Op het tafelblad: een beker met potloden en een stapel gebonden schriften.

Van een verleden, een familie, geliefden of dierbaar bezit geen spoor. Handke vertelt dat hij op het punt staat te verkassen. Er zal een vrachtwagen komen, de mannen zullen de tent en de inhoud ervan inladen en dan kan hij vertrekken. Hij vergelijkt het met de *slash-and-burn*-landbouw van primitieve volken in het regenwoud. Over twee weken zal zijn tent op het marktplein van een Baskische provinciestad staan.

Hoeveel moeite Handke ook doet een opgewekte en goede

gastheer te zijn, het lukt niet al te best. Door zijn stugheid en prik-kelbare humeur loopt het gesprek steeds vast. Er vallen pijnlijke stiltes waarin Handke naar zijn op en neer wippende voet kijkt. David voelt zich opgelaten en Kasper kijkt hem vragend aan. David staat op om weg te gaan en vraagt Handke bij het handen-schudden waar hij toch zo boos op is. 'De wereld is een schan-daal!' zegt Handke, alsof David een domme vraag heeft gesteld.

'Hoe zoetgevooisd de dichter ook zingt, het lied welt op uit een bron van verontwaardiging. Vanuit de diepte.'

(Dezelfde Olivetti Lettera 22, twee dagen later, in een buiten-wijk van Milaan, aan de snelweg naar het zuiden, in een kamer op de zevende verdieping van het Milan Business Palace, dat eruitziet alsof een stel Chinezen een luxe ogend hotel voor niet al te hoge managers hebben bedacht in het Italië van Berlusconi. Teakhout in hoogglans, roze marmer, donkerpaars tapijt in de gangen en getinte spiegels in de liften. De kamer bestaat eigenlijk uit twee kamers, met een open harmonicaschuifdeur ertussen, bekleed met cognac-kleurig skai, de schrijfmachine ligt op een bed, in het leren foedraal, het is kil in de kamer dankzij een ijzig afgestelde AC-installatie, in de zomer van 2010.)

Ze waren al laat door de file op de Milanese rondweg en ze moes-ten opschieten om op tijd in het centrum te zijn voor de afspraak met Michele. David probeerde eerst Eden ervan te overtuigen dat een schoon overhemd niet genoeg was. Om er niet als een com-plete holenbeer uit te zien kon hij zich beter even scheren. Hijzelf stond dat namelijk al te doen en riep zijn advies naar de andere kamer door de open schuifdeur. Mopperend ging Eden aan het werk ('weet je wel wat een gepruts dat is met die verstijfde huid-plooien in mijn gezicht?!') maar uiteindelijk stonden ze tegenover elkaar als schooljongens voor het mondeling examen en namen ze elkaar op. Ze hadden gepoetste schoenen en waren fris geschoren; al droeg Eden geen jasje, zoals David noodzakelijk vond, ze zagen er casual maar verzorgd uit. Eden had zelfs bij hoge uitzondering zijn haren gekamd.

'Laat die schrijfmachine nou hier,' zei David en wees naar mij, bungelend aan Edens schouder.

Eden sputterde eerst nog tegen: dat een boer zijn mes niet thuis laat, of een zakenman zijn laptop. Maar de zenuwen over de ontmoeting met Michele maakten hem onzeker en uiteindelijk kwam ik midden op het bed te liggen. Omdat het volgens Eden in het centrum veel te warm en te druk was om met zo'n zware tas te lopen. David zei niets, maar hoopte vooral dat Eden op Michele zo wat minder snel zou overkomen als een artistieke dorpsgek.

Nu lig ik in de kille stilte van deze kamers en suite. David en Eden zijn zo snel als het slepende been toeliet naar het achter de parkeerplaats gelegen metrostation gelopen, door de brandende zon (345 meter volgens de jongen achter de hotelbalie) en ze zijn nu op weg naar het Milanese appartement van Michele. Hij is de jongere broer van een van Edens eerste en meest toegewijde verzamelaars, Emilia, die zijn werk ontdekte in New York halverwege de jaren negentig. Ze is klein, een frêle gestalte met een zorgelijk gezicht en donkergrijze ogen. Je denkt aan vilt, als je haar ziet. Een zachte bedachtzame vogel, lijkt ze, als je haar bestudeert terwijl ze in de verte kijkt en zwijgt. Ze heeft archeologie gestudeerd om haar vader een plezier te doen, maar trouwde al jong een man die Italiaanse designkeukens exporteerde naar Amerika en ziet het als haar werk kunstenaars te steunen als mecenas, verzamelaar en vriend.

Haar broer Michele is marketingmanager bij Visconti, een eind jaren tachtig in Florence opgericht bedrijf dat vulpennen in het topsegment maakt. Denk aan Waterman, Mont Blanc, Parker. Natuurlijk profiteren ze met hun luxe product van het historisch sterke imago van Italiaans handwerk, ontwerp en klasse, maar ze staan vooral bekend om hun technische vernieuwingen en de bijzondere materialen die ze gebruiken. Bovendien hebben ze een avontuurlijk marketingbeleid met veel speciale edities, die aanhaken bij jubilea en trends. Logisch dat Eden op Emilia's advies aan Michele een groot bestand stuurde met de tekeningen, de visie, de plannen voor de Phoenix Typewriter. Als er iemand weet wat er nodig is om een klassiek schrijfinstrument te presenteren als een onweerstaanbare mix van ouderwetse kwaliteit, modieuze luxe en hedendaags technisch vernuft, dan is hij het.

De vroege autoreis van Parijs naar Milaan verliep voor een groot deel in stilte. Zonder al te veel vrolijkheid hadden ze het over de wedstrijd tegen Uruguay die ze gemist hadden. In een samenvatting bij het ontbijt hadden ze zonder erbij te juichen het mooiste wk-doelpunt gezien: de 1-0 van Van Bronckhorst, die op twintig meter van het doel razendsnel van richting verandert en met een streep van een schot de doelman verslaat alsof hij er niet staat. Verder het antwoord van Forlán, de gemiste kansen van Van Persie en Robben. Maar ook de mazzelgoal van Sneijder en het mooie kopballetje van Robben.

Ze zeiden tegen elkaar dat het verbluffend was dat Oranje nu in de finale stond, maar erg opgewonden klonken ze niet. Ze wilden allebei de sfeer verbeteren en praatten dus plichtmatig over dit onderwerp dat geen kwaad kon. Ook al had het lot van het nationale voetbalteam inmiddels hooguit hun lauwe belangstelling, het bleef opzienbarend, de finale. Stel je voor, het veel betere Spanje zou toch zenuwachtig kunnen worden, in de war raken van de onverstoorbaarheid en het lef van de Nederlanders, die dan op het goede moment nog wat geluk hadden, door een opwelling van Wesley of een geniaal lobje van Van Persie dat erin ging, en ja dan konden ze zomaar wereldkampioen worden.

De lauwheid had ook te maken met de afstand tot het vaderland. Met z'n tweeën in een voortdenderende auto over een snelweg richting Alpen, waren ze ver van de zomerse rivierdelta waar men met ontbloot bovenlijf, een plastic Oranjemuts op en een fles bier in de hand in stamverband televisie keek, buiten op straat, onder slingers met bierreclame en bogen van oranje ballonnen, juichend of vloekend op vedettes en trainer, naast een walmende barbecue met kippenpoten.

Ik bevond me op de achterbank, pal in het midden, de zon scheen op mijn aluminium kast tot ik trilde, de auto schoot naar het zuidoosten, David reed, en naast hem, op de passagiersstoel die maximaal achteruitgeschoven was om het pijnlijke linkerbeen te strekken, zat Eden. Hij rookte aan één stuk door. Uit de luidsprekers kwam het Miles Davis Quartet, *Nefertiti*, 1967, zwoel en koel tegelijk, lieflijk en toch gereserveerd, stijlvol swingende meedenkmuziek, waardoor de tijd minder sleepte.

Dit is wat ik oppikte van de gedachten van de heren.

Eden: zijn humeur werd vooral bepaald door de spijt om zijn pesterige gedrag de avond ervoor. Hij vreesde dat hij David tegen zich in het harnas had gejaagd. Terwijl de hele reis juist als doel had hem voor zich te winnen. Ondanks Davids scepsis over de Phoenix Typewriter had hij hem mee gekregen op reis. Dat breekbare vertrouwen bracht hij nu in gevaar.

Zijn zus Anja was op hol geslagen nadat Eden haar voor het eerst sinds jaren een keer in vertrouwen had genomen. Een moment van zwakte waarin hij lucht had gegeven aan zijn sombere gedachten. De huisarts had hoofdschuddend gezegd dat zijn lichaam het zwaar kreeg door de roofbouw die hij er al jarenlang op pleegde. Zijn galerist zag de toekomst niet erg rooskleurig in. Hijzelf kreeg twijfels over de kwaliteit van het werk dat hij maakte; misschien was zijn project uitgeput en hij moe. Hij had geen kinderen en een handvol ex-vriendinnen. Er waren een paar echte vrienden aan wie hij weinig steun had omdat hij alle zorgen voor zich hield en te koppig was om toe te geven dat hij zich afvroeg of hij zijn leven niet vergooid had.

Hij was wel eens radeloos, had hij gezegd, en Anja had haar eigen conclusies getrokken. Vervolgens was het helemaal uit de hand gelopen. Maar haar hysterische toer had er wel voor gezorgd dat David in Zeist tegenover hem zat. Het geluk bij een ongeluk. David moest een vriend worden. En dat werd waarschijnlijker zolang hij Davids zwakke plek goed bespeelde, te weten zijn verleden met Brent Ramli. Bovenal moest David een compagnon worden. Met ieder gezamenlijk project zou het verleden lichter en de toekomst minder mistig worden. Het Phoenix-project zou alleen maar het begin zijn. Hij had geen idee hoe en wanneer, maar Eden nam zich voor open kaart te spelen en een emotioneel beroep op David te doen.

David: de autorit over de Autoroute des Titans richting Zwitserland riep herinneringen op aan de gezamenlijke vakantie die ze nog maar een paar jaar voor Brents dood ondernamen. Rijdend vanuit Parijs worden de vergezichten geleidelijk heuvelachtiger, groener, ruiger. Na de eindeloze tarwe- en maisvelden komen de rotsen, de lange slingers die de weg maakt over een bergrug, het zicht op de roerloze dorpen in de vallei. Via zulke beelden was hij met Tessa en de kinderen die zomer het afgelegen boerenhuis genaderd waar Brent met zijn gezin zat. Bos en koeienland, stil en diepgroen. Twee weken lang zat David midden in het nerveuze huishouden van Brent en Riëtte. De voornaamste bron van onrust was uiteraard Brent zelf, die niet kon bestaan zonder zich ergens omstandig en hardop zorgen over te maken. Het weer ('Jezus, zal je zien dat net als wij willen barbecueën de wind draait en het gaat plenzen vanmiddag, even de radio checken, want moet je die wolken daar in het oosten zien'), het misschien lekkende dak (een ladder lenen bij de naburige boer), de vreemde tik in de motor van de auto (om advies bellen met de garagist in Amsterdam en die via de telefoon laten meeluisteren naar het geluid van de motor), de gammele internetverbinding die het onmiddellijke contact in gevaar bracht met de mensen van de krant waarin zijn column verscheen. Of anders was hij wel in luidruchtige aanvaring gekomen met een van zijn puberdochters en geërgerd weggestoven met het in de schuur opgeborgen deux-chevaux-bestelwagentje om in een naburig stadje dobbers, haakjes en een tangetje te kopen voor het vissen in een meertje in de buurt, want dat moest ook nog gebeuren vandaag.

Er was een foto van de twee mannen, zittend aan een lange tafel, onder de boom voor het huis. Ze zijn bezig met voorbereidingen voor het avondeten. De een snijdt een worst, de ander dopt boontjes. Davids haar is donker en lang, het hangt bijna tot op zijn blote gebruinde schouders. Een tanig bovenlijf, geconcentreerd bezig met een mes in een worst. Naast hem zit Brent, de leesbril op de punt van de neus, het sprietige korte haar is grijs, net als het borsthaar dat in zijn openhangende bloemetjeshemd te zien is. David herinnert zich dat de foto, toen hij die voor het eerst zag, een schijnwerper zette op een droevig gevoel dat hij oppikte tijdens die vakantie, maar waar toen geen plaats voor was.

Twee weken lang zat hij met Brent samen te ontbijten, gingen ze erop uit, stookten ze een vuurtje, deden ze boodschappen, en het moest bijna tien jaar geleden zijn dat hij zo gemoedelijk en langdurig naast hem had gezeten en gelopen. Hun ontmoetingen waren al die tussenliggende jaren stads, kort, nerveus. Het droevige gevoel werd opgeroepen door de zichtbare sporen die de rakelings vermeden botsing met de dood, drie jaar eerder, bij Brent had nagelaten. Het litteken over de buik, de totale afhankelijkheid van een leesbril, het dunner wordende, ineens volledig grijze haar en de vermoeide trekken in het gezicht, allemaal bewijs van de flinke aanslag die operatie en chemobehandeling hadden gedaan op Brents reserves en levenskracht. In twee jaar was hij tien jaar ouder geworden.

Maar daar hadden ze het niet over. Brent was erin geslaagd als schrijvend mens overeind te blijven tijdens de periode van operatie en chemo. Twee weken maar had hij zijn column moeten verzaken. Hij schreef openhartig, geestig en moedig over wat hem overkwam en ging vervolgens ijveriger dan ooit het land in. Hij manifesteerde zich met extra gretigheid, op het verbetene af. Voor sombere bijgedachten was geen plaats. Nu, deze zomer, was de ziekte verleden tijd, opzijgeschoven. En waarom ook niet. Zijn werk was geliefd, de bundels brachten goed geld op, hij deed er televisie bij, en theatershows, zijn dochters stevenden gezond en stevig puberend op het eindexamen af, hij wist het drinken terug te brengen tot een wijntje bij het eten. En maar soms iets meer.

David zag dat het Brent moeite kostte dit evenwicht in stand te houden. Als je twee weken naast hem zat en liep, voelde je dat het maar net ging. En het allerergste was misschien dit: dat het Brent moeite kostte er echt plezier aan te beleven, aan dit leven waar hij zo lang naar gestreefd had. Heel af en toe, zei hij, op verloren momenten, als hij op een mooie plek iets zat te schrijven en aan zijn vrouw en dochters dacht, die even weg waren om iets leuks te doen en hem lieten werken, dan was er harmonie en vrede. Een uur of anderhalf. De rest van de dag was het vooral een kwestie van hard gas geven en met een hardhandig opgeruimde houding ergernissen, zorgen, angsten en impulsen in bedwang houden. Natuurlijk kwamen er heel veel leuke mensen en prachtige boeken, mooie films en lekkere muziekjes voorbij, maar zo meeslepend veel plezier als vroeger konden ze zelden bieden.

In de auto naar Milaan was de herinnering aan die vakantie met Brent vijf jaar geleden domweg een beeld waarmee hij nu zijn vriend miste. Kon hij maar net als toen, tegen middernacht bij de gloeiende hoop kooltjes waarin het vuur veranderd was, achterover in de strandstoelen met een laatste glas wijn, naast Brent omhoogkijken naar de vallende sterren en met grote tussenpozen samen hardop nadenken over de plannen die ze nog met hun schrijverij hadden, de kansen en de vormen die gevonden en gegrepen moesten worden. Of elkaar vertellen over nieuw ontdekte schrijvers. Of roddelen over vrienden en kennissen en lachen tot ze slaap kregen.

De dag verstrijkt. De airco blijft suizen. Er komt een geruisloos bewegend kamermeisje binnen, dat de handdoeken aanvult en de glazen in de badkamers ververst. Ze sluit de schuifdeur tussen de kamers. Ik stel me voor dat David en Eden de aanwezigheid van de ander nog steeds zullen voelen, als ze zich aan weerszijden van die gekke harmonica bevinden. Vermoedelijk kun je uitstekend met elkaar converseren door de schuifdeur heen. Een deur is geen muur. De avond valt, in de verte schommelt de wollige bas van de muziek op het terras van de cocktailbar door de zomeravond.

Het is zo laat dat het bijna vroeg begint te worden. De snelweg is rustig. Het geruis van passerende auto's met een ritme als van de polsslag van een groot slapend dier markeert het nachtelijk uur. Vanaf de lift hoor ik David en Eden naderen. Ze zijn vrolijk en naar het volume en de klank van hun lachende stemmen te oordelen, prettig aangeschoten. David opent de deur van zijn kamer en ze gaan samen naar binnen, maar nog geen minuut later schuift Eden de tussendeur open, die het kamermeisje gesloten had. Hij schommelt naar de koelkast die onder zijn televisie staat en duwt met zijn zwarte wandelstok de deur open. Zin om door de knieën te gaan heeft hij niet en met de zilveren snavel van de valk op zijn stok haakt hij een kabouterflesje whiskey naar voren, tot het op de grond valt. Hij tikt het met de stok uit het bereik van de koelkastdeur en als die met een dof zuigend geluid dichtklapt, schopt hij het flesje richting bed. Dan gaat hij op de matras zitten (ik dein mee op het effect van zijn neerkomende massa) en raapt het op. Hij kreunt er tevreden bij, zoveel zin heeft hij in de whiskey.

'Nou, dat hebben we wel verdiend. Wat een leuke vent zeg, die Michele. Wist jij dat die vulpennenbusiness zo snel en innovatief was? Ik dacht altijd: je hebt een massamarkt en dan dat snobistische gedoe van meer goud, platina en limited editions met briljantjes of logo's van Porsche en Bentley. Saai!'

David zit op de stoel bij het kleine bureau in de hoek van de kamer. Hij drinkt uit een fles bronwater. Nog drie slome slokken lang geeft hij geen antwoord en kijkt Eden met halfdichte ogen aan.

'Hoezo hebben we wat verdiend? Waarmee? Michele is een goede gastheer en een innemend koopman. Maar ik...'

Eden steekt zijn stok met de valk omhoog. In zijn andere hand wiegt de whiskey in het glas. Ho, mag hij even ingrijpen. Dit is geen moment voor artistieke en intellectuele scepsis en ironie.

'Michele is een man van de wereld, iemand die zijn intelligentie kan richten op de oppervlakte. En nu we daar zijn aangekomen, David, begint dat Phoenix-project eindelijk ergens op te lijken.'

In vrijetijdskleding, maar van het elegantste en fijnste soort, had Michele de twee opgewacht toen ze uit de lift stapten in een reusachtige hal met grijs natuursteen en namiddaglicht dat door de staal-en-glasgevel van het appartementencomplex viel.

'Ah, you smell nice!' zei Michele diep inhalerend, toen ze na het handenschudden naar zijn voordeur liepen. Edens aftershave, een brutaal jarentachtigparfum, had zware kaneel- en leergeuren. David glimlachte, maar vroeg zich af: was dit een oprechte, wat boertige manier iemand op z'n gemak te stellen? Of een neerbuigende verwijzing naar het milieu waaruit deze shabby held van zijn zus afkomstig was? Of allebei tegelijk?

Michele was een gezette man van in de veertig; hij droeg zijn vlassige donkerblonde haar verrassend lang voor een middelbare man van zo'n deftige firma als Visconti. Opvallend: hij had grote moeite met het uitspreken van de r. Ergens achter in zijn mond gebeurde er iets tussen een j en een l in. Als gevolg ervan klonk zijn Engels geaffecteerd en zijn Italiaans krachteloos. Waar hij zich overigens niets van aan trok. Wat een zelfverzekerde man!

Michele had fruit en flinterdun gesneden vleeswaren koud staan, naast een pinot grigio, die hij 'compelling' noemde. Zijn appartement oogde als de reconstructie van een interieurfoto in een architectuurtijdschrift uit de jaren zestig. Chic modernisme, koele, elegante lijnen, veel leegte en licht, maar met Italiaanse flair vervolmaakt door klassieke details, wat kleurig etnisch design en een hoekje kitsch.

In de twee uur die volgden draaide hun gastheer een verhaal af over de manier waarop de Phoenix Typewriter op de markt gebracht zou kunnen worden. Kort samengevat zag hij het meest in een aangepaste versie van de manier waarop Nestlé zijn espressomachientje met een breed menu aan kuipjes koffie aan de man bracht. Veel design, een zweem van chic, en een ontspannen, innemende Hollywoodster, George Clooney, die het aanprees. Dames eerst, heren volgen. Een praktische, moderne manier om een authentiek fijnproeversproduct te genieten. Gemak en stijl nonchalant gecombineerd, afgemaakt met een vleugje sexyness.

Volgens Michele was het zaak voor ieder cultuurgebied een paar geschikte nationale beroemdheden te zoeken. Niet alleen literaire schrijvers, maar ook schrijvers van spionageboeken en thrillers. En filmregisseurs, visionaire ondernemers, zangers die vermaard waren om hun teksten en beroemde journalisten of biografen. Geen gladjanussen, maar mensen die in hun vakgebied als serieuze en creatieve geesten golden. En die fotografeerde je paginagroot in een klassieke documentaire stijl, maar wel prachtig uitgelicht, in een elegante versie van hun dagelijkse outfit, en in een licht geïdealiseerde versie van hun woon- of werkruimte. Duidelijk zichtbaar stond uiteraard de Phoenix Typewriter op tafel, of in hun schoot, dan wel naast hen op de bank. Met teksten eronder die niet inspeelden op nostalgie, maar op de behoefte aan rust, echtheid, directheid in een chaotische, digitale communicatiestorm.

'De plekken waar je adverteert,' zei Michele, 'zijn juist niet te modieus. Je moet niet willen concurreren tegen horloge- en parfumreclames, of Jaguar. Dit moet de "stylish" advertentie in de bijlage van de kwaliteitskrant zijn, zodat ze je beter bijblijft. Je moet in magazines staan waarin het over computers, telefoons, camera's, gadgets, games en sociale media gaat. En in film- en muziektijdschriften en op websites van zorgvuldig geselecteerde kledingmerken.'

De strategie die Michele ontvouwde berustte op het idee dat mensen vandaag snakken naar de vitaliteit van de doordachte overtuiging. Naar het gedicht dat in eenzaamheid gemaakt werd en in het openbaar als een granaat afgaat. Of geruisloos ieders gezicht van kleur doet verschieten. Het hypnotiserende verhaal dat zijn eigen ritme, klanken en lengte eist. De brief die letter voor letter de vriendschap fysiek maakt. De speech die intens en welsprekend is en gedegen voorbereiding verraadt. Kortom, alle pogingen om zich schrijvend te distantiëren van het vluchtige, virtuele gewauwel, de robotdata, de reclame, de schandaaltjes en de hijgerige meningen. Van de kromme taal. Iemand die dat kon beschikte over een begeerde kracht, die was cool.

De Phoenix Typewriter zou een beroep moeten doen op het verlangen naar de luxe niet bereikbaar te hoeven zijn. Naar de luxesituatie waarin je aandacht niet gegijzeld is door reclame, een interface of een menu, een programma of een chat. Je zou deze vernieuwde, eenentwintigste-eeuwse schrijfmachine moeten presenteren als een ideaal, aantrekkelijk instrument om ongestoord je eigen gedachten, verhalen en visie op een rijtje te krijgen.

Michele had zelfs een lijst van mogelijke slagzinnen gemaakt, die bij de interieurfoto's van de ideale gebruikers konden staan. Hij had ze groot uitgeprint, ieder op een los vel papier en gaf Eden de hele stapel.

Stop wordprocessing! Start writing! The Phoenix Typewriter.
Perfect for real letters to real friends. For real ideas and real stories.
Enjoy a digital sabbath, and write.
Writing comes first. Others, the net, the cloud will have to wait.
Embrace digital detox. Back to the source.
The machine to cut the BS, get real, find your voice, state your case.
Even my computer can read it...
21st Century tool: independent undistracted writing.
Hey, watch me picking my analogue alphabet guitar.
Concentration, autonomy, style.
The pure stuff. The future of writing.

Eerlijk is eerlijk, David was onder de indruk. Hij keek naar het ronde hoofd van Michele, zijn gladgeschoren wangen die vast zo elastisch en stevig waren als jong varkensvlees. Hun gastheer zocht naar een tweede fles witte wijn. Zijn mollige lichaam in de kakibroek en de lichtblauwe polo bewoog energiek door de ruimte, en de zwier en doortastendheid waarmee hij de fles ontkurkte en hun glazen bijschonk suggereerden een enorme gretigheid.

'We zetten in op echtheid, prima, maar dan moet je als koper wel kunnen geloven in die lui in die advertenties. Het luistert nauw, je verkoop geen kopje koffie, maar een luxe machine van 2500 euro,' zei David.

Michele zei dat zich dat vanzelf oploste als je een groot marketingbudget had. Dan kon je iedereen krijgen die je vroeg. In de voorgesprekken bleek snel genoeg wie van de kandidaten het meest enthousiast was of wie voor het geboden geld het best de gewenste geestdrift spontaan kon nabootsen. Het geld dwong ze een tijdlang ook in het wild de lof van je product te zingen. En vaak beleefden ze daar veel plezier aan. Ofwel omdat ze oprecht fan waren van de Phoenix, of omdat ze het een lekker verhaal vonden om zichzelf te horen afdraaien. Een interessante gimmick, waarmee ze zich van andere bekendheden onderscheidden.

'Maar goedbeschouwd maakt dat allemaal niet zoveel uit, omdat de wervende kracht die je van ze koopt hetzelfde is,' zei Michele. Hij stopte een olijf in zijn mond en glimlachte. En voegde eraan toe dat het soort mensen dat nodig was voor deze campagne van nature nieuwsgierig was en bereid nieuwe ideeën te omarmen. Dankbare types om mee te werken.

'En als je ervoor zorgt dat die machines er sexy en onweerstaanbaar uitzien, zijn een paar ervan als cadeautje boven op het honorarium een fantastische investering. Ze zullen er graag mee gezien worden, om complimentjes te krijgen. Free publicity,' zei Michele en je zag dat hij dit heel zeker wist.

'Heb je ook ideeën over het design?' vroeg Eden, die tegen zijn gewoonte in niet achterover, maar op het puntje van zijn stoel zat, als een kleuter die naar een sprookje luistert. Hij vergat zelfs zijn wijn. Michele haalde een kartonnen map tevoorschijn en hief twee fladderende handen ten hemel, alsof hij nu een lekkernij opdiende. Het waren vier door een bevriend ontwerpster, in kleur gemaakte schetsen.

'De twee grootste valkuilen van dit project zijn nostalgie en een intellectueel-subcultureel sfeertje. Daarom is het belangrijk dat je het idee van de Phoenix loskoppelt van hoe hij eruitziet. Dus: vier heel verschillende modellen, die technisch identiek zijn. Kijk, dit is er eentje die zwart of koningsblauw is, hoogglans gelakt, met subtiele goudaccenten. Voor de klassieke look. Dan deze, een chique moderne versie, van mat aluminium en bijvoorbeeld zwarte lederen vlakken, met een iets slankere, wulpsere kast. Voor de technofielen is er een futuristisch model, met een andere transporthendel, doorzichtige perspexpanelen, grote zichtbare schroeven en een strakkere lijn. En ten slotte deze, de hipster-versie. Weer wat ronder, in verschoten kleuren, misschien zelfs met houtaccenten. Zo doen we dat bij Visconti met vulpennen ook. Deftige dames op leeftijd trekken we met speciale edities ter gelegenheid van koningin Elizabeths jubileum inderdaad met wit porselein en goud en bloemetjes. Maar jonge mensen zijn gefascineerd door een robuust uitziende vulpen, die we dit jaar nieuw brengen, de Homo Sapiens. Het is een moderne hightechvulpen die de uitvinding van het schrift in de bronstijd als inspiratie heeft en gemaakt is van een mengsel van rubber en lava uit de Etna. Voelt heel bijzonder. Ziet er tijdloos uit. Hij is afgezet met stoere bronzen details en heeft een palladium penpunt, een metaal dat nog comfortabeler schrijft dan goud, echt, het voelt alsof je vinger over zijde glijdt.'

Eden ziet wel dat David steeds sceptischer is geworden over de Phoenix-schrijfmachine. En nu ze met een slaapmutsje in de hand terugkijken op de dag is er vooral een meewarige glimlach op zijn gezicht. David zit er wat plompverloren bij op het hotelbed, slecht op zijn gemak, als in de wachtkamer bij de tandarts.

'Hoe kunnen wij nou inschatten of het ergens op slaat wat die Michele vertelt? Omdat het over vulpennen en schrijfmachines gaat en mikt op doelgroepen die wij denken te kennen, worden we misschien wel misleid. Ik heb nooit een flikker begrepen van hoe je imago en momentum en zo commercieel voor je laat wer-ken. Ik snap alleen achteraf hoe het werkt. Maar niet hoe je het zou kunnen sturen. Brent had het daar ook altijd over. Eind jaren tachtig was hij in de weer met een cowboyhemd, een kapster, een visagiste en een modefotograaf, om te zorgen dat de foto achter op zijn eerste roman een pop-literair fenomeen van hem zou maken. Maar de media omarmden hem niet, wat hij schreef was te duister, zijn stijl te verstijfd en uitgebeend. Te veel in zichzelf gekeerd en ongelukkig, daar hielp geen cowboyhemd en mascara tegen,' mijmert David met een doffe stem. In de kamer recht boven hen komt ondanks het late uur een feestje op gang. Het ophitsende ritme van afrobeat boort zich door de betonnen vloer en alle lagen isolatie en vloerbedekking. Boven het stampen en dreunen van de muziek uit klinkt snerpend gejoel van vrouwenstemmen. Lachen, kwetteren, gillen.

Ze luisteren en kijken naar het plafond waaraan niets te zien is. Ze kunnen met die herrie toch niet slapen en spreken na de whiskey de flesjes rum aan uit de minibar. Eden zoekt tevergeefs naar een raam dat open kan om te roken. In de badkamer blijkt geen rooksensor aangebracht, en daarom zitten ze even later in het pijnlijk felle licht, omringd door weerspiegelingen van hun vermoeide tronies op plee en badrand met een glas in de hand, terwijl via de luchtkanalen het feestgedruis nog dichterbij klinkt en Eden rookt en met zijn hoofd schudt.

'Je maakt mij niet wijs dat je niet doorhad hoe je overkwam als je op de radio of de televisie over je nieuwe boek mocht vertellen. Ook uit besprekingen kon je toch opmaken hoe ze tegen je aankeken. Brent wilde overduidelijk de pop-literaire outlaw zijn in het land van de Schone Letteren; een charmante kwajongen. Iemand van het platteland, die zich kantte tegen het stadse, intellectuele en wereldse en koos voor het komische, provinciale en ultragewone. Jij zag dat toch? Wat dacht je dan?'

Het was een tijd waarin een stroomversnelling optrad in de verhouding tussen literatuur en media. De uitgevers wreven in hun handen, de schrijvers krabden zich achter de oren. David zei nooit nee tegen een aanvraag of uitnodiging. Hij bekeek het zakelijk: het was zijn bijdrage aan de promotie van het product dat zijn boeken waren. En ja, dat hij met zijn ratelende lange zinnen en beweeglijkheid als een jonge onderzoeker van het artistieke soort werd weggezet, verbaasde hem niet. Maar hij wist niet goed hoe hij het dan anders moest doen. Het ging vanzelf.

'Brent had een beter gevoel voor zulke dingen, dat is waar. Mij liet hij er niet zoveel van merken, maar ik wist dat hij kon branden van verlangen een beroemd schrijver te zijn en tussen de grote namen te verkeren. Het gevolg was dat hij veel zenuwachtiger kon zijn dan ik of hij werd afgewezen, als schrijver. Ik was eigenwijzer, had meer zelfvertrouwen. Of ik was naïever of hoogmoediger, of autistischer, zeg het maar. In ieder geval zocht ik het epicentrum van de literaire wereld niet op. En wat heeft het uiteindelijk uitgemaakt? Een schrijvend leven is geen product, in tegenstelling tot een boek of een schrijfmachine. Of je nou handig bent in het scheppen van een uitgesproken imago of niet, dat imago kan je gemak en voordeel opleveren en even later zomaar een hoop nadeel en verdriet. Niemand weet precies van zichzelf hoe hij reageert op wat hem in het leven overkomt. Op de tegenslagen en teleurstellingen. Dat hele imagogedoe is volgens mij gestileerde angst, een poging iets te willen voorkomen, ook al weet je niet eens precies wat! Er valt niets te voorkomen! Ongelukken, ziektes, depressies, zakelijke zeperds, noem maar op. Dan sta je daar met je imago, te grienen voor de spiegel.'

Ja, David heeft behoorlijk de blues te pakken na het bezoek aan de opgewekte en energieke Michele. Het realisme van de Italiaan heeft hem wakker geschud. Hij ziet de advertenties, de bioscoopcommercials, de besprekingen in lifestylebladen heus wel voor zich. Maar hij bedenkt zich hoeveel zo'n marketingcampagne zou moeten gaan kosten. Zelfs voor Nederland alleen al miljoe-

nen. Laat staan voor West-Europa. En hoe moet dat worden te-
rugverdiend? Waarmee dan precies? Een leuk idee van die vier
verschillende modellen, maar het technisch ontwerp van de
Phoenix Typewriter is nog niet veel specifieker dan een kinder-
tekening! En wie gaat het jarenlange pielen en testen van de nood-
zakelijke technische bollebozen betalen? En hoe vinden ze die
innovatieve mechanische genieën?

Hij verdenkt de rum ervan dat die hem een acute hoofdpijn bezorgt.

Eden neemt Davids zwaarmoedigheid niet waar. In zijn hoofd
maakt Micheles realisme de Phoenix Typewriter een stuk werke-
lijker, en zo ziet hij zichzelf een stap dichter komen bij de verwezenlijking van zijn nieuwe droombeeld: ruime inkomsten zonder
al te veel te hoeven werken, af en toe wat schrijven voor de lol en
vooral veel lezen, reizen en ouwehoeren met leuke mensen in
goede restaurants.

David heeft een slechte nacht. Het kan het Afrikaanse feestje zijn,
de combinatie van laat eten en drank, maar ook de voortdren-
zende airco, of het zware gesnurk van Eden, dat door de schuifdeur niet gedempt wordt. Dan is er nog de blues die hem te pakken heeft. Hij schrikt drie keer wakker uit een droom waarin hij
belaagd wordt door een grote witte hond, en is dan zweterig en
rillerig tegelijkertijd. Misschien verwart hij al slapend Edens gesnurk met het grommen van de hond. Als hij de vierde keer wakker wordt heeft hij vreselijke dorst en besluit hij ondanks de kop-
pijn op te staan, een paracetamol te nemen en beneden op het
terras koffie te drinken.

Daar, tussen de tropische vingerplanten in plastic potten en bij
een volkomen mislukte cappuccino die een buigende Chinese
nimf hem brengt, herinnert hij zich een brief van Brent, die zich
op het dieptepunt van de jaren negentig, anderhalf jaar voordat

hij aan zijn succesvolle krantencolumn begon, tot hem richtte vanuit een geleend huisje in Frankrijk. Hij zat er bij een houtkachel in zijn eentje te klussen aan een televisiescript voor een vriend, en schreef wat kleine artikeltjes. Ze wisselden een paar keer per week e-mails uit, die de ouderwetse lengte van brieven hadden. Brent vertelde over uitjes in naburige dorpen en over de boeken die hij besprak. Ondertussen, in Amsterdam, zagen Tessa en David Riëtte vrij vaak, en was het duidelijk dat het verblijf in Frankrijk niet vrijwillig was: ze had Brent de wacht aangezegd. Met zijn chaotische en onverantwoordelijke gedrag maakte hij zichzelf en zijn gezin ongelukkig, vond ze. De boodschap was: hou daar nu mee op, verdeel je tijd verstandig tussen werk dat geld oplevert en werk dat je gelukkig maakt, geef minder geld uit en kap met zuipen en vreemdgaan. Anders was het voorbij.

David bestelt een pot thee, daar hebben Chinezen meer verstand van, en loopt naar boven om zijn laptop op te halen. Edens gesnurk klinkt nu vrolijk en feestelijk. David neemt de trap naar beneden om zijn benen wakker te schudden. De afgelopen weken heeft hij cd's met zijn digitale archief van de afgelopen vijfentwintig jaar doorgelopen en de nuttige zaken op zijn laptop gezet. Het duurt een klein kwartier, maar dan vindt hij de bewuste brief.

Eerst schreef David een brief die erop neerkwam dat hij steeds vaker een kater had van hun gesprekken omdat er zoveel belangrijks omzeild werd en onbesproken bleef. Het ging overduidelijk niet goed met Brent, die een verslagen en moedeloze indruk maakte.

Brent,
We hebben door de jaren heen altijd onze vriendschap onderhouden in de vorm van een samenwerking en alle andere gebieden van ons leven in een grotendeels verzwegen en oordeelloos schemergebied gelaten. We zijn vrienden zonder dat de precieze aard van de rest van ons leven er al

te veel toe doet. Als de flow er maar is, de elkaar aanvullende, uitdagende stroom van invallen, info, ideeën en kritiek. Het grote voordeel is dat je elkaar lang niet kunt zien en toch nauwelijks last van vervreemding hebt als je weer bij elkaar bent. Het is een cleane, op het moment gerichte manier om vrienden te zijn.

Het heeft ook z'n nadelen. Het is een stijl van vriendschap die weinig ruimte laat voor het tonen van zwakte, paniek, verdriet, twijfel of woede. Met tonen bedoel ik niet het indirect laten merken, maar echt het uitspreken en bespreken van zulke shit. Of sterker nog, het aanwenden van de vriendschap om die kwellingen te analyseren en te bestrijden. Waarom noem ik dat een nadeel, nu? Omdat onze levens in een aantal opzichten ingrijpend veranderd zijn. We zijn geen beginners meer die vrijgelaten dienen te worden om hun draai te vinden. We zijn mannen die aan het midden van hun leven beginnen in vergelijkbare omstandigheden. Die inmiddels veel meer van elkaars leven weten, door het veel socialere karakter dat kinderen aan je leven geven, het scherm van geheimzinnigheid om je leven met je liefje verdwijnt erdoor, je bent aangesloten op de rest. Mijn instinct zegt me dat dit geen moment is om pijnlijke situaties te vermijden. Terwijl ik dit schrijf moet ik denken aan begin '87, toen we net een paar weken kantoor hielden in dat krot in Oost en mijn zelfvertrouwen, mijn relatie met Tessa, ja mijn geestelijke gezondheid wankelden. En dat was al bijna een jaar zo. En hoeveel plezier ik ook aan het schrijven van ons debuut heb beleefd, er waren ook dagen dat ik me in jouw bijzijn regel voor regel door die zelfhaat, angst en paniek moest heen werken. Ik herinner me keren dat ik drie kwartier lang tegen je aan zat te ratelen, bij vlagen jankend. Dat was pijnlijk, vooral achteraf natuurlijk. Het schrijven van dat boek heeft me gered, met jouw hulp ben ik uit de diepste put gekropen waar ik in gezeten heb.

Ik weet zeker dat jij dit ook wel eens denkt: dat je jezelf kapotmaakt, dat je de dingen die je verlangt, je talent en de mensen van wie je houdt, onherstelbare schade toebrengt. Het is raar om dit op te schrijven en aan jou op te sturen met de sfeer van onze normale ontmoetingen en onze

geschiedenis in gedachten. Misschien is dit wel een moment van de
waarheid. Gebruik onze vriendschap om jezelf te helpen. Het gaat toch
om overleven nu, Brent, van wat je het dierbaarst is: je werk, je gezin.
Kom uit je hok, lucht je hart, neem de gok te horen wat ik ervan denk,
het is altijd beter dan eenzame zelfkwelling.

Brents antwoord was verstopt tussen anekdotes over uitjes naar
restaurants en een geval van autopech. Ja, hij had zorgen, maar
weinig mensen belden hem om stukken. Hij leek wel uit de rou-
latie. Aan hem kleefde het beeld van een snelle, oppervlakkige
schrijver met een paar maniertjes die hij altijd herhaalde.

Veel ernstiger is dat ik vaak het gevoel heb dat mijn leven me ontglipt,
en mijn kunst. Je weet hoe het is, je zelfrespect is existentieel vervlochten
met je werk, en de mate waarin je kunt realiseren wat je in je hoofd hebt,
of ontdekt in je hoofd te hebben (wat al veel riskanter is). In mijn geval
komt het steeds minder vaak voor dat ik die drie zinnen schrijf die me
toegang verschaffen tot wat ik dan maar geluk noem. Het is alsof die
zinnen steeds verder weg komen te liggen, niet eens buiten mijn bereik
en talent, maar buiten het bereik van mijn wil. Ik verlies de wilskracht.
Maar ook dit wisten we al. Het schrijven, en met name het al schrij-
vende ontginnen van mijn inhoud, is voor mij altijd een bezoeking ge-
weest. In mijn theorie van het schrijven schuilt in de herhaling de kunst,
aan één verhaal heb je een leven lang genoeg. De vraag is alleen: wat is
in godsnaam dat verhaal?
  Dat verhaal heeft met geluk te maken.
  Met het gewone dat steeds verder weg komt te liggen naarmate dui-
delijker wordt dat het helemaal niet zo gewoon is wat je eigenlijk doet en
hoe je in elkaar zit. Hier zit ergens een paradox die ik nauwelijks kan
doorgronden. En het is duidelijk dat ik van geluk geen verstand heb
zolang ik het wil grondvesten op wat glasscherven waarop in mijn werk
af en toe het Licht valt. Niet zo handig ook als je zo sporadisch aan je

werk toekomt als ik. Er is geen ontspanning om me in te concentreren. Vandaar de bezoeking, dus. Ook bekend.

Ik ben geneigd mijn zorgen voor me te houden, verstopt in mezelf, én geneigd ze in eenzaamheid op te lossen, dan wel in een golf van branie en pathetische bravoure te verzuipen, meestal dat laatste natuurlijk. Ik ben iemand die oog in oog met het goud aan het einde van de regenboog nog loopt te zeiken dat het zo regent, ik bedoel, ik heb het geluk voor het oprapen, maar het abc'tje van de liefde, voor- en tegenspoed, begrijp ik niet. Als ik het nu zo opschrijf, begrijp ik het wel natuurlijk, maar al doende van dag tot dag, begrijp ik er kennelijk niets van. Ik heb een mooie vrouw, twee kinderen, alles, maar ik kan niets met ze delen, behalve cadeautjes. It beats me. Het is zo dom om te doen alsof je alleen op de wereld bent, niet alleen is er mijn gezin, ook zijn er mijn vrienden, de echte dus, en niet de verkeerde. Ik heb me altijd op mezelf teruggetrokken als het slecht met me ging, kennelijk moet ik daarmee ophouden, want het gaat altijd alleen maar slechter. Maar wat doe je eraan? Ik kan mijn ziel en zaligheid wel blootleggen, maar dan ligt er nog niets waar we ons over kunnen buigen. Maar het zal toch moeten, anders verkeer ik straks in een paranoïde, verbitterde gek die langs de straten doolt. En dat moeten we niet hebben. Ik ben, zoals ik me nu voel, gevangen in mezelf.

Ik word heen en weer geslingerd door het adagium dat vroeger alles beter was en morgen wordt het nog beter. Het lijkt alsof er geen nu is. Wel een ploeg, maar geen hand. Zo. Melancholie en onrealistische dromen zijn mijn fort, maar waar is de werkelijkheid gebleven? Uit mijn werk gesijpeld ook, trouwens, nu ik erover nadenk. Het gaat alleen nog maar over mezelf, en dat dan ook nog in een gelogen variant. Maar ik word vaak heel verdrietig van het idee dat ik geen goeie dingen doe, in de zin van wie goeddoet, goed ontmoet. Naar aanleiding van een keuvelend stukje over Eelke de Jong in de krant kreeg ik nota bene ansichtkaarten uit Ermelo en Nunspeet van mensen die me ervoor bedankten. Dát. Dan kan ik wel huilen. Een leven in een vacuüm, en nooit de tijd om er *eens voor te gaan zitten, een jaar of zo, om iets moois te maken, iets goeds bedoel ik. De droom die in een klacht verkeert, ook heel slecht, wij moeten juist onze dromen verwerkelijken, oder? Maar waar is vandaag? Ook zoiets, vandaag is altijd zo voorbij.*

Vanaf het hotelterras ziet David hoog boven de rand van de stad twee vliegtuigen in het platte maar duizelingwekkende blauw; het ene landt, het andere stijgt op. Een groen-witte en een rood-blauwe. Het zijn mooie, stille lange lijnen die ze maken tegen de hemel zonder diepte. Zijn thee is bitter geworden – vergeten het zakje uit de pot te halen.

Brent was destijds uit zijn gevangenis ontsnapt, en nog geen twee jaar na deze brief was hij de prozatroubadour geworden die hij altijd al wilde zijn. Zijn schrijven gedragen door de werkelijkheid. En veel ansichtkaarten van lezers. Maar in de dode hoek tussen hem en David, waar de onmogelijkheden en teleurstellingen zich ophielden, was ondanks de brieven nog altijd een wezen dat ongedurig rondsloop.

David staat op, ritst de laptop in de tas en verlangt naar thuis. Naar zijn handen om Tessa's schouderspieren, haar mond, haar sterke handen over zijn rug. Naar het zingen onder de douche van Chris. Ook ziet hij op tegen de autorit naar Zürich met Eden, en vanuit de hotelkamer doe ik mijn best om in David een verlangen naar mij op te wekken. Wat ik wil is dat hij mij weghaalt bij Eden, want ons verbond zit erop, ik kan het wijfie niet meer zijn van iemand die als een aangeschoten vliegtuig hard naar de aarde tolt, brandend en rokend. Als deze reis zou eindigen met een joviaal afscheid tussen de twee en een geschenk (mij) van Eden aan David, zou ik gelukkig zijn. Ik wil een nieuw leven.

(Dezelfde Olivetti Lettera 22 (1957) op de achterbank van een stationair draaiende auto, in Rautihalde, een doodlopende straat in de wijk Hardbrücke in Zürich, omringd door lage grijze flats van vier verdiepingen, ertussen bomen en garageboxen, auto's staan her en der op de grasveldjes, af en toe een passant, zoals een oud vrouwtje op sloffen met een helrood vestje, dat twee onwillige gladharige teckels achter zich aan trekt aan een lange lijn; het is heet, stoffig en stil, een benauwde namiddag in de zomer van 2010.)

De vrouwenstem uit de satellietnavigatie op het dashboard klinkt onaangedaan. 'Probeer om te keren.' Nog maar een paar minuten geleden heeft dezelfde juffrouw Eden en David deze straat in gestuurd. En vandaar dat ze nu niet gehoorzamen. Eden ademt snuivend uit, vloekt binnensmonds en gooit de deur open.

'Even een frisse neus halen en het goede been strekken,' zegt hij en grist een fles water van de achterbank voordat hij uitstapt. Hij zet de zwarte wandelstok met de zilveren valk tegen het open portier en rekt zich uit. Het ziet eruit alsof hij vergeefs zijn kromme bovenrug wil rechtbuigen. Dan drinkt hij de halve waterfles leeg, de ogen dicht, de zon vol in het gezicht.

David raadpleegt de plattegrond van Zürich ('Omkeren,' adviseert de navigatiejuffrouw nog maar eens). Hij stapt ook uit en legt de kaart op de gloeiende motorkap. Het is vrij simpel, ziet hij. Omrijden tot ze op een straat uitkomen ten westen van die heuvel met bomen. De grotere, doorgaande wegen de stad uit, naar het westen, sluiten allemaal aan op de E41, naar Duitsland.

Ook David drinkt water en kijkt om zich heen. Wat een miezerige wijk. Het hedendaags decor van nette armoede, bewoond door kleine sappelaars, immigranten en benauwde pensionado's. Je ziet wel dat men nog moeite doet er wat van te maken: de zonneschermen hier en daar, zelfs gerepareerde, de bloembakken aan de grauwbetonnen balkons, de vuilbakken keurig in de rij en die man met het roodverbrande gezicht (hangwangen) in het geruite hemd, die met een gekantelde schoffel het onkruid staat weg te schrapen tussen de tegels voor de garageboxen. Er staat een emmer heet water met een dikke kop helderwit schuim erop. Hij zal ook wel de groene algaanslag van zijn garagedeur gaan schrobben. Zolang mensen zich druk maken over onkruid op de stoep en algen op de garagedeur is de beschaving nog niet verloren.

Het contrast met het deel van Zürich waar ze vanochtend wakker werden en hun ontmoeting hadden met de potentiële investeerders is pijnlijk. Het centrum van de stad ademde geld. David had na het ontbijt op de hotelrekening een post verwacht voor 'ingeademde lucht'.

Hij kan er nog niet over uit. 'Waarom zaten we trouwens in zo'n bespottelijk duur hotel vannacht! We zijn waarschijnlijk zo goed als blut. In Wuppertal moeten we zeker pitten in een jeugdherberg of in de auto op een Raststätte!'

Eden leunt op zijn stok en sleept langzaam zijn onwillige been richting David. Hij zweet en haalt een blauwgeruite zakdoek tevoorschijn. Hij dept het doorgroefde voorhoofd. 'Rijk denken trekt geld aan,' zegt hij. 'Als je een afspraak hebt met financiers en net uit een stinkend pension komt gekropen in een wijk vol scharrelaars en verbitterde bijstandsmoeders zit je niet snel op de goede golflengte met je gesprekspartners van een investeringsmaatschappij.'

'Of juist des te sneller!' zegt David. 'Jij neemt dit allemaal veel te serieus, Eden. Als we nou íets hebben opgestoken vandaag, dan is het dat alles begint bij een zakelijke analyse van het productieproces. Nou, daar hebben we nog helemaal geen helder beeld van. Oftewel, dat geld, jongen, it's a long way to Buffalo.' David kan een lach niet onderdrukken.

Eden zit op de passagiersstoel, de voeten buiten op het gloeiende asfalt, en steekt een sigaret op. 'Ja, lach maar. En toch is dit een idee waar geld in zit, dat voel ik gewoon. Ik vecht voor mijn pensioen. Dat kan je lullig vinden, maar dat maakt me niet uit, het gaat om het resultaat.'

David zwijgt en slentert weg van de auto. Hij schaamt zich dat hij nooit aan later denkt, aan pensioen en financiële reserves. Dat is dom en kinderachtig, maar veel verder dan af en toe iets opzij-leggen is hij nog nooit gekomen, uit geldgebrek.

Geld. Hier in Zürich gaat het over geld. Vanochtend betraden ze eeuwenoud parket, een intimiderend glanzende vlakte onder een sierlijk gestuukt plafond, in een vrijstaand herenhuis aan de Mittelstraße. Een prachtig negentiende-eeuws buitenhuis van gaaf zandsteen met balkons en Dorische kolommen en koningsblauwe luiken. Vanachter een lange antieke tafel stapten Oliver en Katherina op hen af en gaven hun een koele, droge hand. De hele kamer rook naar meubelwas.

Oliver was nog geen veertig, hij had zijn hoofd kaalgeschoren en droeg een grote bril met een dik bordeauxrood montuur. In zijn flessengroene hemd met varenstructuur (dasloos, open kraag) en met een hartelijke lach deed hij er alles aan niet op een Zwitserse bankier te lijken. Katherina, jonger dan Oliver, deed daar geen moeite voor. Haar crèmekleurige zijden blouse was met een grote slappe strik hoog dichtgeknoopt. Zoals een laborant naar een kweekje bacteriën kijkt, zo gingen haar grote bleekblauwe ogen over David en Eden. Als ze het steile, dofblonde haar achter haar oor haakte vielen haar bolle wangen extra op. David vond die wangen op een griezelige manier aantrekkelijk. Misschien kwam het door de overdreven beschaafde sfeer, maar hij moest onwillekeurig aan Katherina's achterste denken, en dat zij een vrouw was die pas loskwam na een gretig in ontvangst genomen, ritueel en traag uitgevoerd pak slaag met de blote hand op haar grote bleke billen.

Grapjes en beleefdheden passeerden, koffie en een schaal roomboterkoekjes werden geserveerd, en toen, na exact vijftien minuten, kwamen de mappen met dichtbedrukt papier tevoorschijn. Nog meer dan over geld ging het in het gesprek dat volgde over de voorwaarden die verbonden zouden zijn aan het lenen van geld. Oliver zorgde steeds voor de zonnige en optimistische elementen. Hij had het over 'in het zadel helpen', en dat bleek te slaan op het functioneel splitsen van de financiering in een ontwikkelingsfase en het eigenlijke bedrijfsplan, waarbij de voorwaarden van die laatste financiering afhankelijk zouden zijn van de uitkomsten van het eerste proces, de ontwikkeling van het product.

Katherina was er om de verbeelding niet op hol te laten slaan. Zij benadrukte het fictieve van de financieringsvoorbeelden die Oliver schetste. Ze had het met haar dunne lippen over het 'embryonale' karakter van het feitelijke businessplan.

Dat was een woordkeuze die Eden stak, en dat kon hij, alle moeite ten spijt, niet verbergen. Van de weeromstuit begon hij over beproefde schrijfmachineontwerpen en de overdaad aan beschikbare spotgoedkope patenten en tot slot klampte hij zich vast aan de marketingvergezichten van Michele, die hij haastig en rommelig samenvatte. Katherina onderbrak hem en zei dat ze erop rekende dat in een jaar onderzoek, dat hooguit een ton kostte, duidelijk kon worden wat er nodig was om een precisiemechanisch product te maken, nieuw en aantrekkelijk, en tegen welke kosten. En over de personele bezetting van de bedrijfsvoering moest te zijner tijd natuurlijk nog worden gepraat, natuurlijk. Oftewel, de zakelijke leiding werd hem ook al niet toevertrouwd!

'Dan kunt u met een realistisch bedrijfsplan bij ons komen,' zei ze en vergat te glimlachen. Eden begon nerveus over zijn neus te wrijven. Hij moest alle zeilen bijzetten om zich te beheersen. Oliver herformuleerde snel de uitspraak van Katherina: ze zouden graag behulpzaam zijn om samen met Eden zo'n gedetailleerder en concreter plan op te stellen. Want belangstelling was er wel degelijk, daaraan hoefden David en Eden niet te twijfelen. De toekomst was aan de kwalitatief hoogwaardige nichemarkt. En dat was juist de specialiteit van dit huis.

Buiten op de met wit grind bedekte parkeerplaats waar Eden asymmetrische sporen achterliet met zijn slepende been, schoot David in de lach. 'Om die ton te mogen lenen, moeten we het Mechanisch Instituut in Wuppertal achter ons hebben! Dan hebben we dus alles precies in de verkeerde volgorde gedaan! Hilarisch!'

'Hou alsjeblieft een halfuur je bek,' zei Eden, zacht en verslagen.

David heeft een onhandige, schimmige verhouding met geld. Instinctief wil hij zowel met het verdienen als met het uitgeven van geld niet al te veel te maken hebben. Als student al had hij een minimalistische instelling: als de rekeningen betaald waren en de boodschappen gedaan, dan was er zakgeld voor een nieuwe broek, de film, een paar platen en een boek, misschien een aardigheidje voor je meisje. Dat was genoeg. Voor meer geld deed je geen moeite. Dat was zonde van de tijd, waarin je met vrienden kon optrekken, muziek maken, lezen en schrijven.

Brent hield van uitgaan, de impulsieve aankoop, luxe eten en drinken, maar ja, dan had je veel meer geld nodig. Als student was hij er een keer in geslaagd via een truc met girocheques in één klap een enorm bedrag op te nemen dat hij niet op zijn rekening had staan. Nadat het geld genoten en verdampt was, kon hij zijn girorekening niet meer gebruiken natuurlijk. Dat was lastig uit te leggen aan zijn vader. Als die hem geld stuurde, slokte de schuld alles op. En de rente tikte door. Er kwam natuurlijk een dag dat Brents vader de boel aanzuiverde en zijn zoon de les las.

Toen David binnenkwam in Brents schemerige onderkomen aan het A-Kerkhof zat hij aan zijn eikenhouten bureau te roken naast zijn schrijfmachine. Een hangend hoofd, een chagrijnig gezicht. Op de hoek van het bureau stond een aardewerken kom, van het soort waarin men in oude boerenkeukens de kluit boter bewaarde. Wit pokdalig glazuur met twee horizontale blauwe banden. De kom was gevuld met rijksdaalders, er stond een kop op van grote zilver glimmende munten. Zijn vader was langs geweest en had Brents maandtoelage in een opvoedkundige vorm overhandigd. Misschien dat als hij het munt voor munt moest uitgeven de waarde van geld beter zou begrijpen en respecteren.

David ging ongemakkelijk naast Brent zitten. Die was woedend en vernederd, maar bromde om de tien minuten dat het verdomme allemaal zijn eigen schuld was. Dat hij altijd weer dezelfde stommiteiten beging. En dat hij doodziek werd van zijn vader.

David en Eden rijden Zürich uit, door straten met fantasieloze grijze handelskantoren, banken en makelaarsfirma's, op weg naar de snelweg, die hen naar Wuppertal zal voeren. Eden zit met een map papieren op schoot. Hij moppert over Oliver en Katherina. Zijn berekeningen zijn helemaal niet zo vaag. 'Je kunt zo'n schrijfmachine heus wel maken voor 1200 euro en als je er duizend verkoopt in een jaar voor 2500 en je houdt dat drie jaar vol, dan kun je je leningen aflossen en dik overhouden. Dat is toch geen luchtfietserij!'

Edens verontwaardiging klinkt futloos; je kunt horen dat hij wel weet dat investeerders, ook als je er terechtkomt via familie van vrienden, niet op schattingen en verwachtingen afgaan, maar op feiten, rekensommen en rapporten van deskundigen. Hij is verbolgen omdat hij in hun ogen helemaal nergens deskundig in is en geen betrouwbare cijfers heeft. Voor Oliver en Katherina is hij een aparte man met een interessant idee, meer niet.

David zet zijn zonnebril op en wacht tot Eden erover ophoudt en de papieren naast mij op de achterbank legt. Dan vraagt hij: 'Hoeveel verdiende je gemiddeld, de afgelopen vijftien jaar, aan die facsimilemappen met vervolgverhalen en beelden? Twee keer modaal?'

'Zoiets, in de beste jaren dan,' zegt Eden bedremmeld. 'Maar het is minder geworden.'

Op net zo'n zonnige zomerdag, lang geleden, in Brents werkruimte in de Amsterdamse binnenstad, had David een onthullend gesprek met zijn compagnon Brent gehad. Het vervolg op hun debuut was onmogelijk, zei Brent, omdat de uitgever het niet wilde 'voorfinancieren'. 'We hebben er een maand of vier, vijf voor nodig, maar waar leef ik dan van? Wie betaalt de hypotheek? Uitgevers zijn schijterige ondernemers of ze weten nu al zeker dat ze het niet terugverdienen; in ieder geval steken ze er geen geld in. Ja, dan ga ik niet zitten tikken.'

Professioneel en verstandig geredeneerd, dat snapte David ook wel, maar als hij zou moeten kiezen tussen meer geld of het maken van een volgend boek samen met Brent, desnoods voor niks, dan zou hij zonder aarzelen het laatste kiezen. Dat hij dan een halfjaar op een houtje moest bijten, misschien zelfs geld lenen van zijn vader of iets vergelijkbaars beschamends doen, dat had hij er wel voor over. Dood van de honger zouden ze vast niet gaan. Maar Brent dacht er zo niet over. David knikte en zweeg. Zijn ingewanden krompen ineen van triestigheid. Een vervolg op hun debuut was onmogelijk geworden.

Brent werkte hard en was ondanks zijn soms chaotische gedrag een succesvol professional. Een klein jaar later stond hij in dezelfde werkruimte en balde zijn vuisten, ontblootte zijn tanden en vertelde dat hij voor het eerst in een jaar een ton verdiend had. Hah! Daar zou zijn vader van opkijken! Daarmee zou hem het lachen wel vergaan!

David schrok en wilde vergeten wat hij zag.

De Autobahn wijst pal naar het noorden en ze daveren met honderdvijftig kilometer per uur van Heidelberg naar Frankfurt. Wat een majestueuze kalmte heerst er toch in dit grote landschap met zijn akkers, beboste heuvels, de brave plaatsjes langs de snelweg en de glimp die je van de machtige rivier opvangt als de weg een tijdlang over de heuvels voert die zicht op de Rijnvallei bieden.

Eden heeft zich in stilte zitten ergeren aan Davids vraag naar geld. Waarom zou hij zich moeten verantwoorden tegenover mensen die minder verdienen? Er zijn zoveel redenen om te willen leven van het Phoenix Typewriter Project in plaats van kwartaal na kwartaal het geld bij elkaar te scharrelen met de verkoop van zijn albumbladen. Hij heeft schoon genoeg van zijn vervolgverhalen en van de onzekerheid. Hij kiest de aanval.

'Weet je wat ik niet snap? Hoe jij dat volhoudt al die jaren, dat schrijven van boeken. Je werkt jaren aan iets en vrijwel niemand gaat in op wat erin staat, op wat je probeert te doen. Zelfs je zogenaamde collega's niet. En je maakt mij niet wijs dat je er wat mee verdient.'

David slaat op het stuur en lacht. 'Nee, als ik mazzel heb een paar duizend per jaar, de rest moet ik met stukjes, baantjes en lezingen bij elkaar sprokkelen. Soms helpt een beurs een maand of twee ergens fulltime aan te werken. Ik ben strikt genomen een parttime-auteur. Maar het houdt mijn leven bij elkaar en mijn rug recht, Eden. Anders zou ik mezelf haten.'

'Maar het is toch vreselijk deprimerend in die boekenwereld te zitten?! Je zit klem tussen de commerciële gladjanussen en de snobistische kinnesinneclub, die kankert op de bestsellerauteurs met hun sterallures! En die jongelui op uitgeverijen hebben minder gelezen dan jij en ik op onze literatuurlijst hadden staan in de vijfde!' Edens stem krijgt de kraaiende klank die hoort bij het berijden van een van zijn stokpaardjes.

David laat Eden een tijdje doorratelen over het verval van de literaire kritiek, de heerschappij van de bestsellers en de algemene minachting voor alle literatuur die artistieke inventiviteit en verbeelding inzet tegenover de platte werkelijkheid, de morele verontwaardiging en de koudegrondpsychologie. Eden hapt naar adem na zijn tirade.

'Jongen, ik probeer me daar zomin mogelijk van aan te trekken. Slechte boeken zijn net als slechte muziek en vies eten niet aan me besteed. Het leven is te kort. Er verschijnen in Nederland en over de hele wereld voortdurend verbluffend mooie, geleerde, boeiende boeken, meer dan ik kan lezen. Als je weet hoe, kun je die allemaal makkelijk vinden. Ik prijs me gelukkig dat ik iedere paar jaar een poging kan wagen er daar eentje aan toe te voegen. Wat ik weiger te geloven is dat er nergens geestverwanten en liefhebbers van hetzelfde soort literatuur te vinden zijn als die ik lees en probeer te maken. Zo bijzonder ben ik toch niet? En dat blijkt ook, soms loop je die geestverwanten en liefhebbers tegen het lijf. Dat levert stimulerende ontmoetingen op, correspondenties zelfs, en ik leer ervan. Soms werk ik met die mensen samen, omdat het bijvoorbeeld goede kunstenaars, fotografen, architecten of musici zijn.'

'Jezus man, wat ben jij weerzinwekkend naïef! Ze drukken nog geen tweeduizend exemplaren van je boek, die na een halfjaar verkocht zijn of in de ramsj en de versnipperaar verdwijnen, er verschijnen hooguit een paar oppervlakkige stukjes in de krant als je mazzel hebt en je werk is de facto weer drie jaar dood! En jij maar jakkeren om stukjes te schrijven en kletspraatjes te verkopen, zodat je de huur kunt betalen! Dat is toch om gek van te worden! Hoe kun je je daarbij neerleggen? Dat je dat niet ronduit vernederend vindt!'

David maakt Eden nog kwader door alsmaar vrolijker te worden. 'Waarom zit je nou zo stom te hinniken, verdomme?!'

'Weet je nog dat ik je vroeg: zou je niet willen dat je werk meer als algemeen beschikbare tekst gelezen werd, als literatuur, dus als iets wat weerklank zoekt en waarop mensen reageren, waarover ze met elkaar verder praten? Omdat je werk al die jaren alleen in een vitrine, in een verzamelde en weggeborgen map bestaat, als een kunstvoorwerp dus. En toen zei je dat je dat niet kon schelen. Dat het maken ervan je bevredigde. Nu ben je verontwaardigd omdat ik vind dat een minimum aan weerklank genoeg is om door te gaan. Sorry hoor, maar ik denk dat het je wél veel uitmaakt, alleen dat het geld tot nu toe de pijn aardig heeft verzacht.'

Eden drinkt driftig een blik cola leeg waaraan hij begonnen was en gooit het tussen de stoelen en de achterbank. Hij steekt een sigaret op en schuift ongemakkelijk in zijn stoel. Hij trekt zich even op aan de beugel boven de deur en zucht. 'Kunnen we zo ergens stoppen? Ik moet pissen en mijn been begint pijn te doen.'

Goed getimed, want de richtingaanwijzer gaat klikklak, volgens een bord in de berm is het nog maar twee kilometer naar een tankstation. David zwijgt en vraagt zich af of hij een schrijver is met een gebrek aan ambitie. Hoe zou Brent het zeggen? Een padvinder.

Het licht over Duitsland krijgt een roodkoperen tint, de mannen hebben honger en zo eindigen ze in een wegrestaurant met een reusachtige parkeerplaats vol vrachtwagens. Als ze binnenlopen is de eetzaal verdeeld in twee zones. In de ene zitten mensen te eten die met hun rug naar het grote scherm zitten, in de andere zijn alle ogen gericht op de finale van het wereldkampioenschap voetbal. De stoelen zijn gedraaid, sommige borden liggen op schoot, er staan plukjes mannen tussen de tafels met een groot glas bier in de hand gebiologeerd naar de elektronische groene vlakte te kijken waar spelers in oranje en donkere tenues om de bal vechten.

Eden laat de riem van de holster waarin hij me meedraagt van zijn schouder glijden en parkeert mij tegen een tafelpoot. Ze bestellen biefstuk, 'Pommes' en 'Salat', en 'zum Trinken' bier. Als het eten komt hebben Eden en David nog geen woord gewisseld en heeft Van Bommel Iniesta op het middenveld onderuit gelopen en krijgt hij een gele kaart. De vrije trap wordt genomen en een minuut later deelt de Spanjaard Ramos een beuk uit en gaat ook op de bon. De vierde gele kaart van de wedstrijd. De wedstrijd is net twintig minuten bezig. De gezichten op het veld staan even bezorgd en gespannen als die van David en Eden. De andere toeschouwers in het restaurant keuvelen ontspannen, kijken zonder fanatisme en reageren lacherig of meewarig op de beelden op het grote scherm. Lage stemmen lachen in een kenmerkend Duits ritme en overstemmen het commentaar.

David kijkt naar de wedstrijd, maar niet als naar een gebeurtenis die werkelijk plaatsvindt. Het lukt gewoon niet. Voor hem is het een film, een van tevoren uitgeschreven schouwspel waar onmiskenbaar een doem overheen hangt. Na een halfuur strijd hebben de mannen in de oranje tenues een paar grote kansen op een doelpunt gemist en wordt de sfeer grimmig. Je ziet dat agressie en angst de voor- en achterkant van hetzelfde beest zijn, de spelers zijn gehypnotiseerd door het bevel de finale koste wat het kost niet te verliezen, zoals Nederlandse teams deden in 1974 en 1978.

In het rommelige spel is verbetenheid en paniek te bespeuren. Het droevige gevoel dat het schouwspel oplevert herinnert David aan Brent en zijn laatste jaar, waarin hij werkend, schrijvend wilde sterven. Van een keuze kon je niet spreken, het was de logische uitkomst van zijn aard, zijn woede, zijn teleurstelling. Zo moest het gaan, net zoals de oranje mannen naarmate de wedstrijd langer duurt minder oog hebben voor elkaar, en het spel gemener wordt en impulsieve strijdlust de kansen op succesvolle aanvallen verkleint. Steeds meer zweet en strakgespannen spieren, de tanden gaan op elkaar, meer georganiseerde angst en drift dan overzicht en speels vernuft. Ze strijden heldhaftig en komen tot bewonderenswaardige acties. Hun talent is onmiskenbaar. Maar ze lopen zich vast. En de tegenstanders, de Spanjaarden, de dood in het leven, worden allengs sterker en rustiger, ze groeien met hun geduld en krijgen geleidelijk de betere kansen. David heeft werktuigelijk en zonder smaak zijn bord leeggegeten en moet blijven kijken, ook al vervult alles wat hij ziet hem met weerzin.

Net als het laatste bericht dat hij van Brent kreeg (ik kan niet meer staan, de rolstoel is gearriveerd) is Iniesta's doelpunt vier minuten voor het eind van de verlenging geen verrassing maar wel een schok. Het spook dat al die tijd over de wedstrijd gehangen heeft deelt de beslissende slag uit en alles is voorbij. Er valt niemand iets te verwijten, iedereen heeft gedaan wat ie moest doen, met hart en ziel, tot voorbij het betamelijke; en al kan David alleen maar zijn longen, zijn huid, zijn handen, zijn oren openen om het verdriet door zich heen te laten trekken, toch erkent hij dat Oranje, dat Brent het op deze manier moest verliezen. Niemand die het wil, maar dit zijn de feiten. Over de oorzaken kun je een eeuwigheid blijven piekeren of discussiëren, maar dit is er gebeurd en veel anders had het niet kunnen gaan. Afwezig zegt hij ja als Eden vraagt of hij nog een glas bier wil om op de historische nederlaag te drinken. Hij ontwijkt Edens blik, verdraagt zijn aanwezigheid met moeite. David wil weg, alleen zijn, hij wordt gegijzeld door de vraag hoe hij zou leven als hij nog maar een jaar had, en er trekt een kilte over zijn rug bij de ontdekking dat zich geen enkel beeld opdringt, dat hij geen idee heeft waartoe hij in staat zou zijn. Zijn armen verkrampen en worden pijnlijk; ze willen Tessa vasthouden, maar die is ver weg.

Op de parkeerplaats, in de zware dieselwarmte die tussen de vrachtwagens hangt en waarin de hete dag goed bewaard blijft, begint Eden, die frivool met zijn stok tegen de reusachtige banden van de trucks tikt, over het hotel in Wuppertal waar ze vannacht slapen. In een oude machinefabriek, verbouwd tot een designhotel. Hij is bezorgd als David nauwelijks reageert.

In de auto, bij het vaart maken om de snelweg op te gaan, komt David, geconcentreerd in de spiegel turend, weer wat tot leven en verzucht boven de gierende motor uit: 'Eigenlijk was het een schitterende wedstrijd! Met veel goede voetballers en dan toch die paniek, het grove geweld, dat alsmaar net niet. Het best was dat de beslissing op het allerlaatst pas viel, als een langverwachte dolkstoot. Prachtig! Man, als we die finale met Brent samen hadden gezien hadden we ons te pletter gelachen.' En bij die gedachte klaart zijn gezicht op.

Eden kijkt naar hem en beseft dat hij David nauwelijks kent. Ze rijden de schemerige zomernacht in naar Wuppertal.

(De Olivetti Lettera 22, bouwjaar 1957, bij een tafel op de eerste verdieping in de grote zaal van het Wuppertaler Brauhaus, een voormalig negentiende-eeuws zwembad annex badhuis van bakstenen en hoge stalen balken, dat nu een brouwerij en grand café is, waar ook concerten plaatsvinden; het is halverwege de middag, het restaurant is nauwelijks gevuld, iedereen is buiten, de Biergarten zit vol, het is een stralende zomerdag in 2010.)

Eden wijst op de mobiles die in de ruimte hangen. Typisch Duitse, mollige cartoonfiguren in ouderwetse gestreepte zwemkleding, die sullig glimlachend ronddraaien in de opstijgende warme lucht. Hij schudt zijn hoofd en tuurt weer in de menukaart. David kijkt naar de zes reusachtige ronde stalen ketels die tegen de muur achter de mobiles staan en het bier bevatten dat hier gebrouwen wordt. Er worden hier twee soorten gemaakt: Wupper Hell en Wupper Dunkel. Net als het grote model van de meer dan honderd jaar oude Schwebebahn, dat trots midden in de grote zaal staat, wekt die eerlijke eenvoud sympathie voor deze stad. Ze zijn trots op hun stad en vieren de eigenaardigheden ervan voluit. Maar god, wat een lelijkheid. Wat wil je: pas in de jaren dertig is Wuppertal officieel een stad geworden uit een samenraapsel van kleinere fabrieksstadjes. In 1943 legde de Royal Air Force de stad grotendeels in puin, en hoe ijverig en goedbedoeld men daarna ook aan het herbouwen is gegaan, het resultaat is zelfs bij uitbundig zomerweer met geen mogelijkheid mooi of aantrekkelijk te noemen.

Van precisiemechanica hebben ze hier wel altijd verstand gehad. Meteen na de Tweede Wereldoorlog was Wuppertal de stad waar de Voss gemaakt werd, een merk draagbare schrijfmachines, nog altijd beroemd om hun mechanische voortreffelijkheid. Van marketing hadden ze minder kaas gegeten en eind jaren zestig ging de fabriek op de fles. De machines zijn elegant, vaak in meerdere kleuren gemaakt en de latere modellen hebben eigenzinnige gewelfde vormen. Nog altijd horen de Voss-machines op het internet tot de duurste draagbare schrijfmachines die er te koop worden aangeboden. Niet zo vreemd dus dat Eden uiteindelijk aanklopte bij het Institut für Präzisionsmechanik om te informeren of men geïnteresseerd was in het Phoenix Typewriter Project.

Eden had het geluk dat er ene Ludwig werkte die zelf ook een verzamelaar en liefhebber van mechanische schrijfmachines was, een energieke slungel van begin veertig met een rossig, kort gehouden baardje. Hij vond het leuk om voor Eden uit te zoeken wat een vooruitstrevend systeem zou zijn, dat profiteerde van hedendaagse materialen en actuele kennis en dat een machine zou opleveren die er tegelijkertijd twintigste-eeuws-industrieel en toch ook weer futuristisch uit zou zien. Hij stelde een rapport op van een bladzijde of twintig waarin hij uiteenzette waarom hij pleitte voor een schrijfkop met een verwisselbare cilinder in plaats van de gebruikelijke drieënveertig hamertjes, en welke mechanische verbeteringen er mogelijk waren dankzij nieuwe materialen en technieken. Met dat geschrift, geprint op geplastificeerd papier en verlucht met indrukwekkende doorsneetekeningen, reisde Eden nu al bijna twee weken trots door Europa. Als er een bron was aan te wijzen van zijn geloof in de Phoenix Typewriter, dan was het dit mapje van Ludwig.

Eden bestelt boerenbrood en twee verschillende worsten, met garnituur van kool en wortelsalade. David een clubsandwich met gerookte kip, bacon en avocado. Statige glazen met heldergeel bier gaan aan het eten vooraf, en die tillen de mannen op. Voorzichtig tikken ze de glazen tegen elkaar, en als ze elkaar aankijken ziet Eden dat David zich verheugt op het naderende einde van de rondreis. Hij niet.

'Die computeranimatie kan nog wel eens erg bruikbaar blijken, ook bij het adverteren. Wat denk jij?'

David knikt. Ludwig had ze op een enorm vlak scherm een filmpje laten zien van anderhalve minuut, waarin de denkbeeldige camera draait om een driedimensionale lijntekening van een opengewerkte draagbare schrijfmachine. Het opvallende daaraan was dat hij er enorm compact uitzag. Dat kwam omdat de hamertjes, die bij een normale schrijfmachine een korfje vormen en stuk voor stuk door stangen en scharniertjes aan een toets zijn verbonden en zoveel ruimte opeisen, vervangen waren door een schuin boven de wals hangende kop met daarin een cilinder. Op het oppervlak daarvan bevonden zich alle letters, getallen en leestekens. Een inktlint was er ook al niet, want in navolging van Ludwigs grote voorbeeld, de Amerikaanse Blickensderfer uit 1893, schampte de cilinder op weg naar het papier langs een inktkussentje, zodat iedere letter vers gestempeld werd. Precisiemechanica, inderdaad!

David had na afloop van het filmpje verbouwereerd aan Ludwig gevraagd waarom hij een ontwerp uit de negentiende eeuw als voorbeeld had gekozen. Er was toch wel enige vooruitgang geboekt in schrijfmachineland in de eerste vijftig jaar van de twintigste eeuw?

De felblauwe, bijna paarse ogen van Ludwig glommen, met zijn mond vol schots en scheef staande tanden ratelde hij over zakelijke belangen en toeval. George Blickensderfer overleed vlak na de Eerste Wereldoorlog in New York, hij werd aangereden door een taxi. Zijn bedrijf ging failliet, en het concept werd nooit doorontwikkeld. Andere schrijfmachineproducenten die werkten met verwisselbare lettercilinders, zoals Crandall en Hammond, waren domweg wat minder slagkrachtig bij het veroveren van de snel groeiende massamarkt en legden het af tegen de grote fabrieken van Underwood, Remington, Royal en Corona. De hamertjes wonnen. Maar niet omdat ze per se beter waren. Ze werden sneller, dat wel. In de jaren zestig kwam IBM met het bolletje, en een vernuftiger, nauwkeuriger en snellere schrijfmachine dan de Selectric II is er waarschijnlijk nooit gebouwd. Maar ja, elektrisch en erg ingewikkeld en loodzwaar.

'En wij' – ja, Ludwig maakte er geen geheim van hoe sympathiek hij Eden en zijn Phoenix Project vond – 'willen een spectaculair verbeterde mechanische schrijfmachine met lettercilinder bedenken. De oude machines met lettercilinder waren inderdaad wat traag. Dat had ook met het gewicht van de gebruikte materialen te maken. Ik stel voor om een wagen te maken die extreem licht loopt op kogellagers van het beste keramische materiaal. Minimale weerstand, dus. Het handmatige transport van de wagen naar rechts zou niet alleen een stalen veer spannen die de beweging van de wagen naar links verzorgt, maar ook een tweede, die extra kracht en snelheid levert aan het draaien van de cilinder en het neerslaan van de schrijfkop. Met lichte en sterke metaallegeringen en nieuwe *quick-release*-techniek kun je de benodigde snelheid winnen, denk ik. Het allermooiste, en dat is een antwoord op jouw vraag, David, is dit: een doorsnee draagbare schrijfmachine bestaat uit ongeveer 2500 onderdelen. Een machine zoals de Phoenix, met een lettercilinder, hoeft er maar 250 te hebben!'

Dit was een sterk argument. Het klonk slim en modern. En dat gecombineerd met de mogelijkheid van cilinder en dus van lettertype te wisselen, maakte het begrijpelijk dat er heden ten dage veel te zeggen was om de hamertjes te laten voor wat ze waren en voor de cilinder te kiezen. David zou de hamertjes en hun geluid missen. Hij had wel goede herinneringen aan zijn IBM Selectric, maar miste het bolletje helemaal niet, vooral vanwege het storende gezoem van de motor. Nieuwsgierig naar de Phoenix was hij vanochtend wel geworden, voor het eerst eigenlijk, en dat was te danken aan het enthousiasme en de deskundigheid van Ludwig.

Davids humeur verbetert zichtbaar als de clubsandwich voor zijn neus staat. In het designhotel heeft hij vanochtend alleen een klef croissantje gegeten.

Wat te doen na de lunch? Museumbezoek? Flaneren? Slenteren door het drukke voetgangersgebied in het centrum met winkels en terrassen is geen aantrekkelijk plan. David ziet op tegen het tergend lage tempo van Eden met zijn slepende been. Bovendien is Wuppertal beroemd om zijn enorme hoeveelheid trappen, omdat de stad erg heuvelachtig is. Eden houdt het er wijselijk op dat het voor wat dan ook veel te warm is.

'Laten we met een taxi naar het hotel gaan, ons opfrissen, een dutje doen, wat lezen of zo en dan voordat we morgen naar Oostende rijden gaan we nog een laatste keer feestelijk eten. Om de reis af te sluiten, uh, te evalueren en plannen te maken voor het vervolg van het project. Nu ben ik nogal gaar, die worsten zijn zwaar op mijn maag gevallen en ik ben slaperig van het bier.'

David vindt het best, en een uur later staat hij onder de douche.

Hoe lang hij er ook staat, in tegenstelling tot anders wordt hij er niet vrolijk en rustig van. Daarna ligt hij op bed en leest in een boek van vroeger. Hij draagt het al weken met zich mee, diep onder in zijn tas. *Die Milchstraße* van Peter Rosei. Het is een roman uit 1981, van een dan vijfendertigjarige Oostenrijker. De taal is helder, de toon beschrijvend. Rosei is een scherp en ironisch waarnemer, maar de strekking van het boek is huiveringwekkend. De hoofdpersoon is een stuurloze dertiger, waarschijnlijk een mislukte schrijver, en beslist geen sympathiek personage. Zijn houding is die van iemand die geen zin heeft mee te doen. Niet met de maatschappij, maar ook niet met de levens van anderen. Onverschilligheid lijkt zijn grootste vijand. Het boek vertelt van zijn bezoeken aan vrienden die hij lang niet gezien heeft en die vanuit verschillende landen en steden een brief hebben gestuurd om van zich te laten horen. Ellis, de hoofdpersoon, zoekt ze op.

Huiveringwekkend is de moedeloosheid die greep heeft gekregen op al die levens. De vrienden die de verteller bezoekt, zijn net als hij het spoor in hun leven bijster geraakt. Ergens in de dertig zijn ze, en het vuur van hun jeugd is wat getemperd. Ervoor in de plaats komen verwarring, twijfel, verslagenheid. Sommigen worden er drankzuchtig en rancuneus van, anderen cynisch en kil. De meesten kampen met hopeloos mislukte liefdes, een spaak gelopen loopbaan, en in veel gesprekken is de toon verbaasd-teleurgesteld of fatalistisch. Een paar blijken als Ellis aankomt aan een dodelijke ziekte bezweken of hebben zelfmoord gepleegd.

Ellis is op drift. Hij verdoet veel tijd op straat, in cafés, hij is in kantoren, stations, havens en hij maakt wandelingen. De wereld verschijnt als moe, versleten, in crisis en wordt niet door boeiende en uitzonderlijke mensen bevolkt. Ellis' vrienden zijn kantoorbediende, verpleegster, mislukte kunstenaar, verkoper, taxichauffeur, scharrelaar of leegloper. Het levensgevoel dat dit boek draagt is er een van uitputting, verbijstering, fatalisme. Ellis zeilt door deze wereld en neemt alle verdriet, gekkigheid en wanhoop waar, maar blijft nogal laconiek. Je krijgt er geen hoogte van in hoeverre hij het zich allemaal aantrekt. Het uitblijven van een reactie provoceert je als lezer. Alle subtiele beschrijvingen en lyrische passages ten spijt lees je tussen de regels de afgronden. Het laatste deel van het boek bestaat uit de brieven van de vrienden die chronologisch aan het hele boek voorafgaan. Als je ze leest herinnert iedere zin eraan hoe het ze vervolgens is vergaan. Het zijn lieve, stoere, grappige, onhandige en soms wanhopige brieven. Maar omdat je meer weet, gaan ze in hun alledaagsheid, hun onbevangenheid door merg en been.

In 1982 waren Brent en David betoverd door dit boek. Een meesterwerk vonden ze het. Hier was de schrijver op pad gegaan, als een 'soul-reporter', die gevoelig en eerlijk het leven versloeg. En dat alleen door heel goed om zich heen te kijken en veel weg te laten. Vooral literaire verfraaiingen en psychologische omwegen. Het boek was direct en had een ongemakkelijk effect, maar zonder macho te worden of ongevoelig. Rosei verzon geen verhaal of intrige, hij projecteerde geen bevlogen speculaties in personages; hij raakte je door gezichten en handen, kamers en pleintjes te beschrijven en verhoudingen tussen mensen treffend terug te brengen tot de amorele, onsentimentele feiten. Rosei riep de illusie op dat het leven zichzelf verbeeldde.

David leest en is weer betoverd. Hij zoekt favoriete passages op, zoals die warme middag in de haven van een stadje in Joegoslavië, waar de vrouw van de aan de grond geraakte kunstenaar zich in het geheim prostitueert. Of die waarin Ellis de intimiderende en ook weer aandoenlijke pompbediende ontmoet, de minnaar van de verpleegster die zelfmoord heeft gepleegd.

Tijdens hun reis heeft hij het boek nooit in het zicht gelegd of er tegen Eden over gerept. Het is iets tussen Brent en hem.

Na een dutje en een snelle douche spreekt Eden het halve flesje witte wijn aan in de minibar. Eerst zit hij in T-shirt en onderbroek op bed, achterovergeleund tegen een stel kussens, tot die ontspannen houding hem ergert. Hij gaat voor het raam staan en kijkt naar buiten, over de stad, maar hij ziet niets. Zijn ademhaling is snel en gespannen. Hij is zwanger van agressief ongeduld.

Vanavond. Zeggen waar het op staat. Voordat ze Amsterdam weer binnenrijden wil hij David hebben overgehaald om de handen ineen te slaan. Niet alleen in het Phoenix Typewriter Project. Nee, als schrijversduo. Dat wil hij niet zomaar, dat moet; als hij eraan denkt vloekt zijn hele lijf van onmacht. In Edens hoofd cirkelen zinnen die David voor het blok zetten. Hij repeteert tirades waarmee hij als een roofvogel in duikvlucht David bij de strot grijpt en hem dwingt de zaken te zien zoals hij. Bijvoorbeeld dat David na de dood van Brent volkomen stuurloos is, omdat hij al meer dan twintig jaar een geïdealiseerd beeld van Brent en hun samenwerking als jongens koestert en oppoetst. Een illusie die werkte en de vriendschap blijkbaar op een eeuwig waakvlammetje levend hield. Nu Brent dood is kruipen er moeilijke vragen tevoorschijn. Opeens zien het verleden en dus ook het heden er heel anders uit.

Eden gaat naar de badkamer, tapt een glas water en neemt een pil in. Een kleine dragee, die hij van de dokter mag innemen als hij bang is dat hij zijn hoofd niet bij elkaar kan houden als het spannend wordt. Als hij vanavond David zover heeft dat die toegeeft net als Eden geen flauw idee te hebben hoe het verder moet en wat het allemaal voor zin heeft, dan moet hij toeslaan. Later op de avond. Hij zal David overrompelen met zijn verhandeling over Brent en David. Dat ze zich allebei uit angst kleiner hebben gemaakt dan ze hadden kunnen zijn. Brent zocht de veiligheid van de vaste toon en het eenvoudige, prettige format, en om alle moeilijke vragen aan zichzelf het zwijgen op te leggen, vermomde hij zich als verslaggever. Met succes. Hij gokte op het publieke geheim dat hij eigenlijk een schrijver was, ook al leverde hij redactie en publiek het product dat ze wilden.

En David, ach, overgelaten aan zijn eenzelvigheid en neiging tot intellectueel dromen – natuurlijk allemaal uitingen van levensangst, kon hij alleen maar een trouw dienaar zijn van het geloof in de Vorm. Dat bestaat eruit dat iedere roman, hoe onvolmaakt ook, een poging moest zijn om alles wat er op dat moment toe deed in het leven van de schrijver (zijn ervaringen, inzichten en de demonen die hem in de greep hadden) te verbeelden in een samenhangende vorm. Sfeer, stijl, structuur, toon, personages – alles moest speciaal voor dit ene verhaal op maat zijn ontworpen en uitgevoerd. Het was een samenhang die niet ontstond op gezag van een voorbeeld, een vraag uit de markt of van een redactie, maar die zichzelf organiseerde, als een weliswaar virtueel, maar levend wezen. Als een kunstmatig lichaam dat geluid, geur, beeld, gedrag voortbracht, zodra je het begon te lezen. David zette zichzelf met ieder boek op achterstand door te doen alsof hij debuteerde, daar kwam het op neer. Hij hield er niet mee op steeds opnieuw schrijver te worden. Dat leverde licht verwarrende, sympathieke, maffe en gemankeerde boeken op. Kijk, en dat was ook een manier om je te verstoppen, volgens Eden.

Zichzelf zal Eden tegenover David omschrijven als een schrijver met de strategie van een clochard. Levend in het openbare domein, maar verstopt, zo goed als onzichtbaar. Iemand die verdwijnt in een schijnbaar simpele rol. En die tastend, improviserend zijn spoor als schrijver trekt, in opperste autonomie. Zonder al te veel benul van de eigen geschiedenis of de richting waarin hij werkt. Iemand zonder vorm, zonder context, maar met een eigen stem. Een outsider. En hij schrijft voort tot hij ergens in een ijskoud portiek, of schuilend tegen de regen tussen de struiken in het park, verzucht dat het mooi is geweest. Dat hij zijn verhaal erbij neergooit, dat hij er niet meer mee getrouwd wil zijn, en dat hij daarom zonder ontknoping of bekroning dat verhaal in de steek laat, omdat hij walgt van zijn eigen gebrabbel, het eeuwige geduw en getrek om de stroom van beelden en woorden op gang te houden. En vooral omdat hij in een warm huis wil wonen, waar het goed eten en drinken is, desnoods zonder publiek verhaal.

Dan komt het moment suprême. Dan zal Eden zeggen: ondanks dat alles willen we allebei nog schrijven. Toch? Alleen helemaal anders. Omdat het ons leven is. Maar we hebben geen idee hoe. Kijk, en daar hebben we elkaar bij nodig, zou hij dan zeggen en vervolgens zou hij David in de wang knijpen. Vrij hard. Irritant, maar onvergetelijk! Als een duo, een samengestelde auteur, zouden ze een manier kunnen vinden om hun schrijvend leven weer vorm en richting te geven. En jij weet hoe goed dat kan werken, van vroeger. Toch, David?

Dat kleine kutflesje is alweer leeg. Nee, niet nog meer drinken voor het eten. Eden scheurt een zakje nootjes open en gaat op het balkon in de schaduw zitten roken, op een bureaustoel. Zijn rechtervoet tikt op de maat van een onhoorbaar, opgefokt rocknummer. De gedachten achtervolgen elkaar als de wagens van de spelers in een computerspel. Ze scheuren door de stad en er sneuvelen winkelpuien, straatlantaarns en voetgangers. Vuilcontainers vliegen door de lucht en geparkeerde auto's worden de gevels in geschoven. Ook al stijgt de rook uit de auto's, hebben ze deuren en bumpers verloren en zwalken ze op hun beschadigde assen, ze blijven jagen op elkaar. Harder en harder. Zo ongeveer gaat het tekeer in Edens hoofd, en het is pas halfzes!

Ik bevind me tegen het zijpaneel van het bureau in Edens hotelkamer. Straks zal hij mij weer meenemen, zoals een ander een zakmes of een stemvork, en me zomaar in een hoek van het restaurant zetten. Een excentriek accessoire. Ik zal getuige zijn van de show down die hij vanavond forceert. En wat is daarin mijn belang? Heel simpel: verlost te worden van Eden, van het slaafs doorploeteren aan die vervolgverhalen, van de onverschilligheid die woekert met de vormeloze herhaling van gelijksoortigheden. Zoals ik bevrijd wil zijn van Eden en zijn even benauwde als oeverloze, vreugdeloze universum, zo verlang ik naar de vrijheid die David ten deel valt wanneer hij onder de doem weet uit te kruipen van het laatste jaar. Laat mij in Davids handen vallen. Wat er verder gebeurt met Eden, of met die nieuwe schrijfmachine, laat me koud. Ik wil een vrije rol spelen in een schrijvend leven.

Bij het arriveren van de eerste fles witte wijn wrijft Eden in zijn handen en richt hij zich op in zijn stoel. David ziet die gretigheid en begrijpt nu waarom Eden zo enthousiast was over het fusionrestaurant van het hotel, dat hem niet zo bijzonder leek: als je van plan bent flink door te drinken is het een comfortabel adres, nog geen honderd meter van je bed, omringd door behulpzaam personeel. De avond zal wel een wilde achtbaanrit worden, maar dat moet dan maar, het zit er bijna op; nog twee dagen en dan is hij weer bij Tessa en de kinderen. Het plan is nog langs een met Eden bevriende kunstenaar in Oostende te gaan. Eden geeft hem een cassette met zijn werk van de laatste twee jaar, als bedankje voor het leggen van contact met een welgestelde Belgische verzamelaar. Overmorgen levert David dan Eden in zijn Zeister boshuisje af en keert terug naar Amsterdam. Als David zijn ogen dichtdoet, ziet hij hoe zijn voordeur groter wordt op de laatste tien meter en herinnert hij zich de voorpret bij het opengooien van de deur en het 'Hoi!' roepen in de lege gang.

'Een Hollywoodscriptschrijver had het kunnen bedenken,' zegt Eden en neemt een hap van zijn voorgerecht. Het heeft even geduurd voordat het kwam en de fles wijn is al verdwenen. Met één enkele hap is meer dan de helft van het delicate bouwseltje van geroosterde groentesnippers, vruchten en vis verdwenen. Eden lijkt nauwelijks waar te nemen wat hij eet en tikt hard met zijn vinger tussen hun borden in het hagelwitte tafellaken.

'Precies, maar dan ook precies als jij je aansluiting bij de media lijkt te verliezen, en de vaart uit je romanschrijverij raakt, begint het succesverhaal van Brents column. Terwijl jij vroeg in de jaren negentig een lieveling van de kritiek was en hij de gebeten hond, zak jij weg in de vergetelheid en wordt hij publiekslieveling en een halve Bekende Nederlander.'

David heeft het al vaker gehoord, en zelfs een paar jaar terug een vraaggesprek gegeven aan een glossy mannenblad dat hem benaderde voor de rubriek 'Waar was die ook alweer bekend van?' Het gesprek was in een minuut of twintig gepiept. De uren daarna werden besteed aan het maken van foto's voor bij het artikel. David hees zich in steeds andere dure pakken en vlotte truien, die hij om onduidelijke redenen op de foto moest dragen.

'Journalistiek simplisme, Eden, dat valt me van je tegen. Wat voor verband suggereer je trouwens? Het klinkt lekker helder, maar je hebt het over twee levens, twee mensen die erg van elkaar verschillen en allerlei zaken tegelijkertijd goed willen doen: geld verdienen, mooie boeken schrijven, nieuwe contacten en kennis opdoen, een gezin stichten en kinderen opvoeden. Ga maar door. Bespottelijk om die levens in zo'n plaatje te vangen. En er was tussen ons geen wedstrijdje wie het meeste succes had. Natuurlijk kon Brent het moeilijk verkroppen dat mijn boeken in het begin goed ontvangen werden en ik zelfs een literaire prijs kreeg. Zijn werk werd niet zo gewaardeerd en daar zal hij bitter over zijn geweest, of vertwijfeld. Maar hij deed zijn best dat helemaal weg te houden als we elkaar zagen. Zo was dat tussen ons. Dat mocht niet meespelen.'

'Jaaah! Het moest allemaal mooi blijven. Het imago van het

toffe duo moest intact blijven. Want dat was de trip waarop vooral jij zat: het gezamenlijke werk als onvervulde belofte, ieder apart zijn we al goed, maar het vervolg op het debuut, dat zou pas echt een literaire bom zijn geweest. Dat kan je natuurlijk makkelijk zeggen van iets wat onmogelijk is geworden en nooit meer gebeuren zal.' Eden sproeit wat aspergevezels in Davids richting, zo'n haast heeft hij met het scoren van zijn rotopmerking.

David leunt achterover en neemt een slok van de net ingeschonken veltliner. Het is misschien het beste om Edens toenemende behoefte aan grensoverschrijdend gedrag te smoren in koele redelijkheid. Niet happen.

'Ergens heb je gelijk. We wilden vrienden blijven, ons aanpassen aan nieuwe omstandigheden. En ik zal het je sterker vertellen, ik heb het laatste jaar, zonder Brent, ontdekt dat hij en zijn werk een soort gewetensfunctie hadden als ik aan mijn eigen boeken werkte. Het ligt subtiel, maar al die jaren dacht ik dat mijn werk er iets mee zou winnen als ik er ook iets in verwerkte van mijn verleden met Brent, van het soort kijken en schrijven zoals hij dat bedreef. Dat er een verband was met de ideeën waarmee we begonnen waren. Het onmogelijke vervolg op ons debuut verbond ons. In stilte, vanuit de dode hoek van onze gesprekken. En ja, ik had de neiging onze samenwerking te idealiseren.'

Eden is even verbaasd over Davids reactie. Hij kijkt naar het bestek dat de ober neerlegt. Dan komt er een nieuwe grijns op zijn kapotte gezicht.

'Alleen geen hond die er iets van merkte, bij het lezen van je boeken. Dat waren nauwelijks romans, toch? Nauwelijks normale mensen. Hier en daar een realistische scène, maar als geheel toch vooral fantastische bouwsels om stukken over fotografie, kunst, literatuur, stedenbouw, sprookjes, geschiedenis en filosofische bespiegelingen in kwijt te kunnen. Nergens rock-'n-roll, straatleven, de sappelende gewone mens, de slome weemoed van het platteland. De zelfdestructieve liefde, ga maar door.'

David begint pissig te worden. Weet Eden toch weer het bloed onder zijn nagels vandaan te halen. Hij telt tot tien.

'Waarom wauwel je een manier van lezen en beoordelen na die de jouwe niet is? Je hebt die boeken toch zelf gelezen? Waarom ben je niet nieuwsgierig? Ik ga je nu echt niets proberen uit te leggen. Je zit te stangen, maar spaar je de moeite, ik verdom het mezelf te rechtvaardigen. Ik heb geen idee waarom je me probeert op te fokken, maar het gaat niet werken.'

Dan is het lang stil. Edens brein is koortsachtig bezig. Wat stom! Hoe kan hij zo zijn eigen glazen ingooien? Er zit maar één ding op, en dat is excuses maken en doorstoten naar de onderliggende kwestie.

Halverwege het hoofdgerecht, dat beiden lekkerder vinden dan ze hadden verwacht, schraapt Eden zijn keel.

'Oké, David, dat was raar en ongepast. Ik liet me meesleuren door eh... door wat me... waar ik moeilijk over begin, iets wat me hoog zit.' Zijn stem klinkt bijna zangerig en een beetje hees nu hij er bij hoge uitzondering geen kracht achter zet.

En dan komt dat hele verhaal over de onontkoombaarheid van de samenwerking tussen David en Eden. Zoals Eden het heeft ingestudeerd, maar met door de wijn aangewakkerde improvisaties, over dat ze allebei behoefte hebben aan het verzetten van de bakens en hoe sterk en verrassend de combinatie kan zijn van twee zulke ervaren auteurs.

Eerst stelt David alleen vragen. Bij het dessert begint Eden ongeduldig te worden. Nou, wat zegt David? Is het iets wat hij, in wat voor vorm dan ook, zou...?

Nee. David ziet de zweetdruppels op Edens voorhoofd en weet dat het theater nu pas gaat beginnen en herhaalt het: nee.

'Om waarschijnlijk drieduizend redenen. Maar ook om de tijd die het kost. Ik wil een paar plannen die ik heb uitvoeren, en dat is moeilijk genoeg naast alle opdrachten en baantjes. En ik heb bovendien geen zin in jouw bozige onrust, de voortdurende verontwaardiging en afgunst. Ik vind dat niet fijn. Misschien vind je me een ouwe lul, maar het is in mijn ogen verspilde energie.'

Geen tijd. Geen zin. En nog meer dan 2990 andere redenen. Inmiddels staan er schnaps en grappa op tafel en is de koffie op. David ziet hoe Edens gezicht lijkt te smelten. Het harde masker met de gezonde buitenkleur, de groeven en vouwen wordt slap en blubberig, het glimt van de tranen die opkomen en het zweet dat erop staat. Het is weerzinwekkend om te zien, zoals het ineenstorten van iemands decorum altijd lelijk en pijnlijk is, en toch laat David het gebeuren en legt hij zelfs een arm over de tafel, om even de hand van Eden te pakken. Oké, je moet de invloed van de drank eraf trekken, en rekening houden met Edens zelfopjuttende karakter, maar dan nog: hij is iemand zonder familie of kinderen, die van zijn eenzaamheid en onverstoorbaarheid zijn overlevingstechniek heeft gemaakt; en nu steekt hij zijn hand uit, geeft zijn twijfels en angsten bloot en zegt David nodig te hebben.

Zoals ik het zie: David heeft groot gelijk dat hij nee zegt en wel resoluut, zonder valse hoop te wekken. Die samenwerking wordt gegarandeerd een gierend fiasco.

Dat Eden na het afrekenen, tijdens het roken op het pleintje voor het hotel, met overslaande stem weliswaar, uitroept dat David zich afwerend opstelt en nodeloos kil doet, daarin heeft Eden weer gelijk. Een puur redelijke reactie is nu niet genoeg.

Vanaf dat moment, samenvallend met het verdwijnen van de bedaagde eters en de komst van de bierdrinkende jongeren die komen dansen en elkaar versieren, is er geen houden meer aan. Eden is op gang en de verwijten worden grover. Ze staan op een pleintje met kinderkopjes, passerend uitgaanspubliek kijkt bezorgd naar de twee. Ze worden beschenen door gele straatlantaarns en de gekleurde neonlichten van cafés en snackbars. Eden leunt zwaar op zijn ebbenhouten stok, zijn schouders opgetrokken en zijn hoofd hangt. Met een bijtende, schorre stem braakt hij zijn verwijten over het pleintje.

David is een gevoelsarme arrogante klootzak, die er gluiperig van geniet als anderen het moeilijk hebben met zaken waar hij zich voor afsluit. Zo kan hij zich verheven voelen boven anderen. Maar ziet hij dan niet dat Eden hem een kans geeft uit die ijzige, armoedige, narcistische gevangenis te ontsnappen? Ja, het is een nogal luidruchtige smeekbede die Eden op hem afvuurt en dat kan best schrikken zijn, maar David zou er goed aan doen het als een uitgestoken hand te zien, een eens in het leven voorkomende kans meer warmte en chaos toe te laten in zijn leven, en god wat zal hun plezier in het schrijven enorm zijn als ze vanuit dit besef hun frustraties en twijfels achter zich weten te laten. Bovendien, wat voor zak ben je als je een geestverwant, die je volledig in vertrouwen neemt, en die werkelijk alles wil offeren en opzijzetten voor dit volkomen onvoorwaardelijke aanbod samen te werken, zo harteloos in de stront laat zakken! Besefte David wel dat Eden desnoods de rest van zijn leven met David wilde rondreizen, zoals nu, en samen schrijven?

Waarop David heen en weer geslingerd wordt tussen de neiging Eden te kalmeren zoals je doet met een driftig kind en de drang hem keihard van repliek te dienen en op zijn plaats te zetten. Die aarzeling geeft Eden net genoeg tijd een volgende ronde in te luiden. 'Man, ik sta te tollen op mijn benen. Laten we even op adem komen en ergens gaan zitten met zo'n heerlijk koud glas wupperbier, want we zijn hier nog niet over uitgepraat!' zegt hij opeens verrassend kalm. Je weet nooit hoe dronken of overmand door emoties Eden precies is. David voelt zijn woede groeien. Al die gekwelde uitdrukkingen, die grove beledigingen, het is verdomme allemaal effectbejag! David verbergt zijn woede (nou ja, zijn handen trillen), hij heeft de indruk dat Edens kwaadaardigheid niet uit berekening maar uit een stoornis voortkomt. Iets dat in de familie zit. Hij doet dit omdat hij zo is. Daar kan David niets aan veranderen. Hoe kwaad hij ook is, Eden tegenspreken heeft geen zin. Met samengeperste lippen volgt hij Eden naar een originele Wuppertaler Eckkneipe.

Achter in de kroeg, in een hoek met houten banken, gaat het verder. Eden heeft mij met leren holster en al op tafel gelegd, tussen de bierglazen en de gesticulerende armen. Na een liter of anderhalf lopen de tranen over het scheve gezicht van Eden, die gewoon doorgaat David uit te kafferen. Brent neemt in zijn woordenvloed de gestalte aan van een cynische broodschrijver die zich opgewerkt heeft via oude vrienden, zoals David, een paar oudere journalisten en mensen bij de media, en die vervolgens sluw en maximaal geboerd heeft met een klein talent. Toen tragisch is neergehaald door een stomme ziekte. David is een autistische schijtlaars die niet eens zijn eigen verdriet onder ogen durft te zien en die met zich laat sollen. Hij zakt weg in miezerigheid en weigert te zien dat er drastische maatregelen nodig zijn om zijn schrijvend leven te redden. Het gaat maar door en Edens tong wordt dikker, totdat David het maar half verstaat.

Davids hoofd tolt. Hij drinkt met Eden mee tot het moment dat hij besluit hem een halt toe te roepen.

'Nu moet je even je bek houden en luisteren. Je zit er helemaal doorheen, dat is me nu wel duidelijk. En de toekomst van je reddingsplan, die nieuwe schrijfmachine, is onzeker. Je bent eenzaam en ziet in mij je enige kameraad. Maar ik ken je pas een paar weken. Je meet jezelf de meest verstrekkende oordelen aan, maar overduidelijk overzie je niet de gevolgen van wat je zegt. In de verste verte niet. Je chanteert me. Je beledigt mij en mijn vriend tot op het bot in de hoop dat ik je vriend word. Je kunt niet verwachten dat zoiets werkt. Ik snap hoe moeilijk het voor je is, maar ik zie alleen iemand die om zich heen slaat en die ik op deze manier niet kan helpen.'

Eden staat op en zijn stok klettert tegen de plavuizen. Hij duikt met zijn zwetende, verwrongen gezicht tot vlak voor David en brult uit volle kracht: 'Nee! Jij bent de enige die me kan helpen! Wanneer dringt dat nou tot je botte hersens door, klootzak!'

David zwijgt, wrijft door zijn gezicht. Het zweet breekt hem uit en hij schudt zijn zware hoofd heen en weer. Hij wordt misselijk en mompelt dat hij naar de wc moet. De Duitse omstanders doen lacherig en slaan hem en Eden op de schouders. Ja, ze begrijpen de kater, na die finale, het is 'beschissen' dat die Hollanders weer verloren hebben, maar zou het niet beter zijn er een keer aan te wennen? Kom kom, waar is het Hollandse talent voor relativering en luchthartigheid gebleven? Jungs, sei ein bisschen lockerer bitte!

Op de wc heeft David zin om tijdens het plassen in het pissoir te kwijlen, een teken dat hij moet ophouden met drinken. Hij wast zijn gezicht met koud water en ziet in de spiegel pas hoe moe hij is, hoeveel inspanning de reis heeft gekost, al die dagen met Eden.

Terug in de hoek van de gelagkamer ziet hij Eden met het hoofd in de handen zitten. Hij heeft weer twee reusachtige glazen bier besteld. Als het aan hem ligt gaat het de hele nacht zo door, tot het licht wordt. David blijft voor de ruwhouten tafel staan.

'Ik ben kapot, ik ga naar bed. Ik moet morgen dat hele eind naar Oostende rijden met een kater. We zouden daar toch met de lunch zijn?'

Eden richt zich op. In zijn mondhoeken staat opgedroogd wit schuim. Er steken grijzige tanden uit zijn halfopen mond. De verkrampte helft van zijn gezicht staat zo strak dat het ene oog dichtgedrukt wordt. Het andere is donker en lijkt te branden.

'Hier, voor jou. Ik wil dat ding niet meer. Het is voorbij. Donder jij maar op. Ik kom later. Gooi me morgen maar op de achterbank.' En nog iets wat David niet kan verstaan.

Dan geeft hij mij een harde zet, zodat ik van de cafétafel dreig te vallen. David vangt me op, mompelt iets in de trant van oké, tot morgen, take care, en draait zich om. Hij houdt mij in het drukke café tegen de borst aan gedrukt en slaat pas buiten de leren riem om zijn schouder, als hij voelt hoe slap en moe zijn benen zijn. Het is gelukkig niet ver naar het hotel, want hij moet zich concentreren om zijn evenwicht te bewaren. De koelte die de nacht als een vers laken over hem uitspreidt doet hem goed.

Bij binnenkomst in zijn hotelkamer gooit David mij op het bed. Hij drinkt water uit de kraan, poetst zijn tanden en kleedt zich uit. Hij slaapt al bijna als hij liggen gaat. Nog even is hij bij bewustzijn, in een toestand ergens tussen deze en een innerlijke wereld in. Ik lig naast hem en spreek. Een beetje langzaam, in zinnen die met horten en stoten gaan. David stelt zich de vrouw voor die erbij hoort. Een lage stem waar hij graag naar luistert, in een restaurant, een club, tijdens een feestje op een zomeravond. Een stem die soms monotoon is, maar dan uitbreekt in een lach, die iets licht vulgairs suggereert onder de beheerste en slimme manier van praten. Hij hoort sigaretten in die stem, en wijn en een half-verveelde zorgelijkheid die hij kent van actrices in oude Franse en Italiaanse films. Het is de stem van een jonge vrouw die een eigen leven heeft, een beroep. Zoiets als modejournalist, kunsthandelaar, literair agent of binnenhuisarchitect. Op de achtergrond is er de vanzelfsprekende steun van een familie, van broers, een vader, een oom. Haar zelfvertrouwen berust op haar kennis en kunde, maar minstens zoveel op haar imago, haar publieke verschijning. David ziet mij als een vrouw die geen moeite doet lief en prettig over te komen. Eerder een type met hevige emoties, wat zwaarmoedig soms, die een koele indruk wil maken. Iemand die zich elegant kleedt en sociaal vaardig is, maar geen conformiste. Er hangt een air van onberekenbaarheid om haar heen. Veel vriendinnen heeft ze niet. Ze heeft een minnaar, maar houdt er niet van samen met hem gezien te worden. Liever komt en gaat ze alleen. Ze is de dertig net gepasseerd, ze heeft donkerbruin haar, dat glanst. Haar tanden zijn minder perfect dan je zou verwachten, er staan er een paar scheef en helemaal wit zijn ze niet meer. Vreemd genoeg heeft ze wat onbehouwen tafelmanieren. David glimlacht, het is me gelukt hem te bereiken en een glimp van een nieuw geluk voor te spiegelen. Iets van ons samen. Ik heb Eden voorgoed verlaten. En dan komt eindelijk de nacht als een gordijn tussen mij en David en slaapt hij, zwaar ademend, zodat het is alsof hij doorlopend zucht van inspanning.

(Dezelfde Olivetti Lettera 22, schommelend in de leren holster, op een landweg even buiten Hannut, een Waals dorp tussen Luik en Leuven, bij een afrit van de E40 naar Oostende; het is nacht, het heeft geregend en het land geurt uitbundig naar zomer en bos en allerlei soorten onkruid, er zijn geen straatlantaarns en op het geritsel van de wind in de bomen en de roep van een nachtvogel na is het donker, stil en weids; het is de zomer van 2010.)

Er komt wat gevoel terug, zijn geschaafde knokkels doen pijn en David likt eraan, proeft bloed, gaat met zijn tong over de losse velletjes. Meer zorgen maakt hij zich over de aanzwellende doffe pijn in zijn polsen die optrekt naar zijn onderarmen en ze doet verstijven. David loopt en loopt en heeft een vage notie van de richting – naar het licht toe? – maar waarom hij zich precies verwijdert van de lage bakstenen herberg in het dorp, van Eden en zijn bagage, van de auto, is hem niet duidelijk. Wat gaat hij doen? En waarom heeft hij zonder na te denken mij van het bureau gegrist en meegenomen?

Het kwam door die verdomde stok met die valk erop. Het was niet de eerste keer dat Eden ermee dreigde, maar nu was er niets speels in de beweging. Toen de aanval kwam voelde David zichzelf als uit een katapult in beweging komen, naar voren en zijn armen en handen gingen aan het werk, vanuit de schouders, zonder aarzeling of voorbehoud, voluit, blind voor de gevolgen. Nog geen halve minuut later stond de deur open en marcheerde hij in een trance over deze landweg, in oostelijke richting.

Eden was helemaal niet in zijn bed terechtgekomen gisternacht in Wuppertal. Toen David 's ochtends na een lange douche beneden kwam en met kleine oogjes naar de ontbijtzaal liep, zat Eden als een vergeten zak aardappelen in een fauteuil in de lobby. Hij was in slaap gevallen en de ongewilde grimas trok zijn mond half-open, zodat hij kwijlde over zijn jasje. In zijn handen en over zijn borst hield hij een verkreukelde krant die hij was gaan lezen, wachtend op David. Om hem heen hing een onzichtbare koepel van zware geuren: bier, schnaps, zweet, tabak, bakvet. Op zijn hemd zaten lange vette vegen, zo te ruiken van de rode saus die bij döner kebab wordt geserveerd.

David wekte hem niet, maar ontbeet, haalde de bagage van de kamers, rekende af en zette alles in de auto. Pas daarna ging hij terug naar de lobby en schudde aan Edens schouder. Met moeite gingen de ogen open, het felle zonlicht in de hal deed zichtbaar pijn. David was verbaasd over de kinderlijke blik in Edens ogen, zo verdwaald en verdrietig, zo verbaasd en kwetsbaar. David zei van alles, Eden zei geen woord.

Na toiletbezoek en een glas sinaasappelsap schuifelde Eden richting auto, in zijn hand een onbelegd kaiserbroodje dat hij in het voorbijgaan had meegegrist. Bij iedere stap gromde hij zacht. Alles deed pijn.

De hele reis vanaf Wuppertal hadden ze naar klassieke muziek geluisterd op een Duitse zender. Geen woord gewisseld. De sfeer tussen hen was niet gespannen, – er was geen sfeer, leek het wel. Er was alleen de walgelijke mix van geuren die Eden om zich heen had. Toen ze Brussel naderden was Eden weer in staat te praten.

'We kunnen zo niet aankomen bij Guillaume in Oostende, ik tenminste ben niks waard. We bellen hem op en zeggen dat we het niet redden en morgen komen, in de ochtend, en dat we lekkere dingen meebrengen voor de lunch. Dan nemen we even de tijd om bij te komen, in een dorpsherberg die ik ken wat verderop.'

Een verstandig idee, vond David; niet alleen betekende het dat hij eerder achter het stuur vandaan kon (vier paracetamol zorgden ervoor dat hij schijnbaar normaal aan het verkeer deelnam, maar ze begonnen hun uitwerking te verliezen), maar het was ook goed om niet meteen weer aan een tafel met flink innemende kunstenaars te belanden.

Voor een Waals dorp oogde Hannut redelijk welvarend en vrolijk. De brandweerlieden zaten in hun singlets voor de kazerne op kampeerstoeltjes te kaarten. De bloemen op het plein bij het raadhuis zorgden voor een explosie aan oranje, rood en geel. In de winkelstraat stonden mensen in kleine groepjes te kletsen en overal wapperden vlaggen. De herberg lag net buiten het dorp, aan een asfaltweg met een oude kasseistrook erlangs. Misschien intact gelaten voor masochistische wielertoeristen. De landelijke rust die opsteeg uit de velden deed David meteen goed.

Le Jeune Chevalier heette hun onderkomen, een bakstenen boerderij, die voortvarend was verbouwd met een serre aan een tuin vol bloembakken en wit grind. De zaak werd uitgebaat door twee broers, Henri en Laurent. Ze waren allebei klein, zwaar en goedlachs. Laurent stond in de keuken en had zijn hoofd kaalgeschoren. Henri bemoeide zich met de gasten; hij droeg een rechthoekige bril en had zwartgeverfd piekhaar met veel gel erin. Eden werd met grote hartelijkheid ontvangen als oude bekende, en er was alle begrip voor dat de heren na zo'n lange en vermoeiende reis eerst een middagdutje wilden doen.

In het begin van de avond ging het verder. Met forel en frisse elzaswijn, aardbeien uit eigen tuin toe. Ja, ze werden verwend door de Waalse broers. David voelde zich met die maaltijd en dat uurtje slaap weer zo goed als op krachten gekomen. Eden leek zelfs van de wijn niet te genieten. Hij liet zijn bord half leeggegeten staan en rookte veel.

Later kwamen ze op Davids kamer terecht, voor echt niet meer dan een afzakkertje, want er moest goed geslapen worden, daar waren ze het over eens. Eerst vertelde Eden over zijn eerdere bezoeken aan de herberg, tijdens zijn tochten met motorvrienden, de grote feesten die hier waren aangericht door kunstenaars en een toneelgezelschap. David luisterde maar half. En dat zag Eden. Hij liet een stilte vallen en wachtte tot David hem aankeek.

'De wereld is dof geworden, hè? Volgens mij begint nu pas tot je door te dringen dat jouw schrijvend leven ondanks al je eigenwijsheid toch dreef op dat verleden met Brent, en nu hij dood is ben je zinkende.'

Was er behalve die zenuwkramp ook nog een sarcastische glimlach op Edens gezicht? David nam zich voor met geen woord in te gaan op de slinkse pogingen van Eden in zijn hoofd te kruipen. Daarom stond hij op, dronk zijn glas leeg en zette de deur van zijn kamer open.

Eden kwam naar hem toe, David hoorde het slepende been, de tik van de stok. En de stem: 'Je denkt dat je het kunt doodzwijgen, dat je ervan kunt weglopen, maar dit is wat het laatste jaar je duidelijk maakt: jij kunt het niet alleen, er is altijd zo iemand als Brent nodig, desnoods op afstand, in je hoofd. En er is nu een plekje vrij, geloof ik, David, geef toe dat je mij nodig hebt...'

'Ik vind het lullig voor je, maar dat is gelukkig niet waar, hou hiermee op,' zei David zacht en hij wees naar de donkere gang voorbij de deuropening. In zijn ooghoek zag hij de stok omhoogkomen, het blikkeren van de zilveren valk en toen het gezicht van Eden, waar iedere vorm van spot of sarcasme van verdwenen was. Het was de tronie van een demon. Van het monster in het labyrint, van een helse versie van hemzelf in een verwrongen spiegel. Toen hij dat zag ging tussen Davids schouders de trekker over en liet hij zijn armen vrij, zijn vuisten los.

David registreert de doordringende geur van kurkdroog dennenhout en ziet in het schemerduister het silhouet van een puntdakje met dakpannen waaronder een flinke houtvoorraad ligt te drogen, zomaar langs de weg, onder een wilgenboom. Langs de houtopslag is een pad uitgesleten en David volgt het zonder na te denken, het veld in.

In zijn hoofd, terwijl hij door het geurige donker van een tarweveld strompelt, omringd door geheimzinnig geritsel en geruis, vormt zich een brief die hij nooit aan Brent zal kunnen schrijven, een boodschap die alleen verstuurd wordt onder de blote hemel, zonder letters en papier, zo'n brief die pijn doet als hij tevoorschijn komt, een uitgetrokken doorn.

Amigo,

Echt, met de meeste dingen heb ik vrede. Dat jij een ander type schrijver wilde zijn dan ik en dat je daardoor in een andere wereld leefde, dat vond ik vanzelfsprekend. Dat was het hele idee, de lol van onze samenwerking. Dat gaandeweg een nieuw gezamenlijk boek onmogelijk werd, dat was wel een zware teleurstelling. Ik voelde me aan de kant gezet, destijds. Toch had ik al snel door dat het beter was. Ik moest mijn eigen fouten maken, mijn eigen succesjes behalen; hetzelfde gold voor jou. Dat onmogelijke vervolg op ons debuut was daarna nooit helemaal verdwenen,

het sloop om ons heen als een verzwegen, virtueel wezen, een voor ande-
ren onzichtbare Dritte im Bunde. *Deelgenoot en splijtzwam. Bron van*
een onuitgesproken verstandhouding, maar ook de oorzaak van een
schimmenspel van pijnlijk verzwijgen. Er waren zoveel delen van jouw
leven waar ik buiten stond. En dat is misschien in de ogen van veel men-
sen een raar soort vriendschap, maar voor mij heeft het gewerkt; zo
waren wij nou een keer.

Waar ik geen vrede mee heb is dat weerzinwekkende lied van Charlie
Rich op je begrafenis. Sympathieke artiest, die Charlie, een minder as-
sertieve en sexy kameraad van Elvis, die zijn eigen weg ging, mooie
liedjes schreef. Hij doolde decennia ergens tussen rock en country. Een
beetje een slome. Zo'n subtiel melancholieke popzanger, met een rauw
kantje en sterke wortels in het oude landleven. Typisch een favoriet van
jou. Je moet het me vergeven, maar ik heb jouw keus voor 'I Feel Like
Going Home' als een persoonlijke belediging gevoeld, als verraad. Na-
tuurlijk heb je het niet zo bedoeld, maar ik moet eerlijk zijn, dat is wat
mij overkwam, mijn hersens liepen als lauw water uit ogen en neus, jij
lag in die ruwhouten kist, overal klaar mee, doof en blind, en ik moest
met een kerk vol mensen luisteren naar de gezwollen, onvast-klagelijke
stem van Rich, die een inktzwarte, onderdanige cowboygospel zingt.

Lord, I feel like going home
I tried and I failed
And I'm tired and weary.
Everything I did was wrong,
Now I feel like going home.

Het is niet alleen een klaagzang die je hebt uitgezocht, maar ook nog
een aanklacht, een paar coupletten verderop gaat het zo:

Cloudy skies are rolling in
And not a friend around to help me

From all the places I have been
And I feel like going home.

En dan, tergend langzaam en slepend nog een keer, het ergste:

Lord, I feel like going home
I tried and I failed
And I'm tired and weary.
Everything I did was wrong,
Now I feel like going home.

Ik weet het, ik weet het, je mag niemand z'n sores kwalijk nemen, en ik kan niet werkelijk navoelen hoe zwaar je het had, zoveel pijn, zoveel spijt, zo jong. Oog in oog met de dood vinden wonderlijke gedaanteverwisselingen plaats, en ja, ik weet heus wel dat er altijd zo'n sentimenteel kantje aan je zat, een hang om als het moeilijk werd terug te willen kruipen bij de Heere God en het liefst nog terug in de moederschoot ook, maar godverkut man, ik dacht dat wij in een grijs verleden, zonder woorden, door ons kwetsbare, jonge lot gezamenlijk in de waagschaal van de letteren te leggen, iets hadden gezworen. Namelijk dat er achter al het mensengedoe en gelul helemaal geen diepere zin zit en dat mensen die zin zelf verzinnen. En dat geluk en een sprankje vrijheid dus gelegen zijn in het spelen met en scheppen van die zin zelf, in verhalen. Schrijven in de sterkste, meest vrije vorm. En dat we deze enige aardse religie, het echte heidendom, trouw zouden blijven en dus ook elkaar, ook al zouden we nog zo uit elkaar drijven. Nooit zouden we het hoofd buigen voor de ernst of de waarheid van ideologen, goeroes, religies of wat voor verdomde zingeving dan ook. Ook al zouden we verdriet hebben en janken om het verlies van geliefden, ook al zouden we ons kapotschamen en onszelf vervloeken om onze stommiteiten, we zouden weigeren het leven en de wereld als een tragisch verhaal te zien. Het universum heeft geen betekenis, Brent, mensen verzinnen die! Wie? Iedereen, maar vooral gekken, oplichters, fantasten, priesters, dichters, schrijvers, wij!

En daarom wist ik me verraden, daar tegenover die geluidsboxen waaruit Charlies plechtige keelstem droop. En ik niet alleen. Je hebt in dat laatste jaar ook jezelf verraden, vind ik, door geloof te hechten aan de golven van verbittering en spijt die je konden overspoelen. En nog een keer, dat is je niet kwalijk te nemen, je werd overrompeld door die ziekte, maar dat wil niet zeggen dat het waar is dat alles wat je schrijvend en levend hebt gedaan, verkeerd, mislukt, gemankeerd en fout was. Je was moeilijk voor jezelf en moeilijk voor de mensen om je heen. Dat heeft al die stommiteiten opgeleverd waar je zo'n spijt van had op het laatst. Maar ja, spijt! Terug in de tijd kunnen we niet, dus je moet het allemaal maar zien als de prijs, als datgene wat er moest worden geïncasseerd in ruil voor de mooie, grappige, lieve, goede dingen die je te bieden had.

Dat je ook nog heel andere dingen had willen schrijven en jezelf erom vervloekte dat je dat niet hebt gedurfd en het alsmaar hebt uitgesteld tot het te laat was, dat heeft niets te maken met de kwaliteiten van wat je wél geschreven hebt. Met mij en zonder mij. Wat mij stak en nog altijd pijn doet is dat je de indruk wekte dat je het had opgegeven. Je wilde best als beroepscolumnist de kost verdienen en trots zijn op je vakwerk, maar leven voor de mogelijkheidszin in het geschreven woord, ontdekkingen najagen in plaats van producten, jezelf en je vrienden en lezers verbazen, dat allemaal had je opgegeven. En niet uit vrije wil, maar omdat die ziekte je leven van binnenuit opvrat. Er was niet genoeg kracht meer. En als je moest kiezen, dan koos je voor het kostwinnerschap, het beroep, het geld en de mediapersoonlijkheid, al was het maar als investering in de nalatenschap voor je meiden.

Ik denk dat je het al veel eerder had opgegeven, veel eerder dan het laatste jaar. Waarschijnlijk is het overdreven zoiets verraad te noemen, maar het verdriet dat ik voelde bij dat stuitende lied van Charlie Rich, maakte wel duidelijk dat het oude verbond tussen ons in feite al tijden weg was. En toch waren we die laatste jaren vrienden geweest. Blijkbaar hadden we daar helemaal geen gedeeld geloof in de schrijverij meer bij nodig. Misschien was dat het begin van een nieuw verbond.

Het zit me dwars dat ik die laatste jaren te weinig doorhad hoe verschrikkelijk droevig en teleurgesteld je in jezelf en in alles was. Pas op het laatst, toen de dood dichtbij kwam, praatte je er vrijuit over; maar als over een spook dat je bestreed. Niet alsof het de onderliggende waarheid was. Ik was overdonderd door wat je zei en zat met de mond vol tanden. En ook al had ik het je horen zeggen, ik besefte niet dat je erdoor zou kunnen worden verzwolgen. En vandaar dat dat lied op de begrafenis alle lucht uit me wegsloeg.

Nu kan ik weinig anders met al die herinneringen dan dit te mompelen in een tarweveld in de Waalse nacht en straks terug te gaan naar het avontuur waartoe ik me, in voor- en tegenspoed, heb verplicht: schrijven en een levende, eigen vorm vinden voor wat het belangrijkste, engste en mooiste in mijn leven is. Sommige mensen vinden dat plechtig en aanmatigend klinken, ik weet uit eigen ervaring dat het een heel onzekere en nederig stemmende activiteit is. Je eigen banaliteit kijkt je recht in het gezicht, de boekenkast puilt uit met intimiderende voorbeelden en wat je moet doen heeft de ene keer veel weg van geduldig horlogemaken, dan weer van het monteren van een film of van een feestmaaltijd koken voor dertig mensen. Het resultaat is nooit volmaakt, ook de zogenaamde meesterwerken rammelen, tochten, stinken en zelfs als een boek goed lukt, is het nooit meer dan een hybride momentopname. En dat is geen tekortkoming of reden tot treurigheid, dat maakt schrijven en lezen juist zo waardevol, zo onuitputtelijk.

Brent, ik beloof je, ik zal een <u>soul reporter</u> zijn, en wat langer mijn mond houden en gewoon kijken en luisteren naar de mensen, en mijn gevoel en herinnering laten spreken, om dan pas een idee te krijgen; omdat jij tegen me zei dat ik minder moest denken en vanuit mijn hart moest schrijven en omdat ik toen moeilijk deed (wat bedoel je, hart?) en je later schoorvoetend gelijk gaf en vooral omdat jij er niet meer bent om het tegen me te zeggen, zeg ik het tegen mezelf.

Gegroet.

Het donker is als een zachte koele crème op zijn verhitte gezicht. De gekwelde trekken worden rechtgetrokken, zijn oogleden slinken. Hij hoort voor het eerst zijn eigen voetstappen. Hij stoot tegen kluiten droge aarde. Staat op sappig knisperend koren. Het is alsof het denkend deel van hemzelf dat in de herberg was achtergelaten hem eindelijk heeft ingehaald en zich weer bij de rest voegt. Het wandelen wordt slenteren, tot hij stilstaat en omkeert en begint terug te lopen. Hij rilt en voelt het branden van zijn opengehaalde knokkels. Hij masseert zijn onderarmen die hard en pijnlijk aanvoelen. Bij het zien van de dunne, sierlijke blauwe neonletters van Le Jeune Chevalier merkt hij hoe met elke stap mijn massa tegen zijn heup komt. Ik heb me aan hem vastgeklampt en houdt hem vast als mijn toekomst. Niet dat hij begrijpt waarom hij mij heeft meegenomen toen hij wegrende daarnet, maar hij vindt het goed, hij glimlacht.

De deur van zijn kamer staat open en van Eden is er geen spoor. Drie kleine bloedvlekken, een omgevallen lamp en een gesneuveld glas, meer schade kan hij niet ontdekken. David kiept zijn toiletspullen in zijn tas, propt losliggende kleren erbij en pakt zijn laptop. Zo zacht mogelijk sluit hij de deur en verlaat de herberg aan de achterkant. Daar ligt gelukkig geen grind, zodat hij geruisloos de auto bereikt. Ik rust naast de laptop op de achterbank als de motor aanslaat en David uit het verhaal met Eden stapt. Pas bij het oprijden van de snelweg naar het noorden kan hij vrijer ademen, en als hij doortrekt tot honderdveertig en Radio Brussel vindt, ademt hij de loden damp uit die hem de laatste dagen zwaar en ziek heeft gemaakt. Hij zet het portierraam op een kier. De rijwind is koud, het licht over de diepzwarte weg ijzig, maar hij weet, straks, over een paar uur, zal rechts van hem de zon opgaan. Diep inademen.

David tankt en koopt koffie en een broodje bij een tankstation dat altijd open is. Slenterend tussen de wirwar van vakantiegangers, zigeuners en truckers, die net als hij 's nachts reizen, verstuurt hij een tekstberichtje naar Tessa, dat hij vandaag thuiskomt.

Tien minuten later, als hij met de maximum snelheid de grens nadert, belt ze op, slaperig maar blij hem te spreken.

'(...)

Hé, schat, iets meer dan anderhalf uur, dan ben ik er.

(...)

Nee, niet echt. Het is op een gierende ramp uitgelopen, maar ik voel me uitstekend. Beter dan een hele tijd. Het is een enorme opluchting dat die reis voorbij is.

(...)

Nou, dat is een ingewikkeld verhaal, maar het komt erop neer dat het nog een te vaag plan is en dat Eden een behoorlijk ziek hondje is, godallemachtig, een geval, mag je wel zeggen. Die gozer ging op het eind vreselijk aan mijn nek hangen.

(...)

Haha, nee niet letterlijk, ik bedoel dat hij emotioneel tekeerging en me met veel misbaar smeekte en toen probeerde te dwingen om met hem een literair duo te worden.

(...)

Nee, dat klopt, dat gaat niet meer. Die plek is voor altijd bezet.

(...)

Ja, veel over Brent gepraat. Daar was ook een hoop onzinnig geraaskal bij door die Eden, maar goed, het voelt nu wel anders. Lichter. Als je er zo op terugkijkt was het een mooie vriendschap, met rare episodes, en radiostiltes, heel vertrouwd en dan weer vol vervreemding, maar toch, spannend, stimulerend.

(...)

Ach, nare trekjes en rancune, die via via naar boven komen, die heeft iedereen, ik vast ook. We zijn allemaal klein in dat opzicht.

Niet iedereen is er even goed in om die kleinheid onder de duim te houden. Weet je wat wel gek is, ik merk dat ik het als een bevrijding ervaar dat ik me niet meer afvraag wat Brent van mijn volgende boek zou vinden. Omdat ik daar nooit hoogte van kreeg.

(...)

Nu hij verdwenen is doet dat er niet meer toe, nee. Sowieso is door het laatste jaar het verleden geleidelijk minder belangrijk geworden, lijkt het.

(...)

Ja, da's waar, het komt straks wel. En hoe is Kasper eraan toe? Nog steeds in zak en as om Oranje?

(...)

Vanmiddag? O, geweldig, ik ga mee. We vinden wel een goed plekje op de grachten. De feestelijke huldiging van verliezers, dat is een mooie afsluiting van deze reis. Lief, ik zie je zo, kussen, mijn armen doen pijn, zo graag willen ze je vasthouden.'

David rijdt een nieuw land binnen, een onbekend zomers Brabant, vol met hem totaal onbekende dorpen en bossen, bedrijventerreinen en rivieroevers. Hij passeert de geheimzinnige stad Eindhoven, waar hij vroeger regelmatig enkele gebouwen, twee huizen en een paar straten heeft bezocht, en wat dus een zo goed als onontgonnen gebied is. De stad wordt bewoond door mensen van wie hij nooit gehoord heeft, die een geschiedenis bewaren waar hij hooguit een paar flarden van kent. Hetzelfde geldt voor Den Bosch, waar hij nog minder huizen vanbinnen kent. Ook al een ongeopend universum.

Hij verheugt zich erop dat de wagen het ongrijpbare Utrecht zal binnenrijden, die wonderlijke tussenzone tussen zeegewesten en landgewesten. Ook vol plaatsen en dorpen waar hij soms van gehoord heeft maar die hij nog nooit heeft bezocht. En dan zal hij Amsterdam naderen, een stad waar hij al langer heeft rondgekeken, maar die hij bij lange na nog niet kent en die verandert waar je bij staat. Behalve honderdduizenden volstrekt vreemden, nieuwkomers en oudgedienden woont er een stel mensen dat hij al lang regelmatig ontmoet, maar van wie hij maar vaag weet wat ze bezighoudt en wat ze van plan zijn.

En dan zet hij straks de wagen stil voor een huis dat hem bekend zal voorkomen, en waar een clubje mensen woont die hij nog lang niet kent, maar nog heel lang wil meemaken, uithoren, knuffelen, die hij te eten wil geven en met wie hij wil lachen. Het meest nieuwsgierig is David naar hoe Tessa, Kasper en Chris zullen veranderen, naar wat ze gaan doen, met wie ze thuis zullen komen, waar ze hem mee naartoe zullen slepen, naar wat ze zullen maken, leren en ontdekken. Het idee dat met geen mogelijkheid te zeggen valt hoe hij zal veranderen door al die nieuwe indrukken is een troostend vooruitzicht, een belofte. Niemand die weet hoe zijn schrijven erdoor zal veranderen, ook hijzelf niet. Dat is een vaststelling die hem sterker maakt. David weet niet wat precies, maar het begint.

De motor klinkt krachtig en tevreden, de weg wordt grijzer, het verkeer drukker. De zon duwt de hemel overeind aan de horizon. Ten oosten van de snelweg is het landschap flauw heuvelachtig en bosrijk. David denkt aan de bossen bij Zeist en aan Eden, met wie hij ooit een keer vrede zal moeten sluiten. Niet volgende week, maar later, wanneer de boze droom waarmee de reis eindigde is verteerd. Ook Eden verschijnt aan het eind van Davids doorwaakte nacht als een onbekend en slecht leesbaar wezen. Een luidruchtig raadsel, waar alleen een sterk en vasthoudend beschouwer iets wijzer van kan worden. David is dat voorlopig niet. Hij ziet nog te veel oude spookbeelden van zichzelf in Eden terug.

Straks, als David zijn spullen uit de auto verzamelt, zal hij vaststellen dat ik het enige ben dat hij aan de reis heeft overgehouden.

Ik hoop dat hij mij niet ziet als een symbool, als een door Eden besmet voorwerp, maar gewoon als een puntgave machine, een instrument dat even oud is als hijzelf en dat, met zo nu en dan een nieuw lintje, nog minstens een halve eeuw zonder problemen werkt. Dat is wat ik te bieden heb: de stille onverzettelijkheid van de mechanica waarin vernuft is opgeslagen dat altijd op afroep dienstbaar blijft en wacht op schrijvende vingers. Een machine die nooit moeilijk doet of een update nodig heeft. Het alfabet en de leestekens die ik tastbaar maak, zijn van en voor David, het zijn geen getallenreeksen die hij huurt van een softwarebedrijf dat zomaar kan beslissen dat hij er niet meer bij kan. Alles wat ik kan doen kan David begrijpen, hij kan het zien en ervan houden. Ik geef hem de stille, materiële aanwezigheid van de oneindige mogelijkheden van het geschreven woord en nog in een eeuwig elegante vorm ook.

David, neem me mee op je expedities als soul-reporter, vertrouw je waarnemingen, herinneringen en speculaties aan mij toe. Ik ben je vriendin. De toekomst zal onvermijdelijk tegenslagen, ziekte en dood op je afsturen en niemand weet wat er gebeurt als die je te grazen nemen, maar je hebt Tessa en mij. Er is meer dan een jaar voorbij waarin je in de zwarte spiegel van Brents dood gekeken hebt. Maar het is klaar, je rijdt door een trotse maar verslagen natie naar huis en zult jezelf opnieuw uitvinden. Zo is het altijd geweest. Kijk, overal boven de snelweg wordt het licht, het wordt altijd weer licht.

I • HET EERSTE UUR
HOOFDSTUK 1: Olivetti Studio 44

"Die vent daar, op het bed, in z'n zwarte onderbroek
op het hagelwitte dekbed, met dat tandenborstel-glas

HOOFDSTUK 2: Adler Gabriele 25

" Onder dat langzaam breder wordende kolommetje
sigarettenrook, zit ze. Aan de ongelakte houten

HOOFDSTUK 3: Underwood Champion

"David draagt een zandkleurig linnen pak en een
wit linnen hemd. Mocassins zonder sokken. Alsof

II • HET EIGEN VLEES
HOOFDSTUK 1: IBM Selectric 1

'Eerst kwam de hand met de zuignap, toen de tweede die het mesje aan een passer-arm rond liet gaan. Het kraken en knakken

HOOFDSTUK 2: Adler Gabriele 25

"Tessa Inmijnen leunt achterover en blaast de rook naar het plafond. Ze zit er stoer bij met de ene

HOOFDSTUK 3: Erika Model 42

"Precies zoals ik het me had voorgesteld. Ted, in korte broek vanwege de warmte, die

HOOFDSTUK 4: Antares Parva North Star

"Zo begint de ochtend heel vaak. Dat de kat zich
onder het muskietennet wurmt, op iemands bed

HOOFDSTUK 5: Underwood Touchmaster 5

"Kijk, je ziet het aan zijn houding, hoe die bovenrug
wat bol komt te staan. Gespannen aan het beeldscherm

III • DE DODE HOEK
Olivetti Lettera 22

"Zo, de kruitdamp trekt op. Grappig om te zien hoe
de heren nog suizebollen van het urenlange tafel-

DANKWOORD

Dit boek is mede mogelijk gemaakt dankzij ondersteuning door het Nederlands Letterenfonds.

De familie Loman-Koopmans en ZJA (Zwarts & Jansma Architecten) boden mij eenzaam onderdak in respectievelijk Enschede en Brussel toen dat nodig was. Bedankt!

Adri van der Starre van Lettera BV, die sinds 1993 Martin en mij van dienst is als reparateur, onderhield en repareerde de schrijfmachines die ik voor het boek gebruikte, als vanouds.

Anneke Stehouwer wil ik bedanken voor haar stimulans dit boek te schrijven en voor het uitlenen van Martins Underwood Champion.

Michel Kuijpers hielp me in een vroeg stadium de juiste toon te vinden.

Richard Polt, filosoof en schrijfmachineverzamelaar/publicist, diende me van advies bij het speculeren over een eenentwintigste-eeuwse mechanische draagbare schrijfmachine, zoals beschreven in het Phoenix Typewriter Project in deel III. Bedankt, en laten we blijven denken dat het er ooit een dag van komt. The Typewriter Insurgency has only just begun!

Ruben en Iris, en vooral Annemie wil ik bedanken voor hun geduld met mij en voor hun coulance ten opzichte van het gebruik dat ik van hun levens maakte in het boek.

Martin, waar je ook bent, dit boek is voor jou, voor ons.